JN204654

まずはこうする！ 次の一手はこれだ！

糖尿病治療薬 最新メソッド 4版

監修
弘世貴久
東邦大学医学部内科学講座 糖尿病・代謝・内分泌学分野 教授

編集
内野 泰 東邦大学医学部内科学講座 糖尿病・代謝・内分泌学分野 准教授
吉川芙久美 東邦大学医学部内科学講座 糖尿病・代謝・内分泌学分野 講師

謹告

第4版刊行にあたって

本書が初めて刊行されたのが今からちょうど10年前の2013年。新版として再編集を何度も加えて今回第4版となりました。糖尿病の治療薬が本当に日々進歩している証拠と言ってもよいでしょう。そして何よりうれしいことはその進歩に沿った新版を本書に求められて再編集を重ねる機会を頂いたことです。ひとえに本書をお求め頂き，愛読，愛用して頂いた，医療従事者および関係者の皆様のおかげで，心から感謝申し上げます。

さて，その進歩の中でも直近の話題はやはりGLP-1受容体作動薬あるいはGIP/GLP-1受容体作動薬が示した驚くべき効果でしょう。第3版の緒言でも申し上げていますが，基礎インスリンに代わってファーストインジェクションにのし上がったGLP-1受容体作動薬はその時点でプライオリティの高い薬剤となっていました。しかし，その後登場した，セマグルチド，チルゼパチドは既存のGLP-1受容体作動薬よりもかなり強力で，患者によってはHbA1cが5%台に，そして体重を10kg以上落とせるといった凄まじい効果に加え，高血圧，脂質異常症，脂肪肝といった付随する代謝異常を軒並み改善し，真に糖尿病が“治る”ケースが散見されるようになりました。第4版の本書がそのような薬剤の影響を色濃く受けた内容になっているのは当然の結果ですが，日常臨床で活用して頂くことによりそのあたりを感じ取って頂けますと幸甚です。

糖尿病治療薬は，その作用機序が不明ながら期待値の高いイメグリミンや2024年には登場予定の週1回注射の基礎インスリンなど，興味深いものが目白押しです。読者の皆様にはこの『糖尿病治療薬最新メソッド』第4版がまた次に繋がるように厳しいご評価を是非ともお願いしたいと思います。

2023年11月

東邦大学医学部内科学講座糖尿病・代謝・内分泌学分野　弘世貴久

第3版発刊に当たって

初版から6年，2版から3年が経ちました。第2版は初版の問題点にかなりメスを入れたおかげで初版を上回る勢いでご愛読いただき，おかげさまで2回目の改訂を日本医事新報社さんから依頼いただくことができました。本当にありがたいことです。

この3年間では前回の巻頭言で取り上げたSGLT2阻害薬の評価が予想以上に急騰し，場合によってはファーストラインの薬剤になるかもしれないような勢いです。さらに3年前はまだまだ市場での勢いがなかったGLP-1受容体作動薬も大きなブームです。大ブレークしたDPP-4阻害薬に比べ元気のなかったGLP-1受容体作動薬ですが，週1回の注射薬が発売されたことにより実臨床での使用範囲が大幅に広がり，そのことがこの薬剤の再評価につながったのは間違いないでしょう。もちろんSGLT2阻害薬同様，心血管系疾患を抑制したLEADER試験の結果の影響もあると思われます。今や欧米のガイドラインでは，経口薬効果不十分の2型糖尿病患者において，インスリンよりも先に使用するべき注射製剤とまで示されています。

これら2剤の台頭に加え，高齢者の血糖コントロール目標が細分化されたことなども踏まえて，薬物療法の考え方はこの第3版ではかなり変化しています。ぜひともこの最新版『糖尿病治療薬最新メソッド』を手に取っていただき，日々の患者さんの糖尿病薬物治療にお役立ていただけますと幸いです。

2019年2月

東邦大学医学部内科学講座 糖尿病・代謝・内分泌学分野　弘世貴久

第2版発刊に当たって

2013年刊行の『糖尿病治療薬最新メソッド』初版は，我々の予想以上に売れ行き好調で，すぐに増刷といううれしいニュースも入ってきました。症例の特徴を1つ挙げて，そんな患者のフローチャート的な治療法を紹介するというのはわが国では初めての試みだったからでしょう。何も特徴なしにフローチャートを作成する困難さについては初版の序文に書かせて頂きました。ただ，少し患者背景を絞るだけである程度処方パターンは見えてくるのだということを我々も実感することができました。

折しも初版発行後，たった1年で新しい経口糖尿病治療薬のSGLT2阻害薬が発売され，いくつかの新しいインスリンアナログ，GLP-1受容体作動薬も発売されました。特にSGLT2阻害薬はその副作用がクローズアップされ，日本市場での伸びがほとんどなかった中で2015年9月のEMPA-REGアウトカムの発表（標準的な治療では血糖コントロールが不十分で，心血管疾患の既往のある2型糖尿病患者において，エンパグリフロジンを追加すると，心血管疾患による死亡，心血管イベント，全死亡の発症率を低下させた）があり，循環器内科の先生方の反応が大変なことになっています。この薬，まだまだ現時点では如何様な評価ともなりそうな状況です。

このような状況の中，進化した『糖尿病治療薬最新メソッド』をご覧頂きありがとうございます。読者の先生方のご批判が次の最新メソッドの進化の源となることでしょう。忌憚のないご意見をよろしくお願い致します。

2016年1月

東邦大学医学部内科学講座 糖尿病・代謝・内分泌学分野　弘世貴久

序

講演会や市民講座などでお話しする機会を頂くようになって，その際，多くの先生方から指摘頂くのは「なぜ糖尿病学会は糖尿病の薬物療法のフローチャートをつくってくれないのか？」という質問です。確かに米国ならびに欧州糖尿病学会は，ざっくりとしたものですが，薬物療法のフローチャートを2008年の末に発表しました。もちろん日本人にそれをそのまま当てはめるのには抵抗がありました。ところが，その後2012年に再発表された薬物療法のフローチャートはメトホルミンが第一選択という以外はすべての薬が横並びとなり，その選択は患者の病態，経済状態，併存疾患，年齢等々によるということで，現実には「主治医任せ」なものに戻ってしまっていたのです。私はこれを見てフムフムと思いました。糖尿病はひとつの疾患ですが，皆の顔が違うぐらいに病態はそれぞれなのです。そんな簡単な「そこに乗せれば自動的に治療が選べるフローチャート」など無理だと思っていたからです。

しかし，増え続ける糖尿病患者の薬物療法をどのように行っていくのかという道筋を何らかの方法で示す必要性は，すべての糖尿病専門医が感じていることだと思います。そこで本書は臨床上の特徴をひとつ挙げた上でその1例1例をどんなふうに治療するのがよいか？ということをより具体的に，次の一手も含めて書き上げました。執筆者は東邦大学医療センター大森病院糖尿病・代謝・内分泌センターの医師全員です。糖尿病の治療がエビデンス通りにはいかないのは，おそらく糖尿病という病気は「病態に患者さんの個性が色濃く含まれている」からだと私は思っています。そういう意味でも，ご提示した多くの症例で私たちとは異なる処方・治療をお考えになる先生方も多いと思います。しかし，このような試みはおそらくわが国では初めてではないかと思います。多くの先生方にご一読頂き，この症例はむしろこうすべきでは？といったご意見を頂戴できれば幸いです。是非，最後までお付き合い下さい。

2013年5月

東邦大学医学部内科学講座 糖尿病・代謝・内分泌学分野　弘世貴久

執筆者一覧

監修

弘世貴久　東邦大学医学部内科学講座 糖尿病・代謝・内分泌学分野 教授

編集

内野　泰　東邦大学医学部内科学講座 糖尿病・代謝・内分泌学分野 准教授
2章-4，3章-1，5章-6，6章-6，7章-2，9章-2

吉川芙久美　東邦大学医学部内科学講座 糖尿病・代謝・内分泌学分野 講師
2章-6，3章-5，5章-1，6章-8，7章-6，8章-1

執筆者（執筆順）

山本絢菜　東邦大学医学部内科学講座 糖尿病・代謝・内分泌学分野
1章-1，3章-13，4章-6，7章-7

蛭間真梨乃　東邦大学医学部内科学講座 糖尿病・代謝・内分泌学分野 助教（任期）
1章-2，3章-9，5章-3，6章-1

宮城匡彦　東邦大学医学部内科学講座 糖尿病・代謝・内分泌学分野 講師
1章-3，2章-2，3章-12，4章-4，7章-1，10章-3

小柴博路　東邦大学医学部内科学講座 糖尿病・代謝・内分泌学分野 院内助教
1章-4，2章-1，3章-2，4章-3，9章-3

吉田有沙　東邦大学医学部内科学講座 糖尿病・代謝・内分泌学分野 院内助教
1章-5，3章-3，4章-5，6章-9

齋藤　学　東邦大学医学部内科学講座 糖尿病・代謝・内分泌学分野 助教
2章-3，3章-8，7章-4，8章-4

望月晧平　東邦大学医学部内科学講座 糖尿病・代謝・内分泌学分野 院内助教
2章-5，3章-4，6章-2，8章-3

五日市篤　東邦大学医学部内科学講座 糖尿病・代謝・内分泌学分野 院内助教
3章-6，4章-2，6章-7，9章-4

岩田葉子	東邦大学医学部内科学講座 糖尿病・代謝・内分泌学分野 助教 3章-7，5章-4，6章-5，7章-8，8章-2
佐藤源記	東邦大学医学部内科学講座 糖尿病・代謝・内分泌学分野 助教 3章-10，5章-2，6章-4，7章-5，8章-5，9章-1
渕上彩子	東邦大学医学部内科学講座 糖尿病・代謝・内分泌学分野 助教 3章-11，6章-3，7章-3，10章-1，10章-2
久永香織	東邦大学医学部内科学講座 糖尿病・代謝・内分泌学分野 院内助教 3章-14
詫摩晃大	東邦大学医学部内科学講座 糖尿病・代謝・内分泌学分野 院内助教 4章-1
蛭間重典	東邦大学医学部内科学講座 糖尿病・代謝・内分泌学分野 院内助教 5章-5

目次

1 章

職業から考える治療法

（運動不足・肉体労働・不規則な生活など）

接待・出張の多いビジネスマン

山本絢菜

Keyword
- 週１回のGLP-1受容体作動薬
- アルコール多飲
- 服薬アドヒアランス不良

parameter

56歳男性　会社員（デスクワーク中心）

項目	評価	内容
肥満	★★☆☆☆	あり（BMI 26.1）
家族歴	★★★☆☆	母：糖尿病
HbA1c	★★★★☆	9.0%
食前血糖	★★★☆☆	145mg/dL
食後血糖	★★☆☆☆	195mg/dL
罹病期間	★☆☆☆☆	初回指摘
腎障害	★☆☆☆☆	なし（eGFR 92.6mL/分/1.73m^2）
合併症	★★★☆☆	網膜症なし，神経障害（末梢神経障害，自律神経障害）なし，大血管障害：脂質異常症，高血圧症
併用薬	★☆☆☆☆	なし

現処方　薬物療法なし，食事療法なし，運動療法なし

身長175cm，体重80kg。結婚歴はなく，現在は独居である。5年前に高血圧症の指摘があり，近医に通院していたが服薬アドヒアランスは不良であった。毎朝の内服薬が継続できず，3年前に通院は自己中断している。営業職ではあるが，3年前から在宅勤務が中心となり運動量が極端に減った。一方で，接待は増えたため飲酒量が増えた。仕事が忙しく，朝まで寝ずに働くことが多い。深夜に帰ってきたときにはラーメン，牛丼

など手軽に食べられる高カロリーの食事が多い。自宅に帰ってからも毎晩ビールを1,000mL飲む。飲酒時のつまみにポテトチップスを食べることが多く，20代のときと比べて体重は20kg増加した。

病態をどうとらえるか──parameterを読み解く

肥満，糖尿病の家族歴がある2型糖尿病の症例である。内因性インスリン分泌は保たれており，インスリン抵抗性を認める。高血圧症，脂質異常症も合併しており，細小血管合併症，大血管障害をきたす可能性が高い。

問題点の整理

独身であり一人暮らしの生活は長いが，料理の習慣はなく，安価でカロリーの高い糖質過多な食事を摂取することが多い。自宅，職場でもアルコール摂取量が多く休肝日はない。在宅勤務が中心となり座っていることが多く，運動量が極端に減ったことで体重の増加もきたしており，食事運動療法の遵守が望まれる。以前，高血圧症に対して内服加療を行っていたが，服薬アドヒアランスが不良のため自己中断歴のある症例である。糖尿病は初期においては自覚症状がほぼないため服薬実施率が低く，治療に難渋することはよく経験する。最新の知見をふまえた上で処方例を示す。

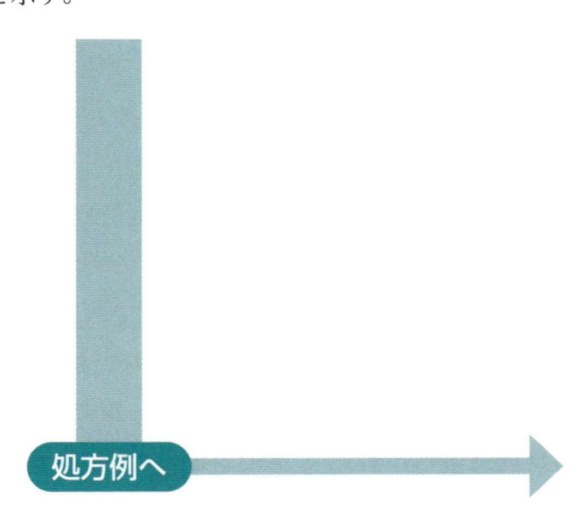

処方例―まずはこうする！

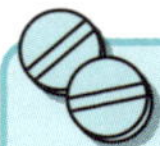

経口薬・インスリン

適応なし

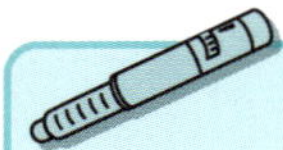

注射薬

オゼンピック®皮下注0.25mg 週1回を4週間投与後，0.5mg 週1回に増量

食事療法

1,840kcal／日（27.3kcal／kg／日），減塩（塩分6g／日），禁酒

運動療法

食後30分程度のウォーキング

解説 処方例―まずはこうする！

2型糖尿病の治療の根幹は食事・運動療法である。本症例は過食が高血糖の原因のひとつであり，まずは栄養指導を行っていく。運動療法は取り組みやすい目標を定めることがまずは重要であり，食後30分程度のウォーキングを指示した。アルコールは1日摂取量24g以下であれば，糖尿病発症リスクを低下させるとの報告があるが[1)]，本症例においては高血糖が持続しているため禁酒を指示した。肥満も認めているためメトホルミンの処方も検討したが，飲酒量が多く乳酸アシドーシスのリスクが高い症例と考えられ処方はしなかった。また，メトホルミンは750mg／日 分3などで処方されることが多いが，服薬アドヒアランス不良な患者においては昼の飲み忘れなどが頻発する。内服回数の多い薬は，個々の症例および性格に合わせた処方が重要である。アドヒアランス不良の症例に対してはGLP-1受容体作動薬オゼンピック®週1回の投与を検討する。オゼンピック®はSUSTAIN 6試験[2)]が示した通り，心血管リスクを抑制する。脂質異常症，高血圧症も合併している症例のため心血管リスクも高く，GLP-1受容体作動薬は良い適応と考えられる。なお，内服薬のリベルサス®と注射薬のオゼンピック®はどちらもセマグルチドであり，成分は同一である。リベルサス®は服用後少なくとも30分は飲食できないなどの制限があるため，内服を継続できず自己中断してしまうことがある。**筆者は患者の服薬実施率，生活リズムに合わせてリベルサス®，オゼンピック®を使い分けている。**

コントロール不良──次の一手はこれだ！

経口薬

オゼンピック®皮下注1.0mg 週1回に増量しても効果不十分の場合，下記を追加
ジャディアンス®25mg/日 分1 朝食後

インスリン・注射薬

オゼンピック®皮下注を1.0mg 週1回まで増量する
オゼンピック®増量，ジャディアンス®追加でも効果不十分であればインスリン デグルデク 6単位 1日1回を追加

食事療法

変更なし

運動療法

変更なし

解説 コントロール不良──次の一手はこれだ！

薬剤を追加する際，GLP-1受容体作動薬とDPP-4阻害薬は機序が似通っているため併用しない。消化器症状が出ていないことを確認した上でオゼンピック®を増量していく。オゼンピック®を1.0mg 週1回に増量しても効果不十分であればジャディアンス®25mg/日を追加する。SGLT2阻害薬はメタ解析にて，心血管イベントを抑制し，腎保護作用も有することが示されている[3,4]。GLP-1受容体作動薬と同様に，心血管リスクの高い症例には良い適応と考えられる。オゼンピック®増量，ジャディアンス®追加にても血糖値が高値で推移した場合にはインスリン注射の導入を検討する。インスリン デグルデクは作用時間が42時間と長く，他の持効型インスリンと比較し平坦で安定した血糖降下作用が持続する。そのため，**必要な場合は注射時刻の変更も可能**である。会食などで注射時刻が遅くなってしまっても，安全に使用することができるため，実臨床においても処方する機会の多い薬剤である。

Keyword
- 運動量のばらつき
- 不規則な食生活

建設現場・肉体労働者

蛭間真梨乃

parameter

52歳男性 建設現場作業員

肥満	★★☆☆☆	あり(BMI 29.1)
家族歴	★★★☆☆	父:糖尿病
HbA1c	★★★★☆	8.7%
食前血糖	★★★☆☆	142mg/dL
食後血糖	★★★★☆	270mg/dL
罹病期間	★★☆☆☆	3年
腎障害	★★☆☆☆	腎症2期
合併症	★★★★☆	脂質異常症，高血圧症，脂肪肝
併用薬	★★★☆☆	クレストール®2.5mg/日，オルメテック®10mg/日

現処方 ジャヌビア®50mg/日

3年前，建設現場で作業中の怪我で病院を受診した際，脂質異常症，高血圧症，糖尿病，脂肪肝の指摘を受けた。HbA1c 7.2%で食事療法を指導され，HbA1c 6%台後半へ低下したが，不規則な食生活で体重が3kg/年増加し，HbA1c 7.5%と悪化したためジャヌビア®が開始された。その後も不規則な食生活で血糖管理不良が続いていた。喫煙20本/日で32年。ビール1,000mL/日。身長168cm，体重82.1kg，血圧142/84mmHg。独居。朝食なし。昼・夕食は外食で時間はバラ

バラ。深夜にカップ麺やスナック菓子を摂取し，仕事の際，スポーツ飲料を1～2L程度摂取する。食事療法がなかなか実行できない。

病態をどうとらえるか――parameterを読み解く

建設現場作業員で日々の運動量は多いものの，外食続きで炭水化物中心の食生活に加え間食量も多いことから，血糖コントロール不良かつ肥満を認めている。仕事の有無によって運動量が異なり，食事療法が難しい症例である。また，ジャヌビア®のみでは食後高血糖を抑えきれていない。

問題点の整理

高血圧症，脂質異常症を有し動脈硬化リスクが高く，また腎症2期で脂肪肝も併存している。肥満もあり，インスリン抵抗性が高いと考えられる。飲酒習慣や建設現場作業員であることから，特に夏場などでは脱水をきたす可能性があり，また脱水の是正のためにスポーツ飲料を大量に摂取する可能性がある。

糖質過多の食事も改善の余地がある。

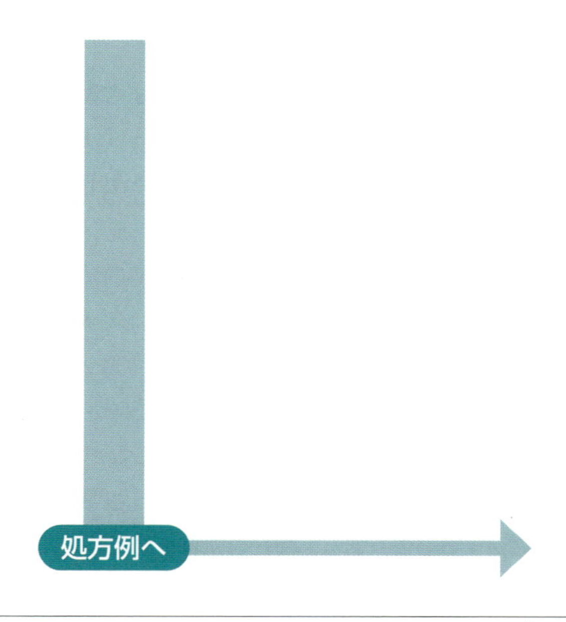

処方例──まずはこうする！

経口薬・注射薬

ジャヌビア®50mg/日をリベルサス®3mg/日
または
オゼンピック®皮下注0.25mg/週
または
マンジャロ®皮下注アテオス®2.5mg/週へ切り替え，維持量(それぞれ7mg/日，0.5mg/週，5mg/週)へ増量

インスリン

適応なし

食事療法

1,800kcal/日(29.0kcal/kg/日)，減塩(塩分6g/日)

運動療法

休日に食後の運動を勧める

解 説 処方例──まずはこうする！

再度栄養指導を行うとともに，食後高血糖是正に加え食欲抑制効果や体重減少効果を期待した薬剤調節が好ましいと考えられる。DPP-4阻害薬をGLP-1受容体作動薬へ切り替える。

GLP-1受容体作動薬は，本症例が心血管疾患のリスクが高い点でも良い適応である。また，食事時間や日々の運動量が変動しがちな本症例において，インスリンと比較した際に低血糖をきたしづらいことも利点である。

GLP-1受容体作動薬は，患者ごとの特性によって製剤を使い分ける。強い体重減少効果を狙う場合，マンジャロ®皮下注アテオス®は効果が期待できる[1)]。また注射製剤に拒否的で，朝食まで時間がある場合や本症例のように朝食の摂取習慣がない場合，リベルサス®の内服を検討する。内服を忘れがち，もしくは朝食まで時間を空けられない場合は，週1回の注射製剤であるオゼンピック®，マンジャロ®皮下注アテオス®のいずれかを選択する。これらの薬剤はすべて初期用量から開始し，副作用を確認しながら増量を行う。

本症例は，肥満はあるが体を使う仕事であり，ある程度のカロリー摂取量を確保する必要がある。間食の内容を見直し，スポーツ飲料の摂取量を制限する。

コントロール不良――次の一手はこれだ！

経口薬・注射薬

リベルサス®7mg/日　または
オゼンピック®皮下注0.5mg/週
または　マンジャロ®皮下注アテオス®5mg/週に下記①，②のいずれかの変更を加える
①ジャディアンス®10mg/日を追加
②リベルサス®14mg/日　またはオゼンピック®皮下注1.0mg/週
または　マンジャロ®皮下注アテオス®7.5mg/週を経て10mg/週へ増量

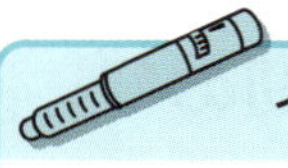

インスリン

変更なし

食事療法

変更なし

運動療法

変更なし

スポーツ飲料の代わりに水もしくはお茶で水分を摂取し，過剰摂取に注意しながら塩飴で塩分を補う方法もある。

解説　コントロール不良――次の一手はこれだ！

食後高血糖是正を考慮し，SGLT2阻害薬を用いる。本症例は高血圧症，脂質異常症，肥満症を有し，アルブミン尿(＋)である。SGLT2阻害薬のクラスエフェクトの可能性が高いものの，心血管イベント抑制および糖尿病性腎症の進展抑制効果に対するエビデンスを考慮[2)~5)]すると，エンパグリフロジンやカナグリフロジン，ダパグリフロジンが良い適応である。

本症例は建設現場作業員であり，特に夏場の脱水には十分注意が必要である。内服開始後，特に仕事中はこまめに水分を摂取するよう説明する。また，正常血糖ケトアシドーシスに至る可能性があることから[6)]，疲労や感冒などにより食思不振が続いた際にはSGLT2阻害薬の内服を中止するよう説明し，普段の食事においても極端な糖質制限は控えるよう指導する。

脱水の危険性が高い症例や，さらなる食欲抑制・体重減少効果を期待したい症例においては，GLP-1受容体作動薬の増量を検討する。

交代勤務：夜勤あり

宮城匡彦

Keyword
- 服薬アドヒアランス不良
- GLP-1製剤の週1回投与タイプ
- 持効型のフレキシブル投与

parameter

56歳男性　工場勤務（肉体労働者，電車・バス通勤）

肥満	★★☆☆☆	あり（BMI 24.4）
家族歴	★★★☆☆	母：2型糖尿病
HbA1c	★★★★☆	9.5%
食前血糖	★★★★☆	180mg/dL
食後血糖	★★★★☆	250mg/dL
罹病期間	★★★★☆	8年
腎障害	★★☆☆☆	腎症2期（eGFR 60mL/分/1.73m²，尿アルブミン55mg/gCr）
合併症	★★★★☆	網膜症なし，神経障害なし，大血管障害：狭心症，脂質異常症，高血圧症
併用薬	★★★☆☆	リバロ®2mg/日 分1 朝食後，エンレスト®200mg/日 分1 朝食後，タケルダ®配合錠1錠/日 分1 朝食後

現処方　エクア®100mg/日+メトグルコ®1,000mg/日 分2 朝夕食後

高血圧症，脂質異常症で治療中，48歳で糖尿病を指摘された。現在ではエクア®100mg/日+メトグルコ®1,000mg/日で加療しているが，HbA1c 10%前後が続いている。24時間操業の工場に勤務している肉体労働者で，職場環境は暑く，スポーツドリンクが用意されているとい

う。勤務形態は交代勤務で夜勤がある。内服も忘れがちである。喫煙20本/日で30年。身長167cm，体重68kg，血圧140/84mmHg，胸腹部異常なし，下肢浮腫なし。腹部エコーは脂肪肝あり，膵臓などに異常なし。

病態をどうとらえるか──parameterを読み解く

肥満，糖尿病の家族歴がある2型糖尿病。BMI≧22.0であり，急な体重減少もなく尿ケトン陰性であれば，内因性インスリン分泌は保たれていると推測できる。糖尿病合併症は幸い進展していない。喫煙歴もあり，動脈硬化性心血管疾患を合併している。

問題点の整理

工場勤務の肉体労働者で，交代勤務の夜勤がある。処方薬も朝の分は循環器の薬のためかしっかり内服できているが，夕の分は忘れることが多い。食事に関しても交代勤務であり，食事を摂る時間帯も一定しておらず，夜勤明けには食事をしてから睡眠をとるという生活が続いている。食事療法の再確認や服薬をきっちりするというのが，まず行うべきところというのは間違いないが，現在の勤務形態からは期待できない。糖尿病合併症予防および動脈硬化性疾患合併症を進展抑制させる観点からは，HbA1c＜7.0%を目標に設定し，治療の見直しをする必要がある。

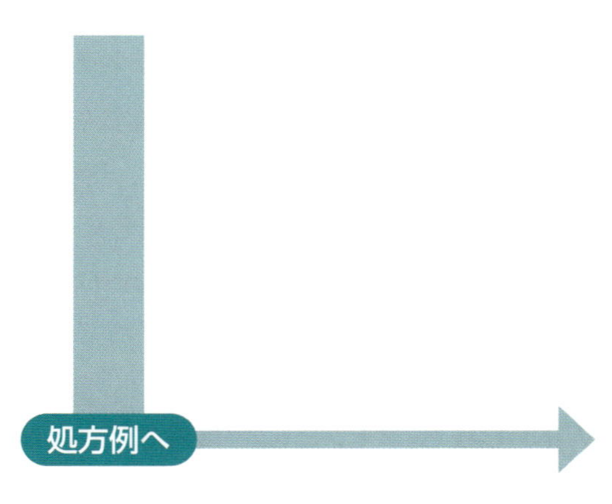

処方例——まずはこうする！

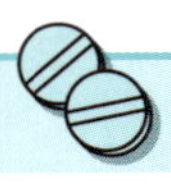

経口薬

メトグルコ®1,000mg/日 分2 朝夕食後を継続，エクア®100mgはGLP-1製剤導入のため中止

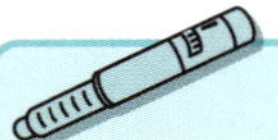

注射薬

トルリシティ®皮下注0.75mg アテオス® 週1回を開始，もしくはオゼンピック®皮下注0.25mg 週1回から開始し漸増

食事療法

総カロリーは30～35kcal/kg目標体重，高血圧があり塩分6g未満/日に設定する
2,000kcal/日(32.6kcal/kg/日)，減塩(塩分6g/日)

運動療法

電車・バス通勤で歩行を多めにするように日常生活に取り入れる

解説 処方例——まずはこうする！

経口薬を開始してもHbA1c≧9.0%が続くなら，注射薬のGLP-1製剤を導入してみる。起床時の空腹時服用ができるなら経口GLP-1製剤のリベルサス®でもよいが，本症例は交代勤務であり服薬状況からしても期待はできない。注射薬のGLP-1製剤なら，週1回注射タイプが主流になってきている。毎日注射するのではなく週1回曜日を決めて注射すればよく，毎日の服薬を忘れがちな症例にとってはアドヒアランス向上も期待できる。注射治療が初めてなら，注射針が取り付け不要で1回使い切りタイプの**トルリシティ®0.75mgアテオス®を勧めたい**。①キャップを外し，②底面を皮膚に当てて，③注入ボタンを押す，という3つのステップで操作が完了し，注射治療初心者には導入しやすい。

保険診療上GLP-1製剤とDPP-4阻害薬の併用は認められていないので，エクア®は中止する。効いているかもしれないDPP-4阻害薬を中止するとHbA1cの悪化が懸念されるが，GLP-1製剤へ移行することでHbA1cは悪化することなく改善していく[1)]。GLP-1製剤の心血管イベント抑制について，トルリシティ®はREWIND試験で，オゼンピック®はSUSTAIN 6試験で優越性が示されている[2)3)]。

コントロール不良──次の一手はこれだ！

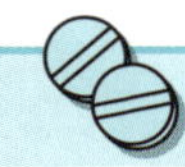

経口薬

メトグルコ®1,000mg／日 分2 朝夕食後を継続

食事療法

変更なし

注射薬・インスリン

トレシーバ®注フレックスタッチ®4単位 1日1回 夕食後（または就寝前）皮下注射から開始
トルリシティ®皮下注0.75mgアテオス®またはオゼンピック®皮下注0.5〜1.0mg 週1回は継続（改善してきたら漸減もしくは中止可）

運動療法

4階までならエレベーターを使わずに，階段を使うようにするなどを日常生活に取り入れる

解 説 コントロール不良──次の一手はこれだ！

GLP-1製剤を投与してもHbA1cが目標値まで達しないようなら，トレシーバ®を4単位から開始してみる。来院の際には空腹時採血をして血糖値≧130mg/dLなら2単位，≧200mg/dLなら4単位ずつ漸増していく。

注射時刻は原則として毎日一定とされるが，**トレシーバ®の場合は2型糖尿病に対して通常の注射時刻の前後8時間以内に時刻を変更し，その後は8時間以上空けて通常の時刻に戻すというフレキシブル投与を指導することができる**[4)]。たとえば，交代勤務で夕食後（または就寝前）に投与ができなかった場合には，翌朝に投与する。その次の注射は8時間以上空けて，また通常の時刻に戻すようにする。2型糖尿病の場合は，通常の投与量で問題ない。過剰投与が心配なら，投与間隔が短いときは2/3量に減らして投与する。

投与量が20単位にまで到達するようなら，一度立ち止まって，HbA1c値が下がらない原因が何かないか探るか，もしくは糖尿病専門医へ依頼する。

タクシー・長距離トラックドライバー

小柴博路

Keyword
- 不規則な生活
- 運動量が少ない
- 高度肥満症

parameter

40歳男性	タクシードライバー	
肥満	★★★★☆	あり(BMI 36.4)
家族歴	★★☆☆☆	祖父:糖尿病
HbA1c	★★★★☆	8.3%
食前血糖	★★★★☆	160mg/dL
食後血糖	★★★☆☆	230mg/dL
罹病期間	★★☆☆☆	約3年
腎障害	★☆☆☆☆	腎症1期
合併症	★★★☆☆	脂質異常症，非アルコール性脂肪肝炎(NASH)〔MASH〕
併用薬	★★☆☆☆	ロスバスタチン5mg/日

現処方
ジャヌビア®100mg/日，アマリール®0.5mg/日，ベイスン®0.6mg/日
食事療法:1,800kcal/日，運動療法:実施できていない

身長180cm，体重117.9kg。5年前にタクシードライバーへ転職したことを契機に仕事中の運動量が著しく低下した。3年前に会社の健康診断でHbA1c 8.5%，空腹時血糖156mg/dLと血糖高値を指摘され，近医を受診し2型糖尿病の診断に至った。増悪の要因としては，炭水化物を主とした食事の過食と加糖飲料を日常的に摂取していることや，運動習慣が一切ないことが挙げられた。診断後も食事療法を遵守できず食

事量を十分に制限できずにいたが，加糖飲料の摂取は控えるようになり，経口血糖降下薬を開始したところ血糖値は改善傾向となった。しかし内服したあとに食事が摂取できず，運転中に低血糖症状をきたしたことを契機に，低血糖に対する恐怖心が非常に強くなり，血糖値を上げようと間食が増えてしまっていた。

病態をどうとらえるか──parameterを読み解く

転職を契機に運動量が著しく低下し，日常的な加糖飲料の摂取や食事摂取量の過多が問題となっている。高度肥満症の合併があり，糖尿病合併症のほかにも脂質異常症や高血圧症，非アルコール性脂肪肝炎（nonalcoholic steatohepatitis：NASH）〔MASH〕，睡眠時無呼吸症候群といった併存疾患の発症リスクもあり，減量が望ましい。幸い罹病期間はまだ短く，早期に血糖コントロールを改善することで，糖尿病合併症の発症を予防することが望ましいと考える。

問題点の整理

食事摂取量の過多に加えて，就業中は歩くこともほとんどなく慢性的な運動不足に陥ってしまっている。その影響で高度肥満症の改善も得られていない。また，糖尿病の治療においては，過去の運転中の低血糖のエピソードから，低血糖を必要以上に避けようとするあまり，自己判断での休薬や間食が増えてしまっている。今後は，継続可能な食事療法の指導および治療内容の見直しが必要である。

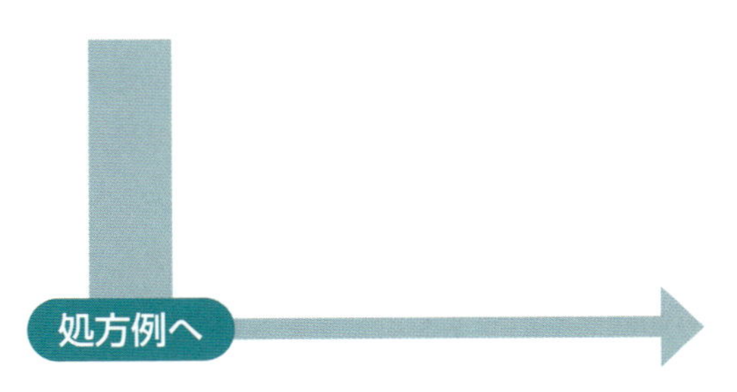

処方例 ―まずはこうする！

経口薬・注射薬

アマリール®およびベイスン®は中止する
ジャヌビア®を中止して，オゼンピック® 0.25mg 週1回に変更し漸増する
メトグルコ®500mg/日を開始し漸増する

食事療法

肥満症治療食として「25kcal/kg×目標体重/日」以下に設定する
実施困難な過度なダイエット指示は行わないように注意する

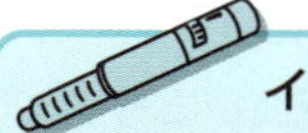

インスリン

現時点では検討せず

運動療法

週3～5回，1回30分程度の有酸素運動

解説 処方例―まずはこうする！

まず患者の訴えである「低血糖を避けたい」という点に関しては，**低血糖リスクの高いスルホニル尿素（SU）薬は休止し，別の薬剤へ変更**する。インスリン抵抗性改善効果のあるメトグルコ®は，肥満者を対象とした大規模研究であるUKPDSにおいて，糖尿病関連のエンドポイントのリスクや大血管のリスク，総死亡リスクなどを有意に低下させることが示されている[1)]。ほかにも非アルコール性脂肪性肝疾患（nonalcoholic fatty liver disease：NAFLD）〔MASLD〕に対する効果も示されており[2)]，多角的な理由で使用が推奨される。また，本症例では糖尿病の治療に加えて高度肥満症の治療も，さらなる体重増加をきたさないために優先度が高い。

食事療法に関しては，上記の量が推奨されるが，実際には継続困難なことも少なくなく，説明は本人および家族を交えて行い，さらに目標値も現実的に遂行可能な範囲での調整を行う必要がある。体重の減量目標は現体重の5～10%とすることが推奨されており，本症例もこれに準じた減量目標とした[3)]。こちらの観点や治療アドヒアランスの点においても，低血糖リスクが低く，食欲抑

コントロール不良──次の一手はこれだ！

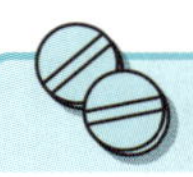

経口薬・注射薬

変更なし

食事療法

変更なし

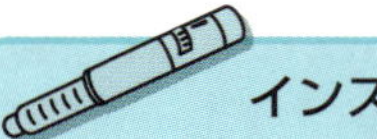

インスリン

高度肥満があるため可能であれば避けたいが，今後，内因性インスリン分泌が低下するような場合には導入を検討する

運動療法

変更なし

制効果および体重減少効果のある週1回の注射製剤のオゼンピック®は良い適応であると考えられる。ほかにも，血糖改善効果はもちろん，体重減少効果も期待してSGLT2阻害薬の導入も検討されるが，本症例ではタクシー運転手という職業柄から頻尿は負担となると判断し，導入は見送った。このように薬剤の調整においては，病態だけでなくライフスタイルも考慮し，患者本人と十分な相談をした上で行うことが重要である。

解説 コントロール不良──次の一手はこれだ！

本症例では体重減少効果も期待して**GLP-1受容体作動薬を導入としたが，投与を途中で中断すると，再度体重が増加してしまう**ことが報告されている[4]。そのため効果が認められている場合には，投与継続が困難となる要因がなければ継続することが望ましい。その他の導入が検討される薬剤としては，インスリン抵抗性の改善効果のほか，NASHの進行抑制効果が示されているアクトス®は考慮される[5]。

上記の治療でコントロール不良な場合や，内因性インスリン分泌が低下するような場合には，インスリン治療が検討される。ただこの場合は，やはり低血糖リスクが大きな問題になるため，開始に際しては十分な説明と低血糖対策を行う必要がある。また高度肥満症があるため，可能な限りその他の薬剤を用いて必要インスリン量を抑える工夫を講じるべきである。

Keyword
- 運動不足
- 運動療法の習慣化
- 間食が多い

座ったままほとんど動かない頭脳労働者

吉田有沙

parameter

56歳男性　会社員(在宅勤務，週2回は自動車で通勤)

肥満	★★☆☆☆	あり(BMI 25.1)
家族歴	★★★☆☆	父:糖尿病
HbA1c	★★★☆☆	7.8%
食前血糖	★★★☆☆	140mg/dL
食後血糖	★★☆☆☆	195mg/dL
罹病期間	★★☆☆☆	3年
腎障害	★☆☆☆☆	なし
合併症	★★★☆☆	網膜症なし，神経障害(末梢神経障害，自律神経障害)なし，脂質異常症，高血圧症
併用薬	★★★☆☆	クレストール®2.5mg/日 分1 朝食後，ミカルディス®20mg/日 分1 朝食後

現処方　メトグルコ®1,000mg/日 分2 朝夕食後

3年前に糖尿病を指摘され，食事療法とともにメトグルコ®による薬物療法を開始し，HbA1c 6.5%まで改善した。その後，働き方が在宅勤務に変化したことで運動機会が減少し，間食することも増えていった。その影響で血糖値は継時的に上昇し，HbA1c 7.8%まで悪化した。身長174cm，体重76kg，血圧140/78mmHg，神経障害なし，網膜症なし，腎症合併症の出現はなし。心エコー:EF 70%，壁運動異常なし。CPRインデックス2.3(>0.8)。HOMA-IR 5.5(>2.5)。

病態をどうとらえるか──parameterを読み解く

糖尿病の治療は食事療法と運動療法が柱である。運動療法には運動時の筋収縮に伴う糖利用を介して血糖値を改善させる急性効果と，運動療法を継続することでインスリン抵抗性を改善させる慢性効果がある。

本症例はインスリン抵抗性主体の病態であり，コロナ禍で在宅勤務が導入されてから運動量が減り，間食習慣も相まってHbA1cの継時的な悪化を認めている。

問題点の整理

在宅勤務の導入による身体活動量の低下，新規に開始された間食習慣の是正がまず必要である。

特別に運動療法を実施する時間がない場合，日常生活行動によるエネルギー消費（non-exercise activity thermogenesis：NEAT）を増やすことが重要である。

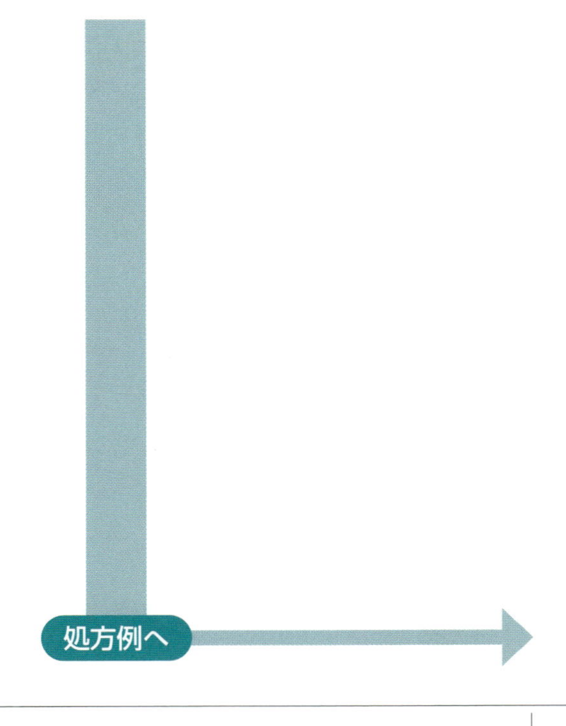

処方例──まずはこうする！

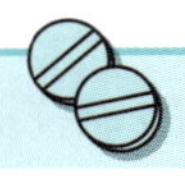

経口薬

変更なし

インスリン

適応なし

食事療法

1,780kcal/日(26.7kcal/kg/日)，減塩(塩分6g/日)，習慣的な間食は控えるよう指示

運動療法

仕事中に立位の時間を確保し，自動車移動を徒歩と電車移動に変更

解 説 処方例──まずはこうする！

これまで定期的な運動習慣はなく，**まとまった時間を捻出して運動療法を実践することに対して消極的であったため，まずはNEATの増加を図る**こととした。在宅勤務の間はほとんど坐位で作業を行っていたため，定期的な足踏み運動や机の高さを調節して立位でパソコン作業を行うなど，坐位のまま動かないで過ごす時間を可能な限り短縮するよう努めてもらうこととした。また，週2回の車通勤を徒歩と電車通勤に変更することや，エレベーターを極力使わず階段を利用することなども併せて勧めた。

コントロール不良——次の一手はこれだ！

経口薬

変更なし

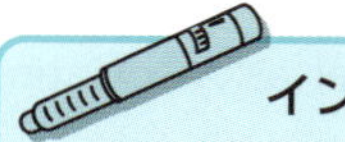

インスリン

変更なし

食事療法

変更なし

運動療法

1日30分のウォーキングと週3回のハーフスクワット
歩数計や生活習慣記録のアプリケーションも導入する

解 説 コントロール不良——次の一手はこれだ！

間食習慣の是正とNEATの増加でHbA1c 7.2%まで改善を認めたが，合併症抑制の目標であるHbA1c 7%未満にはあと一歩足りない状況であった。

幸い上記の成功体験から運動へ関心を持つようになり，この時点で本格的な運動療法を導入することとした。運動療法は有酸素運動と無酸素運動に大別される。有酸素運動は可能であれば毎日行うことが理想であるが，**運動によるインスリン感受性増加は24～48時間程度持続することから，少なくとも運動をしない日が2日以上続かないようにする**。運動時間は週に150分以上が望ましいとされている。一定期間運動を続けた場合の血糖改善効果は，運動の強度，頻度，種類，介入期間によって異なるが，2型糖尿病における8週以上の有酸素運動療法に関するメタ解析ではHbA1cは有意に改善している[1)]。

無酸素運動の有効性も報告されており，**不活動の2型糖尿病に対する自重によるレジスタンス運動が食後血糖を改善させる**と報告されている[2)]。レジスタンス運動は週に2～3回間隔を空けて実施し，有酸素運動と併用が望ましい。本症例に対しては，1日30分程度の歩行と仕事の合間にハーフスクワットなどの1種目20秒×9セッションを週3回取り入れることとした。目に見える形で運動量が把握できることで動機づけにもつながるため，歩数計や生活習慣記録のアプリケーションの導入を推奨した。

1章-1

1) Li XH, et al: Association between alcohol consumption and the risk of incident type 2 diabetes: a systematic review and dose-response meta-analysis. Am J Clin Nutr. 2016; 103(3): 818-29.
2) Marso SP, et al: Semaglutide and Cardiovascular Outcomes in Patients with Type 2 Diabetes. N Engl J Med. 2016; 375(19): 1834-44.
3) Miyoshi H, et al: Protective effect of sodium-glucose cotransporter 2 inhibitors in patients with rapid renal function decline, stage G3 or G4 chronic kidney disease and type 2 diabetes. J Diabetes Investig. 2019; 10(6): 1510-7.
4) McGuire DK, et al: Association of SGLT2 Inhibitors With Cardiovascular and Kidney Outcomes in Patients With Type 2 Diabetes: A Meta-analysis. JAMA Cardiol. 2021; 6(2): 148-58.

1章-2

1) Inagaki N, et al: Efficacy and safety of tirzepatide monotherapy compared with dulaglutide in Japanese patients with type 2 diabetes (SURPASS J-mono): a double-blind, multicentre, randomised, phase 3 trial. Lancet Diabetes Endocrinol. 2022; 10(9): 623-33.
2) Zinman B, et al: Empagliflozin, Cardiovascular Outcomes, and Mortality in Type 2 Diabetes. N Engl J Med. 2015; 373(22): 2117-28.
3) Neal B, et al: Canagliflozin and Cardiovascular and Renal Events in Type 2 Diabetes. N Engl J Med. 2017; 377(7): 644-57.
4) Heerspink HJL, et al: Dapagliflozin in Patients with Chronic Kidney Disease. N Engl J Med. 2020; 383(15): 1436-46.
5) Wiviott SD, et al: Dapagliflozin and Cardiovascular Outcomes in Type 2 Diabetes. N Engl J Med. 2019; 380(4): 347-57.
6) 日本糖尿病学会「SGLT2阻害薬の適正使用に関する委員会」: SGLT2阻害薬適正使用に関するRecommendation. 2014.

1章-3

1) Miyagi M, et al:Up-titration strategy after DPP-4 inhibitor-based oral therapy for type 2 diabetes:A randomized controlled trial shifting to a single-dose GLP-1 enhancer versus adding a variable basal insulin algorithm. Diabetes Ther. 2018;9(5):1959-68.

2) Gerstein HC, et al:Dulaglutide and cardiovascular outcomes in type 2 diabetes (REWIND):a double-blind, randomised placebo-controlled trial. Lancet. 2019;394(10193):121-30.

3) Marso SP, et al:Semaglutide and cardiovascular outcomes in patients with type 2 diabetes. N Engl J Med. 2016;375(19):1834-44.

4) Kadowaki T, et al:Efficacy and safety of once-daily insulin degludec dosed flexibly at convenient times vs fixed dosing at the same time each day in a Japanese cohort with type 2 diabetes:A randomized, 26-week, treat-to-target trial. J Diabetes Investig. 2016;7(5):711-7.

1章-4

1) Intensive blood-glucose control with sulphonylureas or insulin compared with conventional treatment and risk of complications in patients with type 2 diabetes (UKPDS 33). UK Prospective Diabetes Study (UKPDS) Group. Lancet. 1998;352(9131):837-53.

2) Bugianesi E, et al:A randomized controlled trial of metformin versus vitamin E or prescriptive diet in nonalcoholic fatty liver disease. Am J Gastroenterol. 2005;100(5):1082-90.

3) 日本肥満学会，編：肥満症診療ガイドライン2022. ライフサイエンス出版，2022.

4) Rubino D, et al:Effect of Continued Weekly Subcutaneous Semaglutide vs Placebo on Weight Loss Maintenance in Adults With Overweight or Obesity:The STEP 4 Randomized Clinical Trial. JAMA. 2021;325(14):1414-25.

5) Belfort R, et al:A placebo-controlled trial of pioglitazone in subjects with nonalcoholic steatohepatitis. N Engl J Med. 2006;355(22):2297-307.

1章-5

1) Boulé NG, et al：Effects of exercise on glycemic control and body mass in type 2 diabetes mellitus：a meta-analysis of controlled clinical trials. JAMA. 2001；286(10)：1218-27.

2) Dempsey PC, et al：Benefits for Type 2 Diabetes of Interrupting Prolonged Sitting With Brief Bouts of Light Walking or Simple Resistance Activities. Diabetes Care. 2016；39(6)：964-72.

2 章

糖尿病合併症から考える治療法

Keyword
- 糖尿病性腎症3期
- 肥満症
- 仕事で外食が多い

進行していく腎障害例

小柴博路

parameter

62歳男性　会社員

肥満	★★☆☆☆	あり(BMI 25.6)
家族歴	★★★☆☆	両親：糖尿病
HbA1c	★★★★☆	8.5%
食前血糖	★★★★☆	160mg/dL
食後血糖	★★★☆☆	220mg/dL
罹病期間	★★★★★	約22年
腎障害	★★★☆☆	腎症3期
合併症	★★★☆☆	高血圧症，脂質異常症
併用薬	★★★☆☆	クレストール®5mg/日，アムロジン®5mg/日

現処方　アマリール®1mg/日，ジャヌビア®50mg/日，食事療法1,600kcal/日，運動療法あり

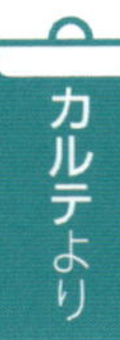

身長162cm，体重67.2kg。30歳で口渇，多飲多尿を主訴に近医受診し，糖尿病の診断を受けた。食事・運動療法および経口血糖降下薬2剤にて加療し，HbA1c 7%前後で経過していた。しかし2年前に夜勤が不規則にある仕事へ転職したことを契機に食生活が不規則になり，さらに運動習慣がなくなった。それに伴い血糖値が増悪し，徐々に腎機能障害(eGFR 47.3mL/分/1.73m^2，尿アルブミン340mg/gCr)も進行していったため，今回当院に紹介受診となった。高血圧は12年前に

指摘され，現在はCa拮抗薬にて加療し，家庭血圧140/90mmHg程度で経過している。また，脂質異常症は6年前に診断され，現在はLDLコレステロール105mg/dLと管理目標値内である。

病態をどうとらえるか――parameterを読み解く

診断当初は食事療法を励行し，運動療法も活動的に行っていたが，仕事環境が変わり生活習慣が不良となった。これにより，血糖コントロールが増悪し，合併症予防の目標値であるHbA1c 7.0％を上回る8.0％台で長期間経過した結果，合併症が進行し，現在62歳で腎症3期に至っている[1]。

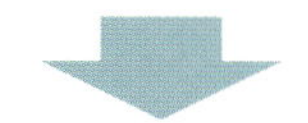

問題点の整理

糖尿病性腎症の早期診断基準は，尿蛋白陰性か陽性（1＋程度）の糖尿病患者を対象に，尿中アルブミン値30～299mg/gCr（3回測定中2回以上）であることが必須項目で，参考事項として，24時間アルブミン排泄量や尿中Ⅳ型コラーゲン値，腎肥大がある[2]。糖尿病性腎症の確定診断は，腎生検による組織診断が基本となるが，現実的には困難なことも多く，診断に際しては糖尿病罹病期間やその他合併症の有無，尿所見などを参考に，その他の腎疾患の鑑別を行うことが重要である。そして治療においては，血糖管理だけでなく，血圧や脂質代謝異常の管理などを含めた包括的な治療を行うことが必要となる。

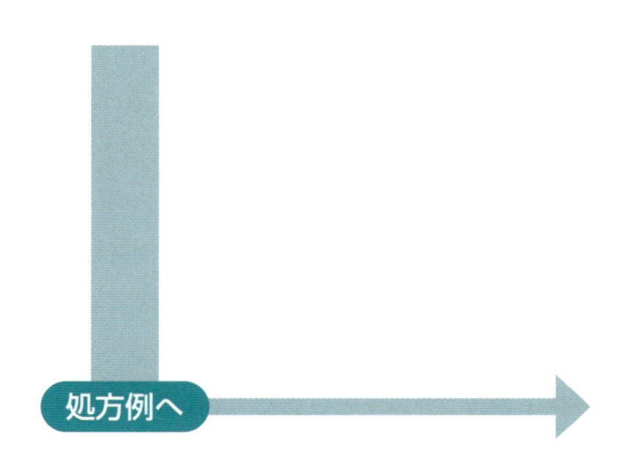

処方例 ─ まずはこうする！

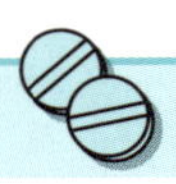

経口薬

ジャヌビア®は継続，アマリール®は漸減し，最終的に中止する(1.0mg→0.5mg→中止)
フォシーガ®10mg/日を追加する
アムロジン®5mg/日は継続し，ARBまたはACE阻害薬を追加
MR拮抗薬としてケレンディア®を開始
eGFR 60m/分/1.73m^{2}未満であるため，10mg/日から開始し，血中KやeGFRに応じて4週間を目途に20mgへ増量を検討する

食事療法

身体活動量は事務仕事で軽労作であり，カロリー摂取量は25～30kcal/kg/日に設定する。腎機能障害についても配慮し，塩分6g/日とする。蛋白制限を行う場合には0.8～1.0mg/kgとし，カロリー設定は30kcal/kg/日とすることが望ましい

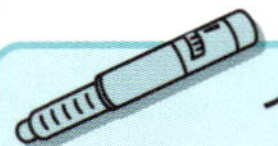

インスリン

空腹時血糖が上昇してくる場合は，インスリン グラルギンBS注ミリオペン®「リリー」の追加を検討する

運動療法

顕性腎症期であり原則として運動は可能だが，過度な運動では腎血流の低下が生じ，さらなる腎機能の悪化をきたす危険性もあり注意が必要である。食後のウォーキングなどの運動習慣などから身につけていくことを勧める

解説 処方例 ─ まずはこうする！

中等度腎機能障害があるため，半減期が特に長く遷延性の低血糖を引き起こすリスクの高いスルホニル尿素(SU)薬は徐々に減量・中止する。また腎症4期まで進行した場合には，DPP-4阻害薬を，腎機能障害下でも用量調整せずに安全に使用できるテネリア®やトラゼンタ®に変更する。

また昨今では，**SGLT2阻害薬の持つ腎保護効果が注目されている**。その機序は，尿細管糸球体フィードバックの異常を改善することで，前負荷および後負荷を軽減して糸球体過剰濾過を防ぎ，結果として糸球体の負荷軽減につながって尿中アルブミンも減るとされる[3]。最近の研究としては，カナグリフロジンにおけ

コントロール不良—次の一手はこれだ！

経口薬・注射薬

（※DPP-4阻害薬から変更）
GLP-1受容体作動薬オゼンピック®
皮下注0.25mg 週1回
もしくは
リベルサス®3mg／日に切り替え，
体重および血糖値の経過に応じて
順次増量調整する

インスリン

（※経口薬から変更）
強化インスリン療法を行って，血糖
コントロールの改善を図る

食事・運動療法

変更なし

る効果を評価したCREDENCEや，ダパグリフロジンを評価したDAPA-CKDなどがあり，ともに腎保護効果が示されている[4)5)]。

また本症例においては，増悪の誘因として仕事環境の変化による食事の不摂生や運動不足が挙げられ，薬による治療だけでなく，食事指導や運動習慣の是正など生活習慣の見直しが必要である。

なお，蛋白制限を行う場合のカロリー設定については，この時期の蛋白制限の実施に関しては議論の余地があり，年齢やその他合併症なども考慮して，症例により検討する必要がある。

解 説 コントロール不良—次の一手はこれだ！

セマグルチド（リベルサス®，オゼンピック®）は血糖降下作用はもちろんのこと，体重減少効果や腎保護効果も示されており[6)]，肥満症および腎機能障害を有する本症例でも効果が期待される。そして上記にて血糖コントロールがつかない場合は，インスリンの導入を検討すべきである。導入に際しては，本症例のように仕事の時間が不定期で生活リズムが崩れがちな場合は，**基礎インスリンを1日1回から開始し，その他の経口血糖降下薬やGLP-1受容体作動薬を組み合わせる**など，その人の生活リズムに合った継続可能な治療法を本人と話し合って模索することにより，低血糖リスクを抑えつつ良好な血糖コントロールを得ることにつながる。

しびれる，眠れない，気分が滅入る…

宮城匡彦

Keyword
- 有痛性神経障害
- 遠位優位かつ対称性
- 身体機能とQOLの維持・改善

parameter

65歳男性　無職（以前は調理師）

肥満	★★☆☆☆	なし（BMI 20.9）
家族歴	★★★★★	父，母，妹：2型糖尿病
HbA1c	★☆☆☆☆	6.0%
食前血糖	★★☆☆☆	110mg/dL
食後血糖	★★☆☆☆	140mg/dL
罹病期間	★★★★★	20年
腎障害	★★☆☆☆	腎症2期（eGFR 65mL/分/1.73m²，尿アルブミン150mg/gCr）
合併症	★★☆☆☆	網膜症：福田A2
併用薬	★★☆☆☆	メチコバール®1,500μg/日 分3 毎食後

現処方 トラゼンタ®5mg/日，キネダック®150mg/日，食事・運動療法なし

退職後の男性。約20年前に健診で糖尿病を指摘され，加療開始したが通院自己中断。4年前より両手足のしびれを認め，3年前に近医受診。現在は経口糖尿病薬1剤のみで加療している。上記併用薬を内服しているが，手足がしびれる・不眠・気分が滅入るなどの訴えが続いている。身長171cm，体重61kg，血圧120/70mmHg，胸腹部異常なし，下肢浮腫なし。

病態をどうとらえるか——parameterを読み解く

長期間ほとんど放置されていた糖尿病で，細小血管障害は神経障害が進行している。血糖管理も食前・食後血糖およびHbA1cとも理想的な範囲にある。キネダック®開始，メチコバール®も追加しているが，十分な効果が現れていない状態になっている。

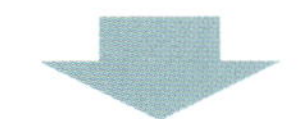

問題点の整理

神経障害の自覚症状があり，遠位優位かつ対称性という糖尿病に特徴的な所見であること，整形外科的疾患のルールアウトなどから簡易診断基準[1]で診断を行う。有痛性糖尿病神経障害は日中よりも夜間に痛みを訴えることが多く，不眠からうつ傾向に陥ることも少なくない[2]。血糖管理をはじめとした種々の代謝異常の是正が必要ではあるが，痛みを軽減するとともに身体機能とQOLを維持・改善することを目的として薬物療法を行っていく。

以前のガイドラインで掲載されていた神経障害性疼痛薬物療法アルゴリズムは省略され，現在では疾患ごと・薬剤ごとにエビデンスレベルからの推奨度が示されている[3]。

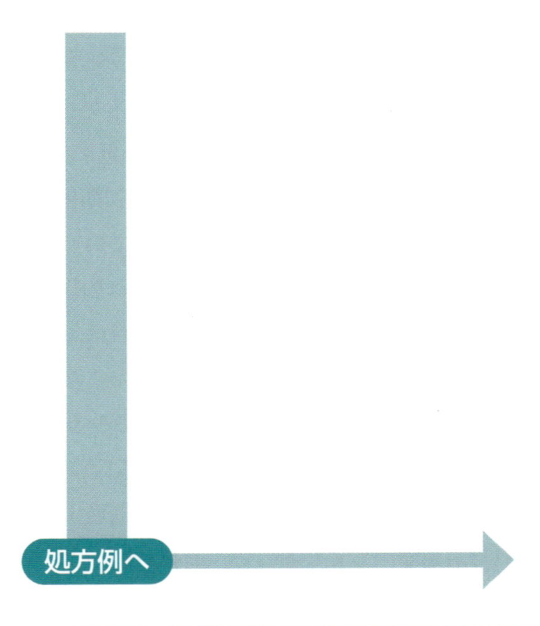

処方例──まずはこうする！

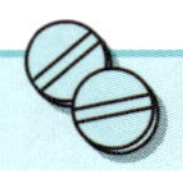

経口薬

現在の内服薬に加え，下記のいずれかを追加する

（睡眠障害が主であれば）リリカ®75～300mg／日 分1～2　または

タリージェ®10～30mg／日 分2（抑うつが主であれば）サインバルタ®20～60mg／日 分1～2　または

トリプタノール®30～150mg／日 分1～3

インスリン

適応なし

運動療法

安静にしていると症状が気になってしまうことが多く，運動することを推奨する。外傷には十分に注意を払うように促す

食事療法

アルコール多飲者では禁酒

解説 処方例──まずはこうする！

神経障害中等度以上の第一選択薬として，主訴が睡眠障害であれば中枢神経系において興奮性神経伝達物質の遊離を抑制するリリカ®やタリージェ®もしくはガバペン®を選択する。抑うつや活動性の低下が主であれば，脳幹からの下行疼痛抑制系を増強するセロトニン・ノルアドレナリン再取り込み阻害薬（SNRI）（サインバルタ®）やコストが気になるのであれば三環系抗うつ薬（トリプタノール®）を開始してみる[3)～5)]。**初期用量で始めるが，効果が悪くても効かないと判断せず，常用量まで漸増していく**ようにする。いずれの薬剤も腎機能低下者，高齢者，低体重患者などでは副作用の発現に注意を要する。悪心・嘔気，頭痛や傾眠傾向などが心配な場合は，低用量を就寝時のみ服用するように工夫してみる。十分な効果が得られたら漫然と投与を続けず，患者と相談して疼痛抑制に必要な最低用量に漸減してみる。

キネダック®は糖尿病神経障害の成因に対する唯一の治療薬であり，疼痛が強い場合は継続しながら他の治療を追加する。食後高血糖が十分是正されていれば恩恵が小さくなるので，漸減・中止してみる[5)]。

コントロール不良──次の一手はこれだ！

経口薬

次のいずれかを追加・併用する
メキシチール®100〜300mg／日 分1〜3
ノイロトロピン®4錠／日 分2
または
トラムセット®配合錠4〜8錠／日 分4

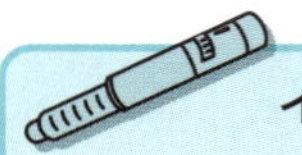

インスリン

変更なし

運動療法

歩行距離や時間をいつもより多めにする，あるいはその場でできるレジスタンス運動（腹筋，ダンベル，スクワットなど）を取り入れる

食事療法

変更なし

解説 コントロール不良──次の一手はこれだ！

第一選択薬を増量しても効果が不十分な場合や，忍容性が低く増量が困難な場合は，もう一方の第一選択薬を併用してみる。それでも効果不十分な場合は，次の薬剤を支持的に追加する。

急性の疼痛に対してはクラスⅠb群の抗不整脈薬メキシチール®を，しびれや痛みに対してはノイロトロピン®を使用してみる。漢方薬ではしびれや痛みには牛車腎気丸（ごしゃじんきがん）を，有痛性筋痙攣（こむら返り）に対しては芍薬甘草湯（しゃくやくかんぞうとう）を選択する[3)5)]。

メキシチール®は不整脈の出現に十分注意する。**2週間投与しても症状の改善が認められない場合は投与を中止する**。抗痙攣薬（テグレトール®，アレビアチン®，デパケン®）は，神経障害性疼痛に対しては効果が確実ではなく推奨度は低いが，若干の鎮痛効果が期待できることがあり，オプションとして検討する。ただし，糖尿病性神経障害での保険適用はないので病名には注意する。

前述の薬剤によっても疼痛コントロールが難しい場合は，トラムセット®配合錠（トラマドール／アセトアミノフェン）を併用・変更するか，専門のペインクリニックを紹介する[2)5)]。

Keyword
- 左下腿潰瘍
- 足壊疽

足病変を見つけるコツと合併症例の方針

齋藤　学

parameter

57歳男性　会社員

項目	評価	内容
肥満	★☆☆☆☆	なし(BMI 24.2)
家族歴	★★★☆☆	父：糖尿病
HbA1c	★★★★★	11.3%
食前血糖	★★★★★	216mg/dL
食後血糖	★★★★★	394mg/dL
罹病期間	★☆☆☆☆	なし
腎障害	★★☆☆☆	腎症2期
合併症	★★★★★	左下腿潰瘍，大血管障害：足壊疽，増殖前網膜症B1，高血圧症，閉塞性動脈硬化症，脂質異常症
併用薬	★☆☆☆☆	なし

現処方　なし

身長170cm，体重70kg。10年以上前に職場健診で血糖値高値を指摘されるも放置し，その後契約社員となり健診を受けておらず，医療機関の受診歴がない。独居で食事に対する興味がなく，自炊はせず毎食コンビニ等の外食中心の食生活である。2週間前から靴擦れを契機に左踵潰瘍を認めたが，そのまま様子を見ていた。しばらくすると，左踵とその周囲に疼痛・発赤が出現したため近医受診したところ，左下腿潰瘍の診断にて，当院皮膚科へ紹介受診となった。初診時の血液検査で

空腹時血糖値216mg/dL，HbA1c 11.3%と未治療の糖尿病が見つかった。

病態をどうとらえるか──parameterを読み解く

57歳で未治療の糖尿病患者に足病変を合併した症例である。受診時は左下腿潰瘍と左第1趾足壊疽を認めた。合併症に関しては網膜症（福田分類B1），腎症2期，末梢神経障害があり，大血管障害として糖尿病性足壊疽を認めた。糖尿病性足病変の原因を糖尿病性神経障害と末梢動脈疾患の合併と考える。

問題点の整理

感染時の糖尿病治療はインスリン治療が基本であり，厳格な血糖管理のため毎食前の超速効型インスリンと持効型インスリンによるインスリン頻回療法を行う。局所治療として壊死組織や潰瘍周囲の胼胝を外科的に除去し，深部に潰瘍が存在する場合は切開排膿する。感染症治療では，表在性潰瘍では黄色ブドウ球菌やレンサ球菌などの好気性グラム陽性球菌による感染が多い。深部感染などの重度感染ではグラム陽性菌，グラム陰性菌，嫌気性菌の混合感染が多い。そのため適切な抗菌薬選択が大切である。また，血糖コントロール悪化の理由として食生活の乱れも関与しており，食事療法も同時に行っていく。

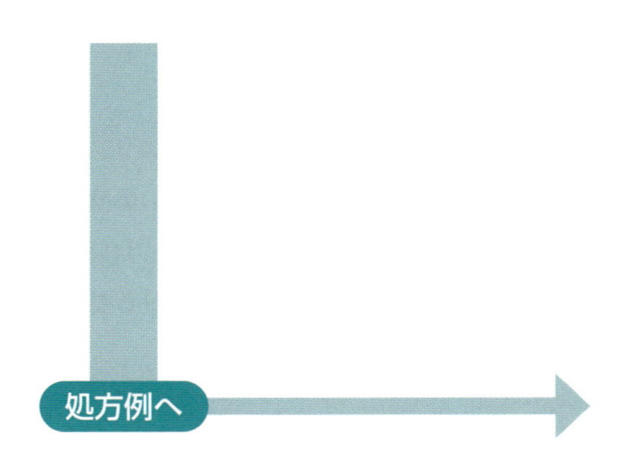

処方例──まずはこうする！

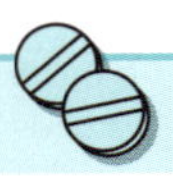

経口薬

（糖尿病に対して）
なし
（高血圧症と脂質異常症に対して）
コントロール状態を見て内服薬の追加を検討

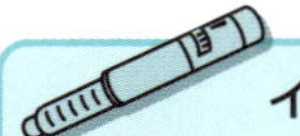

インスリン

インスリン リスプロ 4-4-4単位 毎食前+インスリン グラルギンBS 4単位 夕食前によるインスリン頻回療法にて治療開始する

食事療法

エネルギー摂取量は28kcal/kg/日，塩分6g/日

運動療法

適応なし（足壊疽，感染極期であり運動療法は禁忌）

解 説 処方例──まずはこうする！

糖尿病性足病変は神経障害や末梢血流障害を伴った下肢の感染症や潰瘍および深部組織の破壊病変を指す。糖尿病性足病変は下肢切断に至る例も多く，治癒しても再発率が高い[1)]。

糖尿病性足病変の誘因としては靴擦れ，熱傷，外傷などが挙げられ，診断のためベッドサイド検査としては振動覚，触圧覚，温覚，痛覚などの異常の有無を評価する。末梢血流障害が進行すると，足の皮膚は薄く光沢を呈するようになり脱毛が起こる。チアノーゼの有無の確認，足背動脈など下肢動脈の拍動触知により，虚血の程度・部位を評価する。皮膚病変として，乾燥，胼胝，白癬等を評価する。

糖尿病足病変の予防には，**足病変のリスクが高い糖尿病患者に対するフットケア相談と医療者による定期的な足の診察が重要である。潰瘍や壊疽があっても，患者はまったく気づいておらず診察時やフットケアのときに看護師が発見することもしばしばあるので，注意が必要である**[2)3)]。

コントロール不良──次の一手はこれだ！

経口薬

感染症が落ち着いてきたらSGLT2阻害薬（ジャディアンス®10mg／日 分1 朝食後）の追加を検討する

インスリン・注射薬

感染症が落ち着いてきたらGLP-1受容体作動薬オゼンピック®皮下注0.25mg 週1回を4週間投与後に，0.5mgへの増量を検討する

食事療法

変更なし

運動療法

変更なし

解説 コントロール不良──次の一手はこれだ！

足壊疽既往患者は心血管リスクが高く，細小血管合併症進行例も多いため，心血管イベント抑制，腎症進行抑制の観点からSGLT2阻害薬とGLP-1受容体作動薬の使用が推奨される。SGLT2阻害薬はCANVAS試験にて足切断リスク増加が懸念されたが[4)]，メタ解析や他のSGLT2阻害薬を用いたランダム化比較試験で有意差はなく，メリットが大きければ使用を検討する。

フットケアのポイントとして①禁煙，②毎日足の定期観察と洗浄，趾間部乾燥を行う，③風呂の温度に注意し電気毛布やこたつ，湯たんぽを避ける，④室内室外ともに可能な限り靴下を着用する，⑤足型に合った履物を選ぶ，⑥胼胝，鶏眼は自分で削らない，⑦爪は一直線か緩いカーブ状に切り，深爪を避け陥入爪や爪の変形が起きないように注意する，⑧足の外傷や水疱などは早めに受診させる[5)]ことが大切である。また，潰瘍部に循環障害がある場合は薬物治療として血管拡張薬，抗血小板薬，抗凝固薬などを使用し，血行再建術としては血管内治療やバイパス術が行われる。

Keyword
- 糖尿病足病変
- 自覚症状が乏しい
- 瘢痕，ケロイド予防

糖尿病皮膚病変

内野　泰

parameter

68歳女性	看護師	
肥満	★☆☆☆☆	なし（BMI 24.0）
家族歴	★★★☆☆	母：2型糖尿病
HbA1c	★★★★☆	8.2％
食前血糖	★★★★☆	188mg／dL
食後血糖	★★★☆☆	244mg／dL（食後2時間血糖値）
罹病期間	★★★★★	19年
腎障害	★★★☆☆	腎症3期
合併症	★★★★★	網膜症（非増殖性糖尿病網膜症），高血圧症，神経因性膀胱，逆流性食道炎，慢性便秘
併用薬	★★☆☆☆	降圧薬，過活動膀胱治療薬（ウリトス®0.1mg／日），プロトンポンプ阻害薬（パリエット®10mg／日）

現処方 メトホルミン750mg／日，ジャヌビア®50mg／日，アマリール®1mg／日

158cm，60kg。過去には70kg以上の肥満歴がある。複数の経口血糖降下薬や併存疾患に対する投薬を受けている。注射療法を拒否され，高額治療費への抵抗もある。5年ほど前から起立時にふらつき，下肢の冷感，しびれなどがつらく，整形外科医の診察も受けた。2カ月ほど前から左足靴下への滲出液に気づいていた。恥ずかしく，主治医への報告を躊躇していた。病状が進行しても，疼痛などの自覚症状に乏しい。運動機能障害も出現している。

病態をどうとらえるか――parameterを読み解く

中枢神経疾患や運動器の障害が否定されれば，糖尿病末梢神経障害の合併が考えられる。本症例では，感覚優位の末梢神経障害と自律神経障害の合併がある。どちらも糖尿病足病変のリスクである。糖尿病足病変は，下肢切断など重篤な病変への進展リスクが高く，骨髄炎の併発も高頻度である。よって必ず，骨髄炎を疑うときにはMRIを施行する。末梢神経障害として頻度の高い症状は，四肢末梢の冷感，熱感，異常感覚，筋のこむら返り，舌痛症（口腔内にヒリヒリした痛みを感じる症状：burning mouth syndrome）も重要である。自律神経障害としては起立性低血圧，皮膚発汗異常，食後の腹部膨満感，神経因性膀胱，便通異常がある。

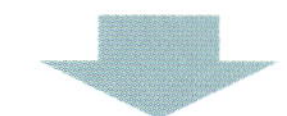

問題点の整理

慢性の皮膚潰瘍の鑑別が必要である。糖尿病皮膚潰瘍の鑑別に，褥瘡と静脈性潰瘍がある。褥瘡は荷重部位，踵などに多い。下肢皮膚潰瘍の75%は静脈性潰瘍と言われ，肥満症，皮下脂肪織炎の合併も糖尿病皮膚潰瘍に共通する。有痛性の神経障害は2型糖尿病の20%，1型糖尿病の5%程度に認められる[1]。小径の末梢神経A δ線維やC線維の障害によって出現し，既存の検査（神経伝導速度，10gモノフィラメント）では検出できない。三環系抗うつ薬，抗てんかん薬，選択的セロトニン再取り込み阻害薬（serotonin-reuptake inhibitor：SSRI）が適応になるがその効果はほぼ同等であり，主観的評価基準である視覚的評価スケール（visual analogue scale：VAS）によって当初の症状の30%程度に減弱することを効果判定とする。親族にも認められるときには，鑑別として特発性小径線維ニューロパチーが知られており，Naチャネル〔Na（v）1.7〕の機能獲得遺伝子変異が認められる[1]。

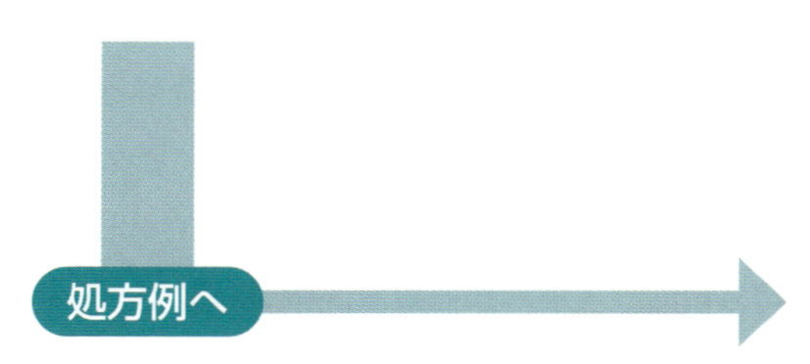

処方例 —— まずはこうする！

経口薬・食事療法

適応なし

インスリン

強化インスリン療法（ノボラピッド® 各食直前+インスリン グラルギン 眠前）

運動療法

安静と挙上

解 説 処方例 —— まずはこうする！

末梢神経障害は医原性の可能性がある。頻用されるアミオダロン，スタチン，免疫調節薬，ドパミン作動薬などは原因薬剤として重要である。また，高齢者へのメトホルミン連続投与により起こりうるビタミンB_{12}欠乏も要注意である。各種サプリメントによるビタミンB_6，B_{12}，D，E異常も数多く報告されている。

一般的皮膚潰瘍に対する血行評価，併存疾患評価，低栄養に対するアセスメント，禁煙励行は大切である。その上でTIME principle〔tissue debridement（壊死組織デブリドマン），infection control（局所感染症コントロール），moisture balance（皮膚モイスチャー管理）and edges of the wound（病変境界の管理）〕を要する。病状の改善が認められないときには薬剤性（抗ウイルス薬，スタチン，メトロニダゾール，アルコール），免疫性（セリアック病，サルコイドーシス，シェーグレン症候群，傍腫瘍性神経症候群，complex regional pain syndrome），遺伝性〔ヘモクロマトーシス，Naチャネル異常（*SCN9A*），遺伝性感覚性自律神経性ニューロパチー，Fabry病など〕を鑑別する。

以下，処方例に関し補足する。経口薬：**炎症の急性期には推奨される経口薬はない**。インスリン：強化インスリン療法を行い，糖尿病皮膚病変からの感染・下肢切断などの重大な合併症を予防する。稀にエフェドリン感受性のインスリン浮腫[2)]や血管透過性亢進があるため慎重に経過を観察する。食事療法：糖尿病足病変に有効なエビデンスを持つ食事療法はない。患者が自己判断でビタミン剤などを摂取していることがあり，ビタミンB_6摂取はピリドキシン過剰となり強い末梢神経障害を起こすため，使用していたら中止する。運動療法：急性期は頻回な皮膚外科処置，洗浄が必要で，安静と挙上が有効である。

コントロール不良──次の一手はこれだ！

経口薬

(疼痛管理) NSAIDs，プレガバリン

食事療法

変更なし

インスリン

急性期には頻回インスリン注射を厳格に行う。その上で，安定期には以下も考慮される
①BOT (basal supported oral therapy)
②Basal-Plus療法
③強化インスリン療法

運動療法

急性期：安静・挙上

解 説 コントロール不良──次の一手はこれだ！

瘢痕化，ケロイド変性，肥厚性瘢痕の予防として，急性期はシリコンゲルメッシュや創傷用ドレッシングが有効である。慢性期にはTLR7のリガンドである外用イミキモドがある。また，瘢痕への治療として，フラクショナルCO_2レーザー照射は新しい皮膚への入れ替えを促すため，皮膚の黒ずみ・くすみを取る目的で使用することもある[3)]。現在は研究段階だが，皮膚外科処置後の早い段階から，CO_2レーザーを瘢痕治療目的ではなく，創傷治癒の目的で使用する試みも行われている。今後の効果に期待したい[4)]。

以下，処方例に関し補足する。経口薬：**血糖の管理はインスリンで行う。疼痛管理にNSAIDs，プレガバリンは有効である。**インスリン：①BOT (basal supported oral therapy)：インスリン グラルギン（眠前）やインスリン デテミル等の追加による経口血糖降下薬＋基礎インスリン。②Basal-Plus療法（基礎インスリンに食直前追加インスリンを1回もしくは2回加える療法）。③強化インスリン療法（基礎インスリン＋各食前追加インスリン）。食事療法：通常使用では問題ないが，メトホルミンの長期使用により体内のビタミンB_{12}が欠乏することがある。血液中のホモシステイン濃度を同時に測定し，上昇していれば可能性が高い。数カ月のメチコバール®錠服用で回復する。運動療法：急性期は安静・挙上・洗浄・皮膚ドレッシングが基本である。また，毎日，足の観察も行う。足の裏の観察も忘れない。

Keyword
- 無自覚低血糖
- バクスミー®
- Dexcom G6, FreeStyle リブレ

繰り返す低血糖昏睡

望月皓平

parameter

82歳女性　無職（2世帯住宅の1階に居住）

肥満	★★★☆☆	なし（BMI 18.3）
家族歴	★☆☆☆☆	なし
HbA1c	★☆☆☆☆	6.2%
食前血糖	★☆☆☆☆	80mg/dL
食後血糖	★★☆☆☆	160mg/dL
罹病期間	★★★★★	45年
腎障害	★★☆☆☆	腎症2期（eGFR 64mL/分/1.73m^2, 尿アルブミン90mg/gCr）
合併症	★★★★★	網膜症あり，神経障害あり，高血圧症，脂質異常症，便秘症，不眠
併用薬	★★★★☆	アジルバ®20mg/日 分1 朝食後，アムロジピン5mg/日 分1 朝食後，クレストール®5mg/日 分1 朝食後，マグミット®330mg/日 分1 朝食後，マイスリー®5mg/日 分1 眠前

現処方 ライゾデグ®配合注フレックスタッチ® 12-0-10単位

身長148cm，体重40kg。37歳で1型糖尿病の診断となり，高血圧症や脂質異常症などと併せて通院中。2世帯住宅の1階に居住しており，娘夫婦が2階に居住している。娘が日中に会いに行くと応答が悪いことがときどきあった。同じものを買ってくるなど認知機能低下が疑われ，3年前よりインスリンは朝と夕方に娘が食事を用意する際に打つようになっていた。最近は低血糖昏睡で救急搬送されることが増えてきていた。外来受診時に待合室で呼びかけに反応がなく，血糖測定を行うと血糖値は50mg/dLであった。

病態をどうとらえるか──parameterを読み解く

高齢，認知機能低下が疑われる1型糖尿病。内因性インスリン分泌は枯渇しており，罹病期間は長く，合併症として腎症2期，網膜症，神経障害を認めている。低血糖を日常的に繰り返しているが，本人は症状の自覚が乏しいと考えられ，無自覚低血糖の病態を呈している。

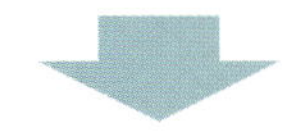

問題点の整理

低血糖が頻発している患者では，低血糖時の交感神経系刺激応答の障害（hypoglycemia-associated autonomic failure：HAAF）が生じている。低血糖により本来正常に応答するはずの交感神経応答の血糖閾値が低下する[1]ことで，警告症状を認めずにいきなり中枢神経症状が出現することがある。本症例は軽度認知機能低下が疑われることから，治療目標はカテゴリーⅡの下限HbA1c 7.0から8.0％と考えられるが[2]，6.2％と下回っており，空腹時血糖値が80mg/dLと低値であることからインスリンが過剰と考えられる。無自覚低血糖をきたしていることから，厳格な血糖管理よりもまずは低血糖回避を主眼としたインスリン管理や適切な血糖モニタリングが重要と考えられる。

処方例――まずはこうする！

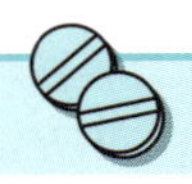

経口薬

バクスミー® 1回3mg 低血糖時（本人で対処できないときに点鼻）

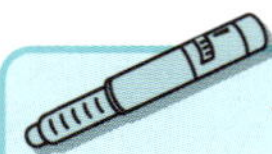

インスリン

ライゾデグ®配合注フレックスタッチ®を2回/日から1回/日に変更。空腹時血糖130mg/dLを下限に2単位ずつ漸減

食事療法

1,440kcal/日（29.9kcal/kg/日），減塩（塩分6g/日）

運動療法

低血糖がないことを確認して，踵上げやつま先上げ，可能ならスクワットなどのレジスタンス運動を週2，3回行う

解説 処方例――まずはこうする！

インスリンの自己管理困難なやせ型の1型糖尿病患者であり，インスリン分泌は枯渇していることから，本来であれば生理的なインスリン分泌に合わせてのインスリン頻回注射療法が望ましい。しかし，本症例はインスリン自己管理困難であることから，娘による協力が得られる1日2回のタイミングでの注射が行われている。**インスリン治療中で他者の介助を必要とする糖尿病患者では，重症低血糖の頻度が約3倍に増加する**ことが報告されており[3)]，低血糖を起こしていないか常に注意する必要がある。また，無自覚低血糖をきたした症例では，数週間以上低血糖を回避することで自律神経反応は回復するとされている[4)]。病態の改善のためにも適切なインスリン量へ調整し，低血糖を回避することが最優先となる。まずはライゾデグ®配合注フレックスタッチ®を2回/日から1回/日に変更し，治療目標のHbA1c 7.0%未満に相当する空腹時血糖130mg/dLを下限として2単位ずつ漸減していく。また，本人だけでなく，同居者への低血糖時のブドウ糖内服などの対応についての確認も必要である。**患者が意識障害を呈しており自身で内服ができない場合は，介助者によるバクスミー®点鼻が有用**であり，前もって手技について指導を行っておくことが有用である。

コントロール不良──次の一手はこれだ！

経口薬

バクスミー®を継続

食事・運動療法

変更なし

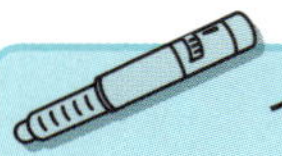

インスリン

ライゾデグ®配合注フレックスタッチ®を中止し，ノボラピッド®注フレックスタッチ®朝食直前注射（4-0-0単位）と，トレシーバ®注フレックスタッチ®朝食前注射（10-0-0単位）へ変更

※デバイス：Dexcom G6やFreeStyleリブレの活用

解説 コントロール不良──次の一手はこれだ！

ライゾデグ®配合注フレックスタッチ®は超速効型インスリン（ノボラピッド®）と持効型インスリン（トレシーバ®）の3：7配合製剤であり，ノボラピッド®の配合比率が少ない。ライゾデグ®配合注の減量により食後血糖管理が困難になる場合が多く，ノボラピッド®朝食直前注射とトレシーバ®夕食前注射へ変更する。トレシーバ®への変更時は，ライゾデグ®配合注に含まれるトレシーバ®を0.8倍程度に減量すると比較的安全である。ライゾデグ®配合注の合計単位は22単位/日であり，そのうちトレシーバ®が15.4単位であることから，0.8倍し12単位でトレシーバ®に変更する。

インスリン減量により低血糖が改善し，本人・家族の低血糖への対応について理解が得られた後も，将来的な低血糖を予防する必要がある。その際に有用なのが，2022年12月の診療報酬改定に伴い，インスリンを用いているすべての患者で使用できるようになった持続グルコースモニター（continuous glucose monitoring：CGM）である。Dexcom G6やFreeStyleリブレといった**CGMの使用は，特に症状の出にくい患者での低血糖予防に有用**とされる[5)]。Dexcom G6はリアルタイムCGM（real-time CGM：rtCGM）であり，緊急低値リスクアラートによって低血糖を回避できる点が優れている。患者家族も専用アプリを用いて血糖推移を確認することができるため，高齢者や小児の症例においては家族がサポートできる点も特長である。本症例ではDexcom G6を導入し，家族による血糖モニタリングを行うことで低血糖を回避できる可能性が高い。

Keyword

- 通院自己中断
- 肥満合併
- 硝子体出血・網膜剥離の疑い

眼が見えない。視力低下あり

吉川芙久美

parameter

56歳男性　自営業

肥満	★★☆☆☆	あり（BMI 27.0）
家族歴	★★★☆☆	母：糖尿病（食事療法のみ）
HbA1c	★★★★☆	9.2％
食前血糖	★★★★☆	166mg／dL
食後血糖	★★★★☆	302mg／dL
罹病期間	★★★★☆	約11年（高血糖を指摘されるも通院自己中断）
腎障害	★★☆☆☆	腎症2期（eGFR 75mL／分／1.73m^2）
合併症	★★☆☆☆	自律神経障害（CVR-R 1.22）
併用薬	★★★☆☆	ノルバスク®10mg／日，リピトール®5mg／日，フェブリク®10mg／日

現処方　アマリール®3mg／日，食事療法あり，運動療法なし

カルテより

身長172cm，体重80kg。45歳時に口渇，倦怠感を自覚し近医を受診した際に糖尿病と診断され，教育入院した。半年ほど通院したが，食事療法のみで血糖値が正常化したため通院を中断していた。仕事が忙しく食事の時間も不規則で，接待も多く，体重が10kg増加していた。半年前から疲れやすさと下肢のしびれが出現し，3カ月前から視力の低下を自覚していたが，特に医療機関は受診しなかった。ここ最近は見えにくさが悪化し，飛蚊症も自覚していた。久々に受診した健診ではHbA1c 9.2％と高値で，医療機関受診を指示されたため受診した。

病態をどうとらえるか――parameterを読み解く

糖尿病網膜症は，慢性の高血糖によって網膜細小血管の壁細胞が障害され，基底膜の肥厚による血流障害，血液成分の漏出が原因で，出血・白斑・網膜浮腫などの初期病変が発症する。高度に進行すると，黄斑症の発症や，網膜や硝子体内に新生血管が生じ，硝子体出血や網膜剝離を起こして視力障害に陥る[1)]。本症例では，3カ月前より視力低下を自覚していたが，少し前より悪化傾向と飛蚊症が出現している。病歴からは，新生血管の増生と硝子体出血や網膜剝離をきたしている可能性が示唆され，対処が遅れた場合には失明の危険性もある。血糖コントロールと並行して眼科的な介入も必要となる。

問題点の整理

網膜症の進行および失明は，患者のQOLを低下させる大きな要因である。糖尿病の診療にあたる場合は，網膜症の存在を常に念頭に置き，内科と並行して眼科も定期的に受診するよう指導する必要がある。日本糖尿病学会では以下の通り眼科受診を推奨しているが[1)]，本症例のように比較的急速に症状の進行を認めている場合には，速やかに眼科を受診させることが重要である。

原則的には眼科医に定期診察を依頼し，受診間隔は以下を目安とする。

- 正常（網膜症なし） 1回/6～12カ月
- 単純網膜症 1回/3～6カ月
- 増殖前網膜症 1回/1～2カ月
- 増殖網膜症 1回/2週間～1カ月

糖尿病網膜症の治療の基本は血糖コントロールであるが，新生血管の増生や硝子体出血が示唆される症例ではHbA1cを－0.5%/月程度のペースで緩徐に正常範囲へ近づけていく[2)]必要がある。また，罹病期間が10年以上と長く，神経障害や動脈硬化性疾患等の他の合併症検索も併せて行い，適宜必要な介入を行う。

処方例 ── まずはこうする！

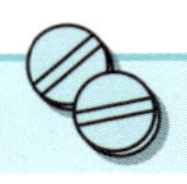

経口薬

メトグルコ®500mg/日 分2 朝夕食後から開始し適宜増量

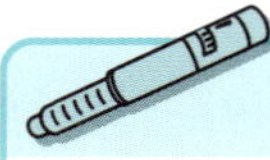

インスリン

適応なし

食事療法

通常の食事療法に準じ，総カロリー25～30kcal/kg/日，高血圧加療中であり塩分6g/日に設定する

運動療法

網膜症を合併しているため，歩行程度にとどめる

解 説 処方例──まずはこうする！

肥満合併例でインスリン抵抗性が高い病態と推察される症例である。問診からは過食が疑われるため，まずは食事療法を徹底する。

薬物療法はできるだけ体重増加が少なく，インスリン抵抗性を改善する治療を選択する。さらに，網膜症が疑われる症例であり低血糖にも配慮した薬剤選択が重要である。ビグアナイド薬は**安価で低血糖のリスクも少なく体重増加もない**ことから，高齢者や肝・腎機能障害を合併した症例でなければ積極的に投与を検討する。**大量飲酒や脱水により乳酸アシドーシスを発症するリスクがあるため，処方の際には節酒や十分な飲水を指示し，シックデイ時の内服中止も指導**しておく。

網膜症を合併しており強度の運動療法は適応ではないが，単純網膜症・前増殖網膜症で病態が安定していれば定期的な眼科医のチェックを継続しながら歩行程度の運動療法を行う。ただし，重量挙げのような息こらえを伴う運動は眼底血圧を上昇させるので避ける[3)]。

コントロール不良──次の一手はこれだ！

経口薬

ジャディアンス®10mg/日 分1の追加
または
リベルサス®3mg/日 分1の追加
経過を見ながら14mg/日まで増量

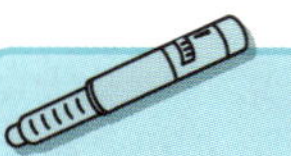

注射薬

トルリシティ®皮下注0.75mgアテオス® 週1回

運動療法

より具体的に繰り返し指導を行う

食事療法

より具体的に繰り返し指導を行う

解 説 コントロール不良──次の一手はこれだ！

米国糖尿病学会が策定するガイドライン[4)]において，肥満の合併例ではSGLT2阻害薬またはGLP-1受容体作動薬の追加が推奨されている。GLP-1受容体作動薬のリベルサス®は経口製剤のため近年多用されているが，内服方法に制約（空腹での内服や内服後30分間の絶飲食を要する）があるため内服実施率に課題が残る。本症例のように食事の時間や勤務形態が不規則な症例では，むしろ週1回の注射製剤のほうが利便性が高い場合もあるので，生活習慣に合わせた薬剤選択が重要となる。ただし，一部のGLP-1受容体作動薬は臨床試験段階で網膜症の悪化が報告されており，血糖改善速度には注意を要する。

視力低下が著しい症例において注射製剤の単位量の調整が困難な場合は，針の取り付けや用量調整が不要なデバイスを選択すると，より治療の継続性やQOLが向上する。トルリシティ®やマンジャロ®（GLP-1/GIP受容体作動薬）は簡便なデバイス（アテオス®）を採用しており，高齢者や巧緻運動障害などを有する症例でも導入しやすい。注射製剤が導入されていれば血糖自己測定も可能だが，視力障害のために困難な場合は，音声機能つきの機器（メディセーフフィットボイス™）や，測定手技の容易なFreeStyleリブレやDexcom G6も頻用されている。

2章-1

1) Ohkubo Y, et al:Intensive insulin therapy prevents the progression of diabetic microvascular complications in Japanese patients with non-insulin-dependent diabetes mellitus:a randomized prospective 6-year study. Diabetes Res Clin Pract. 1995;28:103-17.
2) 猪股茂樹, 他:委員会報告 糖尿病性腎症の新しい早期診断基準. 糖尿病. 2005;48(10):757-9.
3) 金崎啓造:SGLT2阻害薬の糖尿病性腎症に対する効果. 日腎会誌. 2019;61(4):465-71.
4) Perkovic V, et al:Canagliflozin and renal outcomes in type 2 diabetes and nephropathy. N Engl J Med. 2019;380(24):2295-306.
5) Heerspink HJL, et al:Dapagliflozin in patients with chronic kidney disease. N Engl J Med. 2020;383(15):1436-46.
6) Marso SP, et al:Semaglutide and cardiovascular outcomes in patients with type 2 diabetes. N Engl J Med. 2016;375(19):1834-44.

2章-2

1) 糖尿病性神経障害を考える会:糖尿病性多発神経障害の簡易診断基準の改定について. 末梢神経. 2006;17(1):101-3.
2) 松岡 孝:有痛性神経障害の治療. 糖尿病. 2016;8(8):84-90.
3) 厚生労働行政推進調査事業費補助金(慢性の痛み政策研究事業)「慢性疼痛診療システムの均てん化と痛みセンター診療データベースの活用による医療向上を目指す研究」研究班, 監:慢性疼痛診療ガイドライン. 慢性疼痛診療ガイドライン作成ワーキンググループ, 編. 真興交易医書出版部, 2021, p243-62.
4) 日本糖尿病学会, 編著:糖尿病診療ガイドライン2019. 南江堂, 2019, p169-81.
5) 出口尚寿:糖尿病性神経障害治療薬. 内科. 2023;131(4):848-53.

2章-3

1) International Working Group on the Diabetic Foot(IWGDF): IWGDF Guidelines on the prevention and management of diabetic foot disease. 2019.

2) van Netten JJ, et al:Prevention of foot ulcers in the at-risk patient with diabetes:a systematic review. Diabetes Metab Res Rev. 2016;32 Suppl 1:84-98.

3) Weck M, et al:Structured health care for subjects with diabetic foot ulcers results in a reduction of major amputation rates. Cardiovasc Diabetol. 2013;12:45.

4) Neal B, et al:Canagliflozin and Cardiovascular and Renal Events in Type 2 Diabetes. N Engl J Med. 2017;377(7):644-57.

5) 日本糖尿病学会，編著：糖尿病専門医研修ガイドブック．改訂第8版．診断と治療社，2020，p345-50.

2章-4

1) Hoeijmakers JG, et al:Small-fibre neuropathies--advances in diagnosis, pathophysiology and management. Nat Rev Neurol. 2012;8(7):369-79.

2) Hopkins DF, et al:Effective treatment of insulin-induced edema using ephedrine. Diabetes Care. 1993;16(7):1026-8.

3) Azzam OA, et al:Treatment of hypertrophic scars and keloids by fractional carbon dioxide laser:a clinical, histological, and immunohistochemical study. Lasers Med Sci. 2016;31(1):9-18.

4) Shin HW, et al:Early postoperative treatment of mastectomy scars using a fractional carbon dioxide laser:a randomized, controlled, split-scar, blinded study. Arch Plast Surg. 2021;48(4):347-52.

2章-5

1) Cryer PE:Mechanisms of hypoglycemia-associated autonomic failure in diabetes. N Engl J Med. 2013;369(4):362-72.

2) 日本老年医学会，他編著：高齢者糖尿病診療ガイドライン2023．南江堂，2023，p94.

3) Hemmingsen B, et al:Intensive glycaemic control for patients with type 2 diabetes:systematic review with meta-analysis and trial sequential analysis of randomised clinical trials. BMJ. 2011;343:d6898.

4) 日本糖尿病学会，編著：15章 特殊な病態における糖尿病治療．糖尿病性神経障害における血糖管理(13-4)．糖尿病専門医研修ガイドブック．改訂第8版．診断と治療社，2020，p438．

5) Hermanns N, et al：Impact of CGM on the Management of Hypoglycemia Problems：Overview and Secondary Analysis of the HypoDE Study. J Diabetes Sci Technol. 2019；13(4)：636-44.

2章-6

1) 日本糖尿病学会，編著：糖尿病治療ガイド2018-2019．文光堂，2018，p84．

2) 七里元亮：網膜症進展 増悪阻止のためのコントロール基準について．糖尿病学の進歩．1993；27：114-6．

3) 日本糖尿病学会，編著：9章 運動療法—適応と禁忌．合併症との関連(9-2-3)．糖尿病専門医研修ガイドブック．改訂第7版．診断と治療社，2017，p214．

4) American Diabetes Association Professional Practice Committee：9. Pharmacologic Approaches to Glycemic Treatment：Standards of Medical Care in Diabetes-2022. Diabetes Care. 2022；45(Suppl 1)：S125-43.

3章
併存症から考える治療法

感染症が慢性化

内野 泰

Keyword
- 歯周疾患
- 歯科・医科連携
- 抗菌薬

parameter

62歳女性 調理師

肥満	★★☆☆☆	あり(BMI 27.1)
家族歴	★★★★★	母:2型糖尿病, 弟:2型糖尿病, 兄:2型糖尿病
HbA1c	★★★★☆	9.3%(NGSP値)
食前血糖	★★★★☆	188mg/dL
食後血糖	★★★★☆	299mg/dL(食後2時間)
罹病期間	★★★★★	17年
腎障害	★★★☆☆	腎症3期
合併症	★★★☆☆	網膜症(前増殖性網膜症), 高血圧症
併用薬	★★☆☆☆	降圧薬(テルミサルタン40mg/日, アムロジピン10mg/日, アルダクトン®A 50mg/日)

現処方 ノボラピッド®12-10-10単位, ランタス®10単位 眠前, フォシーガ®5mg/日

155cm, 65kg。職業は調理師。糖尿病発症以前にBMI>25の肥満歴はない。母方の家系に糖尿病者が多い。仕事柄, 交代勤務が多い。また, 味見などが複数回にわたり, 試食の機会が多い。インプラント歯科処置を行っている。現在, 進行する歯周疾患と歯科外科処置の推奨抗菌薬治療の相談を口腔外科医から受けている。

病態をどうとらえるか──parameterを読み解く

糖尿病患者の増加とともに歯科・医科の連携機会は急増している。歯科と医科に共通する以下の臨床的疑問が大切である。

①HbA1c 7.0%以下での観血的歯科処置は妥当

②抜歯後などの観血的治療の抗菌薬の選択と使い方，麻酔・抗菌薬と経口糖尿病薬の注意点

③糖尿病に歯周病を合併したときの抗菌薬の特徴　など

問題点の整理

糖尿病合併症の程度とcommunity periodontal index（CPI）の増加は相関している。また，口腔内衛生の悪化は最終的な総死亡の増加と関連している[1]。他の多くの術後合併症を予後規定因子にした基準ではHbA1c 6.5～6.9%が国際的に許容されており，待機的手術に際しHbA1c ＜7.0%の歯科口腔外科領域での基準はおおむね妥当と判断される。国際的なガイドラインでは，糖尿病者への歯科口腔外科領域治療における抗菌薬にアモキシシリンが推奨されている[2) 3)]。

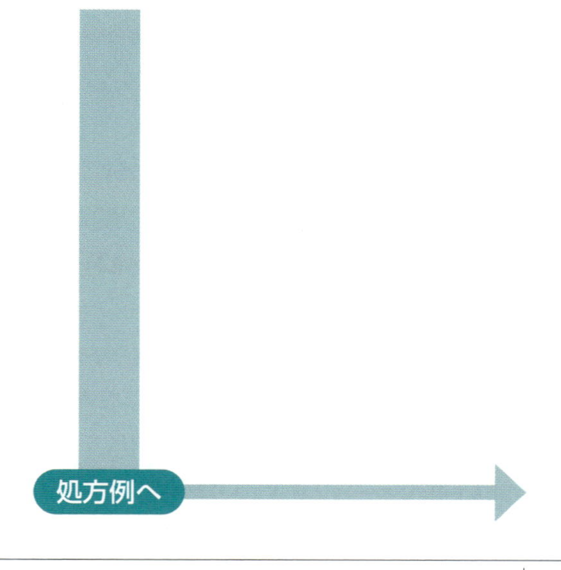

処方例—まずはこうする！

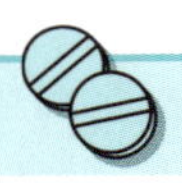

経口薬

フォシーガ®を継続。歯科外科処置予定であり，経口薬の追加はない

食事療法

標準体重1kg当たり1日25kcal/kg。スポーツ飲料や人工甘味飲料，果物ジュースも禁止

インスリン

ノボラピッド®，ランタス®を継続

BOT (basal supported oral therapy) へは歯科外科処置が終了すれば変更可。歯科外科処置中は頻回インスリン療法

運動療法

安定期には週に150分以上，中等度以上の運動を行う

解説 処方例—まずはこうする！

基本的に糖尿病の経口薬は術当日中止であるが，近年では絶食期間の短いminor surgeryでは個別に対応し，術当日でもリスク管理を継続し投薬されている。今後はインスリン＋GLP-1アナログなど，他のペプチド製剤との合剤が増えていくと考える。

歯科領域を含む周術期では麻酔・摂食不良による低血糖症の可能性が存在するため，歯科・医科の連携が必要であり，術当日のインスリンレジメを相談することが求められる。通常は基礎インスリンのみ80％程度に減量し，追加インスリン（食事摂取ごとに使用するインスリン）は絶食指示の食事前には中止となる。

以下，処方例に関する補足である。

食事療法：標準体重1kg当たり1日25kcal/kgが原則。脂質異常症を認めるため，炭水化物60％，脂質20～25％，蛋白質15～20％で行う。食物繊維を1日25g以上摂取するようにする。スポーツ飲料や人工甘味飲料，果物ジュースも禁止。

解説 コントロール不良—次の一手はこれだ！

国際的なガイドラインでは，歯科口腔外科領域の抗菌薬にアモキシシリンが推奨されている。さらに，より選択的な効果が期待できるphenoxymethyl-penicillin（ペニシリンV：口腔内のグラム陽性球菌の85％以上をカバーする）

コントロール不良──次の一手はこれだ！

経口薬

変更なし

食事療法

前記指導に加え，食物繊維(野菜，根菜類)を最初に食べる。午前中の間食は避ける。
コップ1杯の水を飲んでから食事を開始する。空腹時の飲酒は避ける

インスリン・注射薬

インスリン頻回療法へのGLP-1受容体作動薬(ヒューマログ® 各食前，ビクトーザ®0.6～0.9mg/日)追加，または配合剤(ゾルトファイ®配合注フレックスタッチ®)も考慮

運動療法

変更なし(運動ほどの強度のない身体活動であってもよいので継続)

などを第一選択薬として推奨する国際ガイドラインも存在する。アモキシシリンはペニシリンから派生した合成抗菌薬であり，アンピシリンと同様にグラム陰性桿菌もある程度カバーする。しかし問題も存在し，口腔以外での耐性菌発生の可能性も示唆されている。また，アモキシシリンは高率に消化器症状や皮疹が発生する点に注意を払う必要がある。

アモキシシリンと臨床的有用性に大きな差がないことから，副作用モニタリングの煩雑性を考慮すれば，ペニシリンの使用も十分推奨される。副作用として，ペニシリン・アモキシシリンへのアナフィラキシー反応，セファロスポリン・テトラサイクリンアレルギー(皮疹，紅斑)があり，重症例では死亡することもある[4)]。

以下，処方例に関する補足である。

食事療法：間食するときでも午前中の間食は避ける。午前中間食する肥満者は減量が難しい。空腹時に飲酒を避けるのは，その後の摂食量が増大するためである。

運動療法：運動ほどの強度のない身体活動も実はインスリン抵抗性を格段に改善させる。エレベーターを使わず，3階までなら1日10往復すると考えても10分で約60kcalの運動量が得られる。

Keyword
- 関節リウマチ
- ステロイドの副作用

ステロイドをやめられない

小柴博路

parameter

65歳女性　主婦

肥満	★★☆☆☆	あり(BMI 27.3)
家族歴	★★★☆☆	母：糖尿病
HbA1c	★★★☆☆	7.0%
食前血糖	★☆☆☆☆	102mg/dL
食後血糖	★★★☆☆	210mg/dL
罹病期間	★★★☆☆	約6年
腎障害	★★☆☆☆	腎症2期
合併症	★★★★☆	Ⅰ度高血圧症，関節リウマチ，脳梗塞
併用薬	★★★☆☆	ブロプレス®4mg/日，プレドニン®15mg/日，バイアスピリン®100mg/日

現処方　テネリア®20mg/日，アマリール®0.5mg，食事療法1,200kcal/日，運動療法なし

身長153cm，体重63.9kg。6カ月前に関節リウマチと診断されプレドニン®15mg/日が開始となっていた。加療開始当初は，空腹時血糖値116mg/dLでHbA1cは未評価であった。しかし2月前の受診時に，HbA1c 8.0%，食後2時間血糖230mg/dLと血糖値の増悪を認め，テネリア®20mg/日，アマリール®0.5mg/日が開始されたが改善に乏しく，また低血糖症状も認めることがあるということで，当科へ紹介となった。現時点でプレドニン®が中止となる予定はない。

病態をどうとらえるか──parameterを読み解く

糖質コルチコイドの長期投与により糖尿病状態となる頻度は，使用量や背景疾患により異なるが，約8～18%とされる[1)2)]。本症例はプレドニン®を開始してから糖尿病と診断されているが，プレドニン®開始前より糖尿病があった可能性と，プレドニン®開始に伴いステロイド糖尿病が新規に発症した可能性が考えられる。ステロイド糖尿病は，薬剤の効果がなくなれば糖尿病が消失することが原則であるが，本症例のようにステロイド中止が困難な場合，両者を明確に判別するのは困難である。今回の場合では，家族歴はないものの肥満や過食・間食があり，プレドニン®開始前から空腹時高血糖があることから，背景に耐糖能異常があった可能性がある。そこにプレドニン®が開始となったことで，食後血糖優位の血糖値の上昇が引き起こされ，今回の増悪につながったと考えられる。

問題点の整理

糖質コルチコイドによる耐糖能異常の機序としては，①肝臓での糖新生亢進，②骨格筋における糖取り込みの低下，③高グルカゴン血症，が挙げられている。コルチゾールが血糖を上昇させるのは，投与後2～3時間からで，約5～8時間後に血糖値が最高に達する[3)]。**ステロイドによる糖代謝異常は主に食後高血糖の遷延を引き起こすため，食後高血糖の改善作用がある薬剤を選択することが望ましい**。本症例では，空腹時血糖値を低下させるグリメピリド（アマリール®）の影響で，十分な食後血糖値の改善を得られず，また低血糖を惹起していたと考えられる。

食事療法に関してはステロイドの副作用による食欲亢進があり，カロリー制限が実践できておらず，体重が増加傾向にある。また関節リウマチによる膝関節痛のため，歩行による運動療法が困難な状況である。

処方例 ── まずはこうする！

経口薬・注射薬

アマリール®は中止し，シュアポスト®1.5mg／日 分3 毎食前
GLP-1受容体作動薬 オゼンピック®皮下注0.25mg 週1回で開始し，適宜増量調整
リベルサス®3mg／日で開始し，適宜増量調整

食事療法

身体活動量は軽労作のため，カロリー摂取量は25～30kcal／kg／日が原則であり，また肥満症を認めることから，まずは1,280kcal／日（＝24.8kcal／kg／日）で指導する

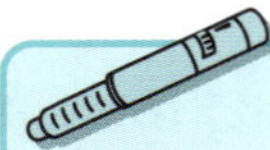

インスリン

ステロイド治療に伴う高血糖は，インスリン療法の相対的適応である。内服治療で管理困難な場合は，インスリン療法に切り替えることを検討する。具体的な投与法は次頁 参照

運動療法

関節リウマチによる膝関節痛があるため，症状の程度に応じて実施可能な運動の検討が必要である。膝に負担の少ない水中歩行や，体幹部や上肢の軽い筋力トレーニングも有効である

解説 処方例──まずはこうする！

前述のように，ステロイドによる糖代謝異常の主座は食後高血糖である。本症例においても空腹時血糖値はさほど上昇しておらず，食後高血糖の改善作用が強い薬剤に変更することが望ましい。特に**GLP-1受容体作動薬は食後高血糖を是正するだけでなく，食欲抑制効果も示されており**[4)]**，そのため，ステロイドの副作用のひとつである体重増加や食欲亢進作用に対しても有効**であると考えられる。また，本症例においては腎症2期や脳梗塞の既往があり，腎保護効果や3-point MACE（非致死性心筋梗塞，非致死性脳卒中，心血管死）に対する効果が示されているGLP-1受容体作動薬は，そのほかの合併症に対する効果という面でも適していると言える[5)6)]。

コントロール不良——次の一手はこれだ！

経口薬

なし

食事療法

変更なし

インスリン

ヒューマリン®R(レギュラーインスリン)。プレドニン®20mgで1日12～18単位，40mgで26～32単位程度

運動療法

変更なし

解説 コントロール不良——次の一手はこれだ！

食後血糖値が250～300mg/dL以上を示すようになる場合は，インスリン治療へ切り替えることが推奨される。インスリンの1日必要量は個々の症例でかなり異なるが，**プレドニン®20mgで1日12～18単位，40mgで26～32単位程度を最終概算必要量とする**[3)]。本症例はプレドニン®15mgと比較的少量であるため，少量のインスリンから開始し調整を行う。今回，インスリン製剤は食後高血糖の遷延是正のためにレギュラーインスリン(速効型インスリン)を推奨としたが，食事30分前に打つ必要があり，高齢者や仕事をしている人の場合は，実施困難な場合もある。そういった場合や，食後の高血糖のピークとインスリン作用のピークが合わない人の場合は，超速効型インスリンを用いることも考慮される。

インスリン量の調整においては，ステロイド糖尿病の場合には食後の高血糖は翌朝には正常化していることが多く，特に夕食後の血糖値の正常化をめざすあまり，深夜から早朝にかけての低血糖を引き起こすリスクもある。投与量の調整に関しては食前血糖だけでなく食後の血糖値(食後2時間や眠前)を測定し，評価することが望ましい。また今後，ステロイド投与量が減量となる際には必要インスリン量の減量も見込まれ，定期的な血糖測定を行って漸減することで安全に調整することができる。

Keyword
- 心筋梗塞後
- 心不全合併
- 3-point MACE

心筋梗塞で退院後

吉田有沙

parameter

55歳女性　会社員

項目	評価	内容
肥満	★★☆☆☆	あり(BMI 27.0)
家族歴	★★★☆☆	父：糖尿病
HbA1c	★★★☆☆	7.8%
食前血糖	★★★☆☆	140mg/dL
食後血糖	★★☆☆☆	195mg/dL
罹病期間	★★★☆☆	5年
腎障害	★☆☆☆☆	なし
合併症	★★★★☆	網膜症なし，神経障害(末梢神経障害，自律神経障害)なし，脂質異常症，高血圧症，心筋梗塞
併用薬	★★★☆☆	クレストール®2.5mg/日 分1 朝食後，ミカルディス®20mg/日 分1 朝食後，ラシックス®錠20mg/日 分1 朝食後，アーチスト®2.5mg/日 分1 朝食後

現処方 なし

身長170cm，体重78kg，BMI 27.0。50歳から健康診断で耐糖能異常を指摘されていたが，医療機関の受診に至っていなかった。今回，前胸部圧迫感を主訴に救急搬送され，急性心筋梗塞の診断で冠動脈ステント留置術が施行された。左室収縮能の低下による心不全を合併して

いたが，心不全治療により病状は改善し，心臓リハビリテーションを経て退院となった。入院時HbA1c 7.8%だったが，入院中は食事療法のみで良好な血糖推移をたどった。
しかし，退院後は食生活が乱れ，継時的に血糖値の上昇を認めている。

病態をどうとらえるか――parameterを読み解く

心筋梗塞，心不全を合併した2型糖尿病症例である。肥満であり，入院中は食事療法のみで良好な血糖推移をたどっていたことから，過食による体重増加でインスリン抵抗性が増大したものと想定される。退院後に食生活が乱れ，血糖の再上昇を認めている。今後，心筋梗塞，心不全の再発予防も含めた血糖管理の必要性がある。

問題点の整理

GLP-1受容体作動薬とSGLT2阻害薬に関する大規模臨床試験のメタ解析では，いずれも3-point MACE（心血管死，非致死性心筋梗塞，非致死性脳卒中の複合エンドポイント）の有意な減少が示されており，SGLT2阻害薬に関しては，心血管疾患や心不全の既往の有無にかかわらず心不全を有意に抑制することも報告されている[1)2)]。

わが国において，糖尿病治療薬の第一選択はガイドライン上明示されておらず，インスリン抵抗性増大とインスリン分泌低下を患者ごとに判断し，病態に応じた薬剤を選択するよう推奨されている。しかし，上記の大規模臨床試験の結果を反映し，2023年に発表された「2型糖尿病の薬物療法のアルゴリズム（第2版）」に関するコンセンサスステートメントでは，additional benefitsを考慮すべき併存疾患がある場合，その抑制効果が報告されている薬剤の優先使用を考慮する旨の記載が盛り込まれている[3)]。本症例に関してもいずれかの薬剤をまず優先して使用していきたい。

処方例 ──まずはこうする！

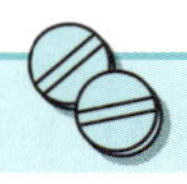

経口薬

ジャディアンス®10mg/日 分1
朝食後

食事療法

1,780kcal/日(28.0kcal/kg/日),
減塩(塩分6g/日)

インスリン

適応なし

運動療法

循環器の指示を優先する。問題なければ中等度の運動を週3回以上。
毎日歩行を1万歩/日

解 説 処方例──まずはこうする！

本症例は心筋梗塞に加え心不全を合併した症例であるため，心不全に対する有用性が示されているSGLT2阻害薬を優先的に考慮し，ジャディアンス®10mg/日を追加した。

SGLT2阻害薬は近位尿細管でのブドウ糖の再吸収を抑制することで，尿糖排泄を促進し，血糖低下作用を発揮する。**投与開始初期には浸透圧利尿作用が働くことで，尿量が増加し，頻尿・多尿がみられることがあるため，脱水には十分注意する**。また，性器感染症リスクの有意な増加が知られており，本症例でも膣カンジダ症の発生に注意する。インスリン分泌が低下している症例や，感染症や脱水などの状況下ではケトアシドーシスをきたすリスクがあるため，あらかじめインスリン分泌能を評価した上で，シックデイには中止するよう事前に指導しておくことが肝要である。

コントロール不良——次の一手はこれだ！

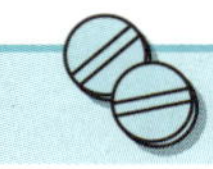

経口薬

変更なし

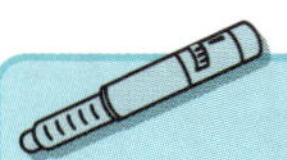

注射薬

オゼンピック®皮下注0.25mg
週1回（副作用を確認し，
0.5mg→1.0mgへと増量）

食事療法

変更なし

運動療法

変更なし

解 説　コントロール不良——次の一手はこれだ！

SGLT2阻害薬，GLP-1受容体作動薬はいずれも体重減少効果が報告されているが，本症例ではその後も過食を抑えることができず，体重・血糖管理のいずれも不十分であった。

GLP-1受容体作動薬はグルコース濃度依存的なインスリン分泌促進作用・グルカゴン分泌抑制作用に加え，胃内容排出遅延作用・食欲抑制作用を有しており，本症例のように過食が抑えられず血糖値が改善しない肥満症例に対して有用な治療選択肢となる。その一方で，副作用として下痢，便秘，嘔気などの胃腸障害が出現する場合があり，注意を要する。そのため，いずれのGLP-1受容体作動薬でも添付文書に従い最小用量で開始し，副作用がないことを確認しながら適宜増量を行う。副作用は投与開始後または増量後に認めやすいが，軽微なものであればしだいに改善してくる症例も多い。処方に際しては，あらかじめ患者に消化器症状について説明を行い，症状が強く継続できないようであれば中止するように指示しておく。

本症例では嘔気の副作用もなく，1カ月の外来ごとにオゼンピック®0.5mg→1.0mgと増量した。

そして，大血管症の抑制のためには，血糖管理のみならず，血圧・脂質管理もあわせた集約的治療が肝要である。本症例では血圧130/80mmHg未満，LDL-C 70mg/dL未満を目標とする。

心不全合併。SGLT2阻害薬は入れるべき?

望月皓平

Keyword
● 心不全
● SGLT2阻害薬

parameter

48歳男性　会社員(営業職)

肥満	★★☆☆☆	あり(BMI 28.1)
家族歴	★★☆☆☆	祖父:糖尿病
HbA1c	★★★☆☆	7.5%
食前血糖	★★★☆☆	146mg/dL
食後血糖	★★☆☆☆	178mg/dL
罹病期間	★★☆☆☆	4年
腎障害	★★☆☆☆	腎症2期(eGFR 72mL/分/1.73m^2，尿アルブミン49mg/gCr)
合併症	★★★★★	網膜症なし，神経障害(末梢神経障害，自律神経障害)なし，大血管障害:狭心症，LVEFの保たれた心不全(HFpEF)，高血圧症，脂質異常症，高尿酸血症
併用薬	★★★★☆	レニベース®5mg/日 分1 朝食後，クレストール®2.5mg/日 分1 朝食後，フェブリク®20mg/日 分1 朝食後，タケルダ®配合錠1錠/日 分1 朝食後

現処方 メトグルコ®1,000mg/日 分2 朝夕食後

カルテより

身長175cm，体重86kg，BMI 28.1。44歳で2型糖尿病の診断となり，高血圧症，脂質異常症，高尿酸血症などで通院中。狭心症，慢性心不全に対して他院循環器内科にも通院している。営業職であり多忙で付き合いでの外食も多く，食事療法の継続が困難であった。栄養指導も受診できておらず，体重も半年で2kg増加している。外来の受診も途切れがちであった。狭心症の既往があり，年に1回施行している心エコーではEF 60%，壁運動の異常は指摘できない。

病態をどうとらえるか――parameterを読み解く

腎症や狭心症，心不全の既往のある2型糖尿病の患者。食事療法が困難で体重増加を認めており，血糖コントロールも難渋している。合併症予防と体重管理を念頭に置いた治療強化が必要である。

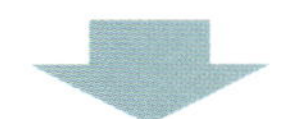

問題点の整理

本症例は生活習慣や通院アドヒアランス不良から血糖コントロールに難渋し，心不全や狭心症の既往を有している。心不全は心臓に器質的および/あるいは機能的異常が生じて心ポンプ機能の代償機転が破綻した結果，呼吸困難・倦怠感や浮腫が出現し，それに伴い運動耐容能が低下する臨床症候群とされる[1)]。検査施行時の左室駆出率（LVEF）評価に基づき，LVEFの低下した心不全（heart failure with reduced ejection fraction：HFrEF）やLVEFの保たれた心不全（heart failure with preserved ejection fraction：HFpEF）などに分類される。HFpEFは心不全患者において約半数を占めるとされ[2)]，特に関連のある背景因子として冠動脈疾患，糖尿病，肥満，高血圧，心房細動，高齢などが報告されている[3)]。本患者でも複数の背景因子を有していることからリスクが高く，糖尿病だけでなく心不全にも有効な治療を行うことが重要である。

処方例──まずはこうする！

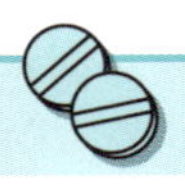

経口薬

メトグルコ®は継続
ジャディアンス®10mg/日 分1
朝食後を追加

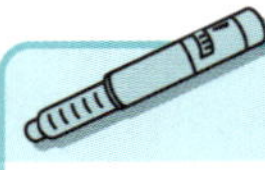

インスリン

適応なし

食事療法

1,680kcal/日(24.9kcal/kg/日),
減塩(塩分6g/日)

運動療法

循環器の指示を優先する。問題なければ中等度の運動を週3回以上。
毎日歩行を1万歩/日

解説 処方例──まずはこうする！

近年，SGLT2阻害薬が糖尿病に対してだけでなく心不全治療薬としても注目されている。これまでHFrEF患者へのSGLT2阻害薬の有用性は示されていたが，HFpEF患者を対象とした大規模介入試験であるEMPEROR-Preserved試験において，エンパグリフロジンの投与により主要評価項目である心血管死もしくは心不全入院の複合イベントを有意に抑制することが示された[4)]。さらに，DELIVER試験では，ダパグリフロジンの投与により心血管死や心不全増悪の複合イベントを有意に抑制したことが報告された[5)]。これらの試験からHFpEF患者においてもSGLT2阻害薬の有用性が示された。現在わが国において心不全治療の適応を有しているSGLT2阻害薬はジャディアンス®とフォシーガ®である。また，SGLT2阻害薬はインスリン値の低下や，グルコースから脂質へのエネルギー消費の変化による内臓脂肪減少を伴う体重減少効果が認められ[6)]，本症例のように肥満や脂肪肝など内臓脂肪蓄積を合併している症例には良い適応である。SGLT2阻害薬の開始初期には体液量が減少するため，脱水防止について患者への説明を行うことが重要である。特に本症例のような心不全合併症例では利尿薬が併用されていることもあり留意する必要がある[7)]。

コントロール不良――次の一手はこれだ！

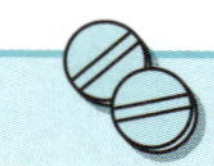

経口薬

変更なし

食事療法

変更なし

注射薬

オゼンピック®皮下注0.25mg 週1回（4週間後に0.5mgに増量，1.0mgまで増量可）の追加
もしくは
ビクトーザ®皮下注0.3mg 1日1回朝（1週間ごとに0.3mgずつ増量，1.8mgまで増量可）の追加

運動療法

変更なし

解説 コントロール不良――次の一手はこれだ！

米国糖尿病学会（American Diabetes Association：ADA）診療ガイドライン[8]では，動脈硬化性心血管疾患の既往がある患者に対して，SGLT2阻害薬と並んでGLP-1受容体作動薬の投与が推奨されている。ビクトーザ®はLEADER試験で心血管死，非致死的心筋梗塞，非致死的脳卒中などの主要複合心血管イベントリスクを有意に低下させることが報告された。また，オゼンピック®はSUSTAIN 6試験で主要複合心血管イベントの発生をプラセボと比較して有意に低下させたことが報告されている。ビクトーザ®は1日1回の注射薬であり，平日が多忙な患者では週1回注射のオゼンピック®を休日などに設定して投与するとアドヒアランス向上が見込まれる。**ビクトーザ®よりオゼンピック®で体重減少効果が強いことが知られており，ライフスタイルや体重などから症例によって使い分けることが重要である。**高齢の患者ややせ型の患者の場合は，比較的体重減少をきたしにくいトルリシティ®皮下注0.75mgアテオス®（週1回）の追加が選択される。

慢性的に眠い・疲れが取れない

吉川芙久美

Keyword
- 慢性的な眠気・疲労感
- 高度肥満
- 仕事が忙しい，時間が不規則

parameter

38歳男性　会社員（デスクワーク，電車通勤，独居）

項目	重要度	内容
肥満	★★★★☆	あり（BMI 35.0）
家族歴	★★★☆☆	母：糖尿病
HbA1c	★★★☆☆	7.3%
食前血糖	★☆☆☆☆	108mg/dL
食後血糖	★★☆☆☆	195mg/dL
罹病期間	★★☆☆☆	3年
腎障害	★★☆☆☆	腎症1期（eGFR 80mL/分/1.73m^2，尿アルブミン10mg/gCr）
合併症	★☆☆☆☆	なし
併用薬	★★☆☆☆	クレストール®2.5mg/日 分1 朝食後

現処方　メトグルコ®500mg/日 分2 朝夕食後，エクア®100mg/日 分2 朝夕食後

168cm，98.8kg。35歳時の健康診断で糖尿病と診断された。通院開始時からHbA1c 7%前後で推移し，2年前から内服薬が開始となったが，ここ半年ほどはHbA1c 7%台から脱せない。毎日きちんと内服できており，食事も本人なりに気を付けているが，空腹感に負けてしまうことも多い。仕事はデスクワーク中心で日中はほとんど動かない。布団に入ってもなかなか寝付けず寝起きも悪いため，毎朝家を出るぎりぎりに起床し，

休日は昼近くまで寝ている。仕事中は常に眠く集中力に欠け，疲れが取れないと外来のたびに訴えている。

病態をどうとらえるか──parameterを読み解く

肥満がある比較的若年の2型糖尿病。治療には前向きで真面目に取り組んでいるが，なかなか結果に結びついていない。合併症の進行はないが，慢性的な眠気・疲労感を自覚している。

問題点の整理

2型糖尿病は合併症やホルモン動態の変化から睡眠の質が低下し，睡眠障害を有する割合が糖尿病を有さない人の2〜4倍高いとされる[1)]。特に，肥満を有する若年者ほど睡眠の質が悪い傾向にあり，閉塞性睡眠時無呼吸症候群（obstructive sleep apnea syndrome：OSAS）の存在が示唆される[2)]。睡眠障害は，カウンターホルモンの上昇や交感神経活性の亢進を介して血糖値や血圧を上昇させること[3)]，食欲抑制ホルモンのレプチンの分泌低下を介した食欲増加を惹起し肥満の原因となることが知られており[4)]，睡眠障害への介入は生活習慣病の診療において重要である。睡眠時間は十分でも潜在的な睡眠障害を有している可能性があるため，慢性的な眠気・疲労感を訴える症例では，その存在を念頭に置いた問診（睡眠習慣やいびきの有無など）や検査を検討する。

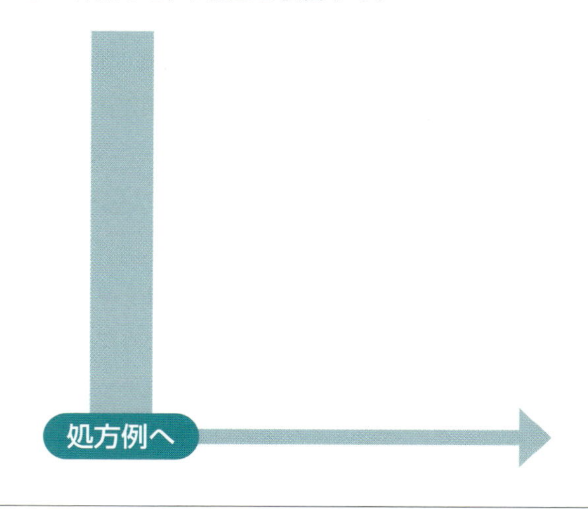

処方例 ―まずはこうする！

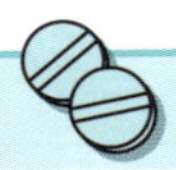

経口薬

メトグルコ®，エクア®にデベルザ® 20mg/日 分1 朝食後を追加， または メトグルコ®は継続，エクア®を中止した上で，リベルサス®3mg/日 分1 起床時で開始し14mg/日 分1まで増量

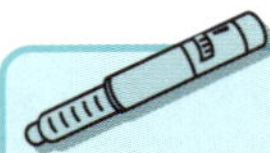

注射薬

メトグルコ®は継続，エクア®を中止した上で，オゼンピック®皮下注 0.25mg 週1回から導入し，1mg 週1回まで増量

食事療法

1,600kcal/日(25.8kcal/kg/日)

運動療法

ウォーキング20分間/回を週3回以上

解 説 処方例―まずはこうする！

高度肥満があり，OSASの併存が疑われる。 肥満はOSASの増悪因子であり[5)]，血糖・血圧・脂質コントロールと不眠症状の双方への介入として減量は重要である。減量が期待できる薬剤として，SGLT2阻害薬とGLP-1受容体作動薬が推奨される。SGLT2阻害薬は夜間頻尿により不眠を誘発する場合があり，断眠の訴えが強い症例では比較的作用時間の短い製剤を選択する。**GLP-1受容体作動薬は，食欲抑制効果から食事を我慢することへのストレス軽減も期待される。**GLP-1受容体作動薬の中で唯一の経口製剤であるリベルサス®は服用方法が特徴的であり，処方の際は正確に服用できるか確認する。注射製剤の場合，高度肥満の症例では体重減少作用が比較的強いオゼンピック®を選択する。

食事は標準体重を基本に設定するが，実生活との乖離が大きいと継続が困難である。本人の食生活を聴取した上で現実的な投与カロリーを設定し，段階的に適切なカロリーへ下げていく。また，これまでほとんど運動してこなかった症例である。あまり過度な負荷をかけずウォーキング程度の軽い運動にとどめ，糖質と脂肪酸の効率の良い燃焼のために20分以上の持続を目標に開始する。また，睡眠障害は生活習慣の是正が基本となる。就寝前の動画やSNSの視聴を控えること，睡眠環境の整備など個々の症例に応じた指導を行う。

コントロール不良——次の一手はこれだ！

経口薬

（睡眠障害に対して）下記のいずれかを追加
ベルソムラ®20mg/日 分1 眠前，または
ロゼレム®8mg/日 分1 眠前

食事療法

変更なし

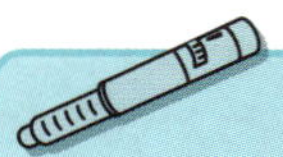

注射薬

オゼンピック®皮下注を中止し，マンジャロ®皮下注アテオス®2.5mg 週1回へ変更

運動療法

変更なし

解 説 コントロール不良——次の一手はこれだ！

GIP/GLP-1受容体作動薬であるマンジャロ®皮下注アテオス®はオゼンピック®1mgとの比較において有意なHbA1c・体重減少が報告されており[6]，血糖改善や体重減少が不十分な場合，DPP-4阻害薬・GLP-1受容体作動薬からの変更を検討する。ただし，GLP-1受容体作動薬と同様に消化器症状・食欲低下などの有害事象が報告されており，腹部症状に注意が必要な症例や，サルコペニアが危惧される症例への導入には注意が必要となる。

生活介入により睡眠障害の改善が不十分な場合には，薬剤介入を検討する。**近年では，ベンゾジアゼピン系睡眠薬で問題となっていた依存性や脱力などの副作用が比較的少ない新規の睡眠薬が選択される**。オレキシン受容体拮抗薬（ベルソムラ®）は，覚醒維持に関わるオレキシンの働きをブロックすることで作用を示す。入眠作用に加えて睡眠維持にも効果を示し，中途覚醒や早朝覚醒を訴える症例にも良い適応となる。メラトニン受容体作動薬（ロゼレム®）は，睡眠・覚醒リズムを整えるメラトニンの分泌を促進して入眠を促すため，入眠障害や睡眠位相障害（昼夜逆転など）のある症例に良い適応となる。

急性膵炎の既往あり。アルコールがやめられない

五日市篤

Keyword
- アルコール性慢性膵炎
- アルコール性肝障害
- 食事運動療法

parameter

49歳男性	会社員(営業職，電車通勤)	
肥満	★★★☆☆	なし(BMI 18.3)
家族歴	★★★☆☆	父：糖尿病
HbA1c	★★★☆☆	7.8%
食前血糖	★★☆☆☆	120mg/dL
食後血糖	★★★★☆	250mg/dL
罹病期間	★★★☆☆	7年
腎障害	★★☆☆☆	腎症1期(eGFR 70mL/分/1.73m^2，尿アルブミン20mg/gCr)
合併症	★☆☆☆☆	網膜症なし，神経障害なし，大血管障害なし
併用薬	★★☆☆☆	フオイパン®300mg/日 分3 各食後，リパクレオン®カプセル450mg/日 分3 各食後

現処方 食事運動療法のみ

消化器内科にてアルコール性慢性膵炎・肝障害の治療中，42歳時に健康診断で糖尿病初回指摘となっている。HbA1c 7.3%であり，まずは食事療法を指導されたが，食生活が不規則でアルコールがやめられない状態が続き，HbA1c 7.8%に悪化した。喫煙20本/日で15年。身長178cm，体重58kg，血圧128/72mmHg，胸腹部異常なし，下肢浮腫なし。CPRインデックス0.66(<0.8)。腹部エコーでは慢性膵炎，膵石症，アルコール性肝障害の所見を認める。

病態をどうとらえるか――parameterを読み解く

アルコール多飲およびそれに伴う慢性膵炎を併存する糖尿病である。空腹時血糖に比べて食後高血糖が著明で，慢性膵炎によるインスリン分泌能低下の影響が考えられる。現在の治療は食事・運動療法となっているが，食後高血糖に対して十分な治療となっていない状態である。

問題点の整理

栄養指導を行ったものの，アルコールがやめられず仕事柄会食も多く，徐々にHbA1cが悪化。HbA1c 7.8%とコントロール不良の状態である。病態としてはアルコール多飲およびそれに伴う慢性膵炎を併存する糖尿病で，空腹時血糖に比べて食後高血糖が著明である。

膵性糖尿病の原因疾患としては慢性膵炎が最多であり，慢性膵炎患者における糖尿病の有病率は70%，慢性石灰化膵炎患者では90%にも上るとされる[1)2)]。膵性糖尿病では，インスリン分泌障害のためインスリン注射を必要とする症例が多い。加えてグルカゴン分泌障害のため，低血糖をきたしやすいことに留意して血糖コントロールを行う必要がある。

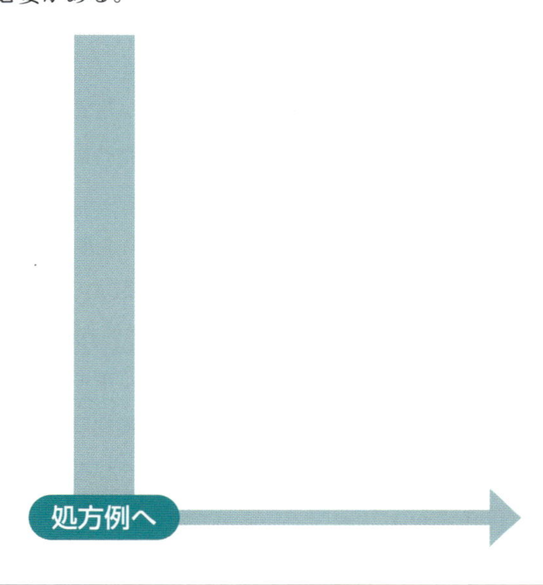

処方例──まずはこうする！

経口薬

適応なし

インスリン

ルムジェブ®4-4-4単位 毎食前

食事療法

2,160kcal/日(31.0kcal/kg/日),
禁酒，減塩(塩分6g/日)

運動療法

適度な有酸素運動を心がける

解 説 処方例──まずはこうする！

膵性糖尿病は，β細胞減少によるインスリン分泌低下に加えてα細胞減少によるグルカゴン分泌低下も伴っていることが大きな特徴である。この特徴から膵性糖尿病の患者の血糖コントロールは高血糖・低血糖を起こしやすく管理が難しい。また，膵性糖尿病の治療ではその治療選択にあたってインスリン分泌能の評価が重要となる。入院下では蓄尿Cペプチド(CPR)の評価を行うが，外来では「空腹時血中CPR÷空腹時血糖×100」で計算されるCPRインデックスが有用な指標として用いられる[3)]。

治療は原則としてインスリン治療が望ましく，まずは超超速効型インスリンの毎食前投与を優先し，それでも空腹時血糖が是正されない場合は持効型インスリンを追加することを検討する。

食事療法は他の糖尿病と異なり，エネルギー制限は行わず，目標体重(kg)×30kcal以上の十分なエネルギーを摂取するのが望ましい。**膵性糖尿病患者のエネルギー代謝は健常者よりも10〜20%亢進している場合が多いとされ，血糖コントロール改善目的の一律なエネルギー制限は栄養障害悪化につながる恐れがある**。また，膵性糖尿病の原因が慢性膵炎であり，膵炎進行予防と血糖コントロールの両面から禁酒指導が重要である。

コントロール不良──次の一手はこれだ！

経口薬

変更なし

食事療法

変更なし

インスリン

ルムジェブ®は継続
トレシーバ®注フレックスタッチ®を
4単位 1日1回皮下注から追加

運動療法

変更なし

解 説 コントロール不良──次の一手はこれだ！

超超速効型インスリン速効型インスリンを使用しても空腹時血糖が高値の場合は，基礎インスリンとなる持効型インスリンも併用する。ただし，夜間に低血糖を起こす可能性もあるため，増量に際しては注意が必要となる。そのため，**深夜の血糖測定（たとえば0時や3時）もときどき実施することが望ましい**。

膵性糖尿病のインスリン依存状態ではインスリン量変更による血糖変動は大きくなり，特に低血糖には注意が必要となる。これはグルカゴン分泌が低下し，低血糖時のカウンターホルモンが枯渇していることが影響している。

インクレチン関連薬については，膵炎リスクが上昇する懸念から膵性糖尿病への積極的使用を控える動きがあったが，逆に膵炎との関連はないとする報告も複数ある。インクレチン関連薬が膵性糖尿病に有用であるかについては明確なコンセンサス形成に至っておらず，患者ごとへの対応を考えるのが現実的であると考えられる。

Keyword
- 便秘症
- 糖尿病性神経障害
- 薬剤性

慢性的な便秘

岩田葉子

parameter

69歳女性　無職

項目	重要度	内容
肥満	★★☆☆☆	あり(BMI 26.1)
家族歴	★★☆☆☆	母方祖母：糖尿病
HbA1c	★★★★☆	8.6%
食前血糖	★★★★☆	161mg/dL
食後血糖	★★★★☆	253mg/dL
罹病期間	★★★★☆	14年
腎障害	★★☆☆☆	腎症3期(eGFR 64mL/分/1.73m², 尿アルブミン410mg/gCr)
合併症	★★★★☆	網膜症あり(レーザー治療後), 神経障害あり〔末梢神経障害あり, 自律神経障害あり(起立性低血圧, 神経因性膀胱)〕, 脂質異常症
併用薬	★★★☆☆	酸化マグネシウム990mg/日 分3, クレストール®5mg/日, エブランチル®30mg/日

現処方　デベルザ®20mg/日 分1, リベルサス®3mg/日 分1

153cm，体重61kg。罹病期間14年の糖尿病で，ここ数年はデベルザ®20mg/日にてHbA1c 7%台で推移していた。5カ月前に夫が脳梗塞を発症し介護に追われるようになり，おにぎりや菓子パンなどで自身の食事をさっとすませ，それまで控えていた間食が多くなった。1カ月前の前回受診時に2kgの体重増加がありHbA1c 8.6%と上昇し，新たにリベルサス®3mg/日を処方した。もともと5〜6年前から便秘傾向で緩下薬により週3回程度の排便を実現していたが，前回以降，便秘が悪化し排便回数が週1回に減り，兎糞状の硬い便となったと今回相談を受けた。

病態をどうとらえるか──parameterを読み解く

便秘の原因として，GLP-1受容体作動薬セマグルチド（リベルサス®）開始後より便秘が増悪しており，薬剤性も検討する必要がある。また糖尿病の罹病期間が長く，起立性低血圧など自律神経障害の症状もあることから，自律神経障害による消化管運動障害や，感覚・運動神経障害に伴う直腸知覚・収縮力の低下が疑われる。

問題点の整理

わが国の便秘の訴えのある人は2020年国民生活基礎調査によると2.5〜4.4%だが，**糖尿病のある人の便秘の訴えは2018年の疫学調査によると約30%と多い**[1]。糖尿病に関連した便秘の要因として，糖尿病性神経障害，薬剤性，高血糖，心理的因子，食事（食物繊維不足等）などが挙げられる。自律神経障害と便秘の関連性を指摘する報告は多いが，臨床の現場で腸管の自律神経障害の有用な診断方法がなく，自律神経障害による便秘症状の出現のタイミングが明らかでないことが，便秘が自律神経障害によるものかの判断を難しくしており，他の自律神経障害の症状とあわせて診断されているのが現状である。

処方例 ― まずはこうする！

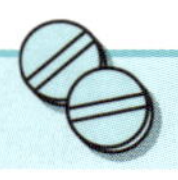

経口薬

デベルザ®20mg/日 分1 継続
リベルサス®3mg/日 分1を中止，
ジャヌビア®50mg/日 分1へ変更

食事療法

1,440kcal/日(28.0kcal/kg/日)，減塩(塩分6g/日)，食物繊維20g/日以上

インスリン

適応なし

運動療法

1回10分以上の歩行，少なくとも運動しない日が2日間以上続かないようにする

解 説 処方例 ― まずはこうする！

リベルサス®などのGLP-1受容体作動薬における便秘の頻度は5%程度とされ，副作用としては下痢と同程度である。GLP-1(glucagon-like peptide 1)はインクレチンという消化管ホルモンのひとつで血糖依存性のインスリン分泌作用やグルカゴン抑制，食欲抑制などの作用だけでなく消化管の運動を抑える作用があり，その作用によって胃不快感や便秘を引き起こすと考えられる。DPP-4阻害薬はインクレチンを分解する酵素であるDPP-4(dipeptidyl peptidase 4)の作用を阻害しGLP-1濃度を上昇させ血糖降下作用を発揮するが，便秘症状の発現頻度はGLP-1受容体作動薬より低く，1～3%程度(ジャヌビア®1.1%)である。また，**SGLT2阻害薬は脱水の副作用が知られており，水分摂取不足に起因する便秘の原因となりうる**。本症例では，リベルサス®開始と便秘発症のタイミングが一致しており，いったんリベルサス®を中止し，代わりにジャヌビア®50mg/日を開始した。その他に飲水励行や食物繊維の摂取不足がないか等の食事内容の見直しも行い，運動も推奨した。それでも便秘が継続するなら，既に浸透圧性下剤である酸化マグネシウムを内服しているので，刺激性下剤との併用で便秘が改善するか見てみる。

コントロール不良―次の一手はこれだ！

経口薬

デベルザ®20mg/日 分1 継続
ジャヌビア®50mg/日 分1 継続
ツイミーグ®2,000mg/日 分2 朝，夕 追加
グーフィス®10mg/日 分1 食前 追加

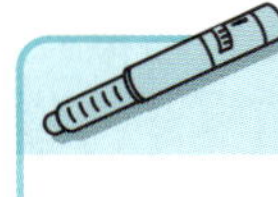

インスリン

変更なし

運動療法

変更なし

食事療法

変更なし

解 説 コントロール不良―次の一手はこれだ！

DPP-4阻害薬を選択しさらに食後高血糖に介入したい場合，相性が良さそうなのは，イメグリミン(ツイミーグ®) やグリニド薬である。イメグリミンは2021年9月に登場した薬剤であり，構造はメトホルミンに類似しているがグルコース依存性にインスリン分泌作用を発揮し，国内第3相試験のTIMES2試験(他の2型糖尿病治療薬との併用における安全性有用性を検証) ではDPP-4阻害薬との併用でHbA1c低下効果が最も高かった[2)]。またグリニド薬は，DPP-4阻害薬が効果不十分例に対し，切り替えよりも併用とした場合でHbA1c改善が認められている[3)]。

便秘については浸透圧性下剤，刺激性下剤を使用しても改善に乏しい場合，新規便秘治療薬の中ではエロビキシバット(グーフィス®) の併用を検討したい。グーフィス®は大腸に流入する胆汁酸を増やすことで大腸蠕動運動亢進と便の軟化を促す作用があり，糖尿病のような腸の蠕動運動が低下する病態に適しているとされている。その他，便秘の訴えや消化管運動障害には心理的な因子が大きく関与していると言われており，**食事・運動や緩下薬といった通常の便秘へのアプローチで効果に乏しい場合は，糖尿病に起因する心理的ストレスがないかも考慮する**必要がある。糖尿病における便秘は複数の要因がオーバーラップしている場合もあり，原因に応じた対応が求められる。

Keyword
- インスリン治療中
- アルコール性肝硬変

肝硬変合併。血糖値は400だけど低血糖も頻発

齋藤　学

parameter

77歳男性　独居

肥満	★★★☆☆	なし(BMI 19.1)
家族歴	★★★☆☆	父:糖尿病
HbA1c	★★★☆☆	7.1%
食前血糖	★☆☆☆☆	95mg/dL
食後血糖	★★★★★	400mg/dL
罹病期間	★★★★★	17年
腎障害	★☆☆☆☆	腎症1期
合併症	★★★☆☆	アルコール性肝硬変, 食道静脈瘤, 高血圧
併用薬	★★★★☆	アルダクトン®A 50mg/日, ラシックス®20mg/日, モニラック®原末3包/日, タケキャブ®10mg/日, リーバクト®配合顆粒3包/日, オルメテック®20mg/日, アムロジン®5mg/日

現処方 ヒューマログ®4-4-4 毎食前, トレシーバ®16単位 朝食前

身長160cm, 体重48.8kg。17年前に2型糖尿病と診断されて, 3年前よりアルコール性肝硬変にて近医の消化器内科にも通院している。しかし禁酒はできず, 食生活も独居であるため自炊はせずにコンビニ弁当などが多い。普段の空腹時採血では血糖値90〜100mg/dLで推移しているが, 食後2時間値では400mg/dLと高値を認めている。飲酒時の食事はおかず中心で, ご飯などの炭水化物はほとんど食べない。特に夕食時に飲酒をしたときは, 時折夜間の低血糖がみられていた。

病態をどうとらえるか――parameterを読み解く

家族歴のある2型糖尿病患者が，アルコール性肝硬変を合併した症例である。**肝硬変患者の糖代謝異常は空腹時血糖が正常かあるいは低めであるが，食後高血糖が著明になることが特徴である。**高血糖の機序は，次の3つによると言われている。

・末梢組織でのグリコーゲン合成低下を伴ったインスリン感受性低下
・門脈―体循環シャントの形成により，肝臓に効率よくインスリンが届かなくなる
・肝臓でのインスリンクリアランスの低下

また，肝硬変患者は健常者よりも骨格筋量が低下し，脂肪量が多く，肝臓でのグリコーゲン蓄積量が低下しているため，いったん低血糖が出現すると症状が遷延しやすい。

問題点の整理

アルコール性肝硬変の治療は禁酒であるが，禁酒ができておらず，栄養の偏りもある。そもそもアルコールは，以下の通り[1]糖代謝異常を悪化させることが言われている。

・アルコールの分解産物がインスリン作用を抑制する
・アルコール自体が高カロリーである
・食欲増進作用があり，摂食量が増える
・膵炎を誘発する　など

また，アルコールは肝臓での糖新生を抑制し，低血糖の誘因にもなる。現在毎食前に投与している超速効型インスリン（ヒューマログ®）量よりも持効型インスリン（トレシーバ®）量が多いが，超速効型インスリン量を増量し持効型インスリンを減量する必要がある。**重篤な肝機能障害があると，多くの経口血糖降下薬は禁忌ないし慎重投与になるため，インスリン治療が基本である。**

処方例 ── まずはこうする！

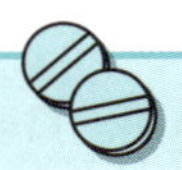

経口薬

適応なし

食事療法

禁酒とし，エネルギー摂取量は25〜30kcal/kg/日，塩分6g未満/日とする
蛋白質は蛋白不耐症（肝性脳症）がない場合は1.0〜1.5g/kg/日，蛋白不耐症がある場合は低蛋白食（0.5〜0.7g/kg/日）+肝不全用経腸栄養剤，また分割食（4〜6回/日）あるいは夜間就寝前補食を行う

インスリン

食後高血糖を改善するため超速効型インスリンであるヒューマログ®を増量し，持効型インスリンであるトレシーバ®を減量する

運動療法

過度な運動は制限する

解説 処方例 ── まずはこうする！

糖尿病の合併が肝硬変患者の長期予後における危険因子であることが報告されており[2)]，良好な血糖コントロールを目指すことが望まれる。

まずは著明な食後高血糖を是正するため，超速効型インスリン量を増量する。超速効型インスリンを増量しても早朝高血糖が是正されない場合は，持効型インスリンを追加することが病態に即している。本症例は既に持効型インスリンが導入されているので，超速効型インスリンを増量することで眠前の血糖値が下がってくると深夜低血糖になる可能性が高くなるため，**血糖測定を毎食前だけでなく，食後2時間や深夜にも行うことが有用である。**

食事療法に関して，肝予備能が比較的保たれている慢性肝疾患患者では，糖尿病の食事療法を基本とした栄養素の適正摂取，総エネルギー摂取量の調節を行う。一方，非代償性の肝硬変患者で高アンモニア血症の患者では，特に蛋白制限が必要となる。肝臓におけるグリコーゲン量の蓄積が少ないことから，低

コントロール不良──次の一手はこれだ！

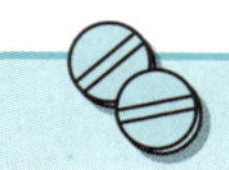

経口薬

変更なし

インスリン

新しい超速効型インスリン（ルムジェブ®，フィアスプ®）へ変更

食事療法

変更なし

運動療法

制限する

血糖予防目的に総エネルギー量から200kcal程度を分割し，就寝前に摂取する夜間就寝前補食（late evening snack：LES）が有効である。LESを含めて，1日4～6回の食事にわけて摂取することも推奨されている。

解 説 コントロール不良──次の一手はこれだ！

食後高血糖が遷延する場合は，新しい超速効型インスリンへの変更を検討する。

2020年に新しい超速効型インスリン（ルムジェブ®，フィアスプ®）が発売されたが，従来の超速効型インスリンよりも効果発現開始と最大効果発現が短縮され，食後高血糖の改善が期待できる。日本人の1型糖尿病患者においてフィアスプ®と従来のノボラピッド®を比較した論文があり，フィアスプ®はノボラピッド®よりも効果発現が5.3分速く，最大効果発現時間は18.6分速かった[3)]。

従来の超速効型インスリンを増量しても食後高血糖を是正できない場合は，新しい超速効型インスリンに切り替えることが有効と考える。

肝硬変患者では，HbA1cは脾機能亢進に伴う赤血球寿命の短縮により実際より低値になる。グリコアルブミン（GA）は蛋白の半減期の延長により実際より高値を示すので，検査結果の解釈には十分な注意が必要である。

お酒を飲まないのに何となく肝機能がずっと高い

蛭間真梨乃

Keyword
- 肥満
- 非アルコール性脂肪肝炎(NASH)〔MASH〕

parameter

55歳女性	会社員(在宅勤務)	
肥満	★★★☆☆	あり(BMI 30.0)
家族歴	★★☆☆☆	祖父：糖尿病
HbA1c	★★★★☆	8.0%
食前血糖	★★★☆☆	140mg/dL
食後血糖	★★☆☆☆	195mg/dL
罹病期間	★★☆☆☆	3年
腎障害	★★☆☆☆	腎症2期(eGFR 80mL/分/1.73m^2，尿アルブミン62mg/gCr)
合併症	★★★★☆	高血圧症，脂質異常症，脂肪肝
併用薬	★★★☆☆	ミカムロ®配合錠AP 1錠/日，リバロ® 2mg/日

現処方 アクトス®30mg/日

5年前の健診で高血圧症と脂質異常症を指摘されたが，しばらく放置していた。3年前の健診で肝障害を指摘され，精査の結果，非アルコール性脂肪肝炎(nonalcoholic steatohepatitis：NASH)〔MASH〕の診断となった。同時期よりアクトス®内服を開始し，HbA1c 7%前後で推移していたが，コロナ禍で在宅での仕事が増えたことで徐々に体重が増え，血糖管理も不良となった。甘いものが好きで，自宅にいるとつい

間食してしまいがちである。喫煙なし，飲酒なし。身長158cm，体重74.9kg，血圧140/84mmHg。

病態をどうとらえるか――parameterを読み解く

本症例は在宅勤務による運動量減少や，間食と体重増加が糖尿病の悪化の要因である。またアルコール摂取習慣がなく，NASH〔MASH〕の診断となっている。

非アルコール性脂肪肝（nonalcoholic fatty liver：NAFL）とNASHをあわせて非アルコール性脂肪性肝疾患（nonalcoholic fatty liver disease：NAFLD）〔MASLD〕と呼ぶ。NAFLDは肥満や耐糖能異常，高血圧症，脂質異常症などのメタボリックシンドロームのリスク因子と強く関連し，2型糖尿病患者の死亡リスクとも関連する[1]。また，NAFLD自体がインスリン抵抗性を増悪させる[2]。

問題点の整理

NASH，肥満症や高血圧症を併存する2型糖尿病で，インスリン抵抗性が強い症例である。運動量の担保や栄養指導を行う必要もある。

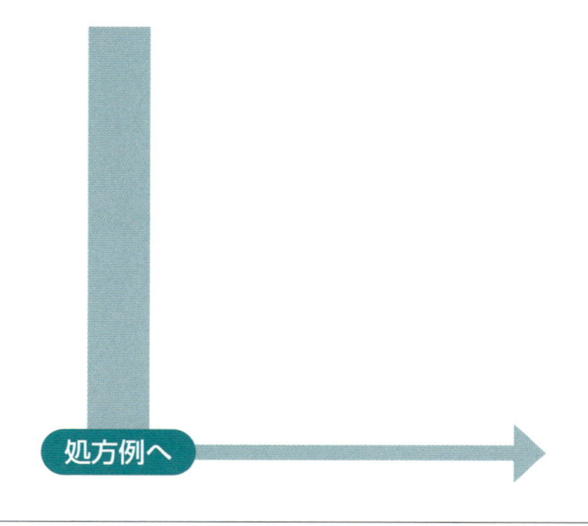

処方例──まずはこうする！

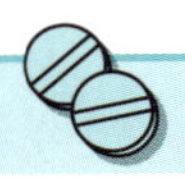

経口薬

アクトス®30mg/日にジャディアンス®10mg/日を追加

インスリン

適応なし

食事療法

1,600kcal/日，減塩（塩分6g/日）。間食は控える

運動療法

毎日歩行を1万歩/日

解 説 処方例──まずはこうする！

NASHを有する2型糖尿病患者において，チアゾリジン誘導体，SGLT2阻害薬，GLP-1受容体作動薬は肝組織像や肝機能を改善させることから，これらの投与が推奨されている[3)]。本症例は，腎症2期で高血圧症も有していることから，SGLT2阻害薬の良い適応と考える。Hirumaらの検討においても，ジャディアンス®はNAFLDを有する糖尿病患者に対して，肝細胞内脂質量を減少させ，肝インスリン抵抗性を改善させることがわかっている[4)]。しかし，一般的に**女性は男性に比して尿路感染症の頻度が高く，またSGLT2阻害薬の副作用のひとつとして尿路感染症や性器感染症が含まれることに留意する**必要がある。

加えて，食事療法や運動療法による体重減少は，血糖降下作用のみならずNAFLDの病態を改善させることから[5)]，これらについても指導を行う。自宅にいるとつい食べる量が増えてしまうようであれば，間食になるものを自宅に置かないようにするなど工夫してみる。また，在宅勤務の前に散歩に行ったり運動を始めたりすることを検討する。

コントロール不良──次の一手はこれだ！

経口薬・注射薬

アクトス®30mg/日，ジャディアンス®10mg/日にリベルサス®3mg/日
または
オゼンピック®0.25mg/日
または
マンジャロ®皮下注アテオス®2.5mg/週を追加し，維持量（それぞれ7mg/日，0.5mg/日，5mg/週）へ増量

食事療法

変更なし

インスリン

変更なし

運動療法

毎日歩行1万歩/日に週2～3回のレジスタンス運動を追加

解説 コントロール不良──次の一手はこれだ！

チアゾリジン誘導体，SGLT2阻害薬で効果不十分な場合，GLP-1受容体作動薬を追加する。

血糖降下作用に加え，GLP-1受容体作動薬は，2型糖尿病を有するNAFLD患者の血液検査での肝機能改善効果が示されている[6]。また，上記に挙げたGLP-1受容体作動薬は維持量でも体重減少効果が認められるが，用量を増やすことでさらなる体重減少効果も期待できる。

糖尿病のみならずNAFLDにおいても，有酸素運動に加えレジスタンス運動が有用とされている[7]。毎日の歩行目標が無理なくクリアできるようになれば，無酸素運動に取り組むことを検討する。腹筋や腕立て伏せなどを日常的に継続できるとよいが，難しい場合は普段エスカレーターやエレベーターを使用する場面で階段昇降に切り替えることを推奨する。

Keyword
- 肥満症
- GLP-1受容体作動薬
- 減量

HbA1cは良いが，肥満・脂質異常症・高血圧…

佐藤源記

parameter

56歳男性　会社員（デスクワーク）

肥満	★★☆☆☆	あり（BMI 30.1）
家族歴	★★★☆☆	父：糖尿病
HbA1c	★☆☆☆☆	6.4%
食前血糖	★★☆☆☆	116mg/dL
食後血糖	★★☆☆☆	178mg/dL
罹病期間	★★☆☆☆	4年
腎障害	★★☆☆☆	腎症2期（eGFR 80mL/分/1.73m^2，尿アルブミン55mg/gCr）
合併症	★★★★★	脂質異常症，高血圧症，高尿酸血症，非アルコール性脂肪性肝疾患（NAFLD）〔MASLD〕
併用薬	★★★★☆	ロスーゼット®配合錠HD 1錠/日 分1 朝食後，ザクラス®配合錠HD 1錠/日 分1 朝食後，ナトリックス®0.5mg/日 分1 朝食後，フェブリク®20mg/日 分1 朝食後

現処方
メトグルコ®1,500mg/日 分3 毎食後
トラゼンタ®5mg/日 分1 朝食後

脂質異常症，高血圧症，高尿酸血症，非アルコール性脂肪性肝疾患(nonalcoholic fatty liver disease：NAFLD)〔MASLD〕で治療中。以前より耐糖能異常を指摘されていたが，転職を契機にストレスで喫食量が増え，1年で体重が8kg増加した結果，51歳でHbA1c 7.8%に悪化し，糖尿病と診断された。その後，メトグルコ®，トラゼンタ®が適宜処方されHbA1c 7%未満は達成しているが，ストレスからの過食はどうしても是正できず，多忙で運動する時間もなく体重が減らない。身長170cm，体重87kg。空腹時血中CPR 2.7ng/mL。

病態をどうとらえるか──parameterを読み解く

2度肥満を認め，空腹時血中CPRが高値であることから，糖尿病の病態としてはインスリン抵抗性が主体である。体重の増加に伴うインスリン抵抗性の増大により，糖尿病を発症したものと推察される。HbA1c 7%未満は達成できているものの，脂質異常症，高血圧症，高尿酸血症，NAFLDと肥満関連合併症を複数持ち，多数の処方を受けている。

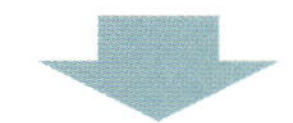

問題点の整理

HbA1c 7%未満で合併症進行予防のための血糖管理目標は達成できてはいるものの，病態の上流にある肥満の改善が達成できていないため，薬物療法による「対症療法的」な対応にとどまってしまっている。肥満症は減量が叶えば糖尿病のみならず他の肥満関連合併症に対しても可逆的な改善効果が期待できることから，体重へのアプローチが重要であるが，食事・運動療法の遵守は期待できない状況であり，このままでは突破口を見出せない。

処方例──まずはこうする！

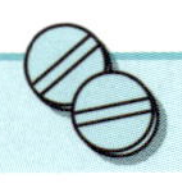

経口薬

メトグルコ®1,500mg/日 継続 トラゼンタ®5mgを中止し，リベルサス®3mg/日 分1 起床時を追加。1カ月後にリベルサス®7mg/日 分1 起床時に増量

食事療法

1,600kcal/日(25kcal/kg/日)，減塩(塩分6g/日)

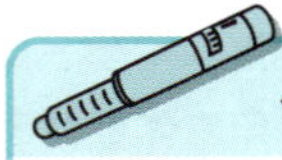

インスリン

適応なし

運動療法

中等度の運動を週3回以上。水中歩行など膝に負担のかからない運動が安全である

解 説 処方例──まずはこうする！

肥満があり，肥満に起因ないし関連する健康障害を合併するか，その合併が予想され，医学的に減量を必要とする病態を肥満症と定義する[1]。糖尿病を含む本症例の併存疾患はすべて肥満に起因ないし関連する合併症であり，減量により可逆的な改善が期待できる[2]。具体的には，現体重からわずか3%の減量で合併症の有意な改善が報告されているため[3]，**3～6カ月で3%の減量をまずは目標とする**。肥満症の治療は食事・運動・行動療法が主体であり，本症例に関しても上記の通り設定したが，現実的には十分な実践は困難な状況である。そこでGLP-1受容体作動薬(GLP-1RA)を活用したい。GLP-1RAは中枢性の食欲抑制作用や腸管運動抑制作用という，同じインクレチン関連薬であるDPP-4阻害薬にはない作用を持ち，満腹感を高めて減量に導くため，本症例のように過剰な食欲を抑えられない症例のブレイクスルーとなりうる。**GLP-1RAの多くは注射製剤であるが，リベルサス®は現状(2023年7月現在)唯一の経口製剤であり，注射製剤未経験である症例にも勧めやすい**。副作用としては消化器症状が多いため，低用量から開始し，忍容性を見ながら常用量の7mg/日まで増量する。なお，SGLT2阻害薬もプラセボと比較して1.5～2kgの減量効果が報告されているが[4]，尿中ブドウ糖排泄に対して補完的に食欲が亢進しうるため，本症例ではGLP-1RAを優先したい。

コントロール不良──次の一手はこれだ！

経口薬

メトグルコ®1,500mg／日 継続
リベルサス®14mg／日 分1 起床時に増量

食事療法

変更なし

運動療法

変更なし

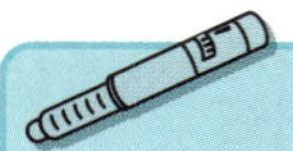

注射薬

リベルサス®で効果不十分な場合は下記のいずれかに変更
オゼンピック®皮下注0.25mg週1回で開始→0.5mg／週→1.0mg／週と適宜増量
または
マンジャロ®皮下注アテオス®2.5mg週1回で開始，4週以上間隔を空けて2.5mg／週ずつ増量，最大15mg週1回まで

解 説　コントロール不良──次の一手はこれだ！

リベルサス®3mg，7mg，14mgとプラセボの比較を行ったPIONEER1試験の結果では，リベルサス®7mg，14mgがプラセボと比較して有意に5%の体重減少を達成したと報告されているが，その減量効果は14mgでより強力であった[5)]。リベルサス®14mgはジャディアンス®25mg（－4.7kg vs.－3.8kg），ビクトーザ®1.8mg（－4.4kg vs.－3.1kg）と比較しても有意な体重減少が報告されており[6)7)]，7mg／日で減量が不十分な場合には14mg／日に増量する価値は十分にある。一方で，リベルサス®は胃内容物により吸収が低下するため，十分効果を発揮するためには決められた服用方法（空腹時に120mL以下の水で服用し，服用後最低30分は絶飲食）を遵守する必要がある。効果不十分な場合には必ず服薬状況を確認する。**正しく服薬できていないと疑われる症例に関しては，同じセマグルチドの注射製剤であるオゼンピック®への変更が奏効する場合がある**。また，GIP／GLP-1受容体作動薬であるマンジャロ®皮下注アテオス®はオゼンピック®1mgより強力な体重減少効果が報告されており[8)]，治療抵抗性の場合には切り替えを検討する（☞9章1参照）。

統合失調症，双極性障害，抗精神病薬使用

渕上彩子

Keyword
- 肥満
- 服薬アドヒアランス不良
- 精神科医との連携

parameter

45歳男性　介護職(夜勤あり，電車通勤)，双極性障害

肥満	★★★☆☆	あり(BMI 31.1)
家族歴	★★★☆☆	父:糖尿病
HbA1c	★★★★☆	8.7%
食前血糖	★★★☆☆	140mg/dL
食後血糖	★★☆☆☆	195mg/dL
罹病期間	★★☆☆☆	3年
腎障害	★★☆☆☆	腎症1期(eGFR 80mL/分/1.73m^2，尿アルブミン3.5mg/gCr)
合併症	★★★★★	網膜症なし，神経障害(末梢神経障害，自律神経障害)あり，大血管障害:狭心症，脂質異常症，高血圧症
併用薬	★★★☆☆	クレストール®2.5mg/日 分1 朝食後，ミカルディス®20mg/日 分1 朝食後，タケルダ®配合錠 1錠/日 分1 朝食後，エビリファイ®12mg/日 分1 朝食後

現処方 メトグルコ®500mg/日 分2 朝夕食後

高血圧症，脂質異常症，狭心症で治療中，42歳で糖尿病を指摘された。HbA1c 7.1%で食事療法を指導された。介護職のストレスもあり双極性障害を発症，夜勤で食生活が不規則となり，間食も増えた。1年で6kg体重が増加。HbA1c 7.5%に悪化したためメトグルコ®500mg/日 分2

が開始された。喫煙20本/日で25年。身長170cm，体重90kg，血圧140/84mmHg，胸腹部異常なし，下肢浮腫なし。CPRインデックス2.7(>0.8)。HOMA-IR 4.0(>2.5)。腹部エコーは高度脂肪肝。心エコー：EF 70%，壁運動異常なし。人間ドックでの胸部X線，胃・大腸・前立腺のがん検診では異常なし。

病態をどうとらえるか――parameterを読み解く

肥満，糖尿病の家族歴がある2型糖尿病。内因性インスリン分泌は保たれており，インスリン抵抗性を認める。喫煙歴もあり，アテローム硬化性心血管疾患を合併している。夜勤がある職業であり，食事が不規則，双極性障害があり，食事・運動療法が遵守できないことがある。双極性障害をはじめとする精神疾患を患っている患者は肥満を合併しやすく[1)2)]，糖尿病のコントロールにも注意が必要である。また，抗うつ薬や気分安定薬の使用によって糖尿病の発症リスクが高まる可能性があると報告されている[3)]。

問題点の整理

不規則な食事，食事・運動療法が遵守できないことがあり体重が増加，血糖コントロールが悪化した。HbA1c7.5%まで悪化したためメトグルコ®を開始しているが，血糖コントロールは不良である。

合併症の進行は軽度であるが，今後合併症の進行が懸念され，まだまだ働き盛りの年齢でもあり，目標HbA1cは7.0%と考えられる。双極性障害のコントロールが安定しないのは，夜勤のある仕事が影響している可能性もある。双極性障害をはじめ精神疾患を患っている患者は肥満を合併しやすく，死亡リスクが高いとされているため[4)]，患者背景を含めて早期治療介入が必要である。担当している精神科医とも連携し，労働環境の改善，薬剤調整を検討する。

処方例──まずはこうする！

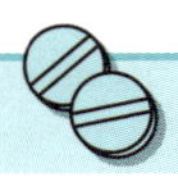

経口薬

メトグルコ®1,000mg/日 分2 朝夕食後に増量。効果不十分の場合，ジャディアンス®10mg/日 分1 朝食後を追加

インスリン

適応なし

運動療法

中等度の運動を週3回以上と毎日歩行を1万歩/日

食事療法

1,750kcal/日(27.6kcal/kg/日)，減塩(塩分6g/日)

解説 処方例──まずはこうする！

年齢やADLにより目標は異なるが，本症例は合併症の進行を予防するため，HbA1c 7.0%未満を目標とする。空腹時血糖130mg/dL未満，食後2時間血糖180mg/dL未満が目安である。**精神疾患があっても目標血糖値は変わらない。担当の精神科医とも相談し，本症例ではまず食事療法を徹底するとともに，夜勤を避けることを提案した。**夜勤は不規則な食事となりやすく，まずは安定した食事管理を徹底することにした。それでも効果は不十分と考えられ，薬剤の追加が求められる。2022年に日本では「2型糖尿病の薬物療法のアルゴリズム」が日本糖尿病学会より提唱され，2023年に第2版にアップデートされた[5)]。それによると欧米と日本の違いから明確な治療区分はされなかったものの，肥満がある患者においては，メトホルミンも選択肢のひとつであり，本症例では問題なくメトホルミンを使用していたことからまずは1,000mg/日に増量，それでも効果が不十分であった場合はSGLT2阻害薬を追加する。米国糖尿病学会(American Diabetes Association：ADA)の「Standards of Care in Diabetes─2023」によると，アテローム硬化性心血管疾患を併発している場合，主な心血管系有害事象の発現および/または心血管死を抑制することが証明されている薬剤を選択する[6)]。本症例では，エンパグリフロジン(ジャディアンス®)10mg/日を選択した。

コントロール不良──次の一手はこれだ！

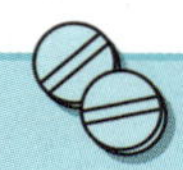

経口薬

メトグルコ®1,000mg/日 分2
朝夕食後は継続
リベルサス®3mg/日 分1 空腹時を追加
※患者希望により注射薬は選択せず

食事療法

変更なし

インスリン

変更なし

運動療法

変更なし

解 説 コントロール不良──次の一手はこれだ！

3剤目を考慮する際に，アテローム性心血管疾患併発例において心血管リスク抑制のエビデンスを有する薬剤の追加を考慮する。**GLP-1受容体作動薬は大規模臨床試験において成績が示されており，追加処方として望ましい。**本症例はメトグルコ®1,000mg/日，ジャディアンス®10mg/日に増量していたが，過食は変化ない様子であり，HbA1c値の改善はあと一歩であった。本人と相談の上，注射製剤ではなく内服治療の継続を希望したため，リベルサス®3mg/日を開始した。心血管疾患の既往または高リスクの2型糖尿病を有する人を対象とした心血管アウトカムにおいて，GLP-1受容体作動薬による複合MACE（major adverse cardiovascular events），心血管死，すべての死亡，心筋梗塞，脳卒中および腎評価項目の低減が示唆されている[6)]。

リベルサス®は，空腹時にコップ約半分以下の水で内服し，内服後30分間空腹でいることが必要な薬剤である。**患者は長期間内服するため，継続可能な内服方法か必ず確認する**必要がある。副作用の出現等ないようなら，今後は14mgまで増量を検討する。本症例では問題なく14mgまで増量することができた。HbA1c値も6%台になり，−4kgの減量に成功した。

リウマチがあってインスリンを打つのが億劫

宮城匡彦

Keyword

- 握力低下・補助具
- 血糖自己測定・FreeStyleリブレ
- インスリン注入デバイス

parameter

65歳女性　主婦

肥満	★★★☆☆	なし(BMI 19.2)
家族歴	★☆☆☆☆	なし
HbA1c	★★★☆☆	7.0%
食前血糖	★★★☆☆	130mg/dL
食後血糖	★★☆☆☆	180mg/dL
罹病期間	★★★★★	20年
腎障害	★★☆☆☆	腎症2期(eGFR 65mL/分/1.73m^2, 尿アルブミン200mg/gCr)
合併症	★★☆☆☆	網膜症(福田分類A2)
併用薬	★★★☆☆	リンデロン®錠0.25mg/日 分1 朝食後, タクロリムス1.5mg/日 夕食後, アクテムラ®点滴静注用320mg 月1回

現処方 ヒューマリン®R注ミリオペン®朝4-昼8-夕4単位 皮下注

関節リウマチにて長期間ステロイド服用している65歳女性。20年前に糖尿病を指摘され経口薬で治療開始されたが，15年前からインスリン療法へ変更された。家族歴や肥満歴なく，ステロイドによる二次性糖尿病として治療している。リウマチによる手指変形があり，インスリンを打ったり血糖自己測定をするのが億劫になってきたと訴えがある。身長147cm，体重41.5kg，血圧120/70mmHg，胸腹部異常なし。

病態をどうとらえるか――parameterを読み解く

家族歴や肥満歴はなく，長期間のステロイド服用により糖尿病状態になっている。血糖管理状態は問題ない。持効型インスリンを使用せずとも空腹時血糖を正常範囲にコントロールできており，二次性糖尿病と考えられる。

問題点の整理

副腎皮質ホルモン投与時には，糖質コルチコイドにより肝臓での糖新生亢進や糖放出の促進，骨格筋における糖取り込みの低下などにより耐糖能が低下する[1)]。ステロイド糖尿病の典型例は日中から夜にかけて血糖が500mg/dLくらいまで上昇し，翌朝には空腹時血糖が正常範囲にまで戻る。まずは経口薬のグリニド薬を(肥満者ならSGLT2阻害薬やチアゾリジン薬なども)試してみて，効果があるようならそのまま血糖管理を行う。しかし，経口薬が効果を示さない場合はインスリン療法へ移行する。

本症例は既にインスリン療法を開始され，ボーラス3回注射で血糖管理状態は問題ない範囲になっている。手指変形により自己注射や血糖自己測定の手技が大変になってきており，少し工夫が必要である。

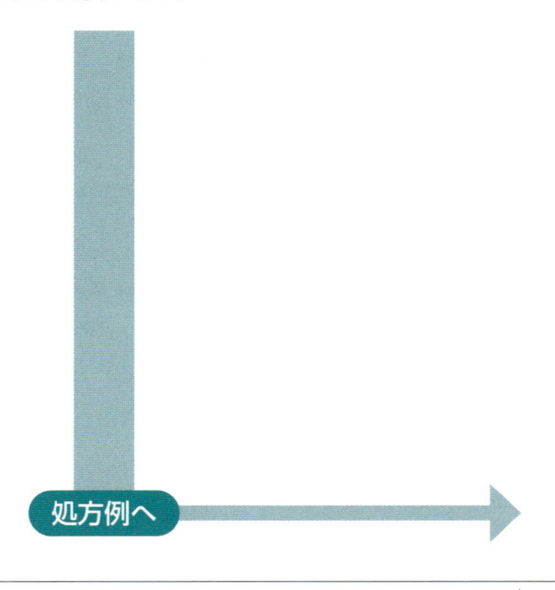

処方例——まずはこうする！

経口薬

適応なし

食事療法

1,440kcal／日(30.3kcal／kg／日)
※総カロリーは25～30kcal／kg目標体重，塩分10g未満／日に設定

インスリン

ヒューマリン®R注ミリオペン®を継続
※デバイス：インスリン注入補助具・滑り止め補助具を使用する。血糖自己測定はFreeStyleリブレを使用してみる

運動療法

関節に負担をかけない範囲で歩行を多めにするように日常生活に取り入れる

解 説 処方例——まずはこうする！

本症例は手指変形により握力が低下し，ペン型注射器では打ちづらいとの訴えがある。そのような際には，**握力低下患者用インスリン注入補助具・滑り止め補助具を使用してみる**。手指変形に限ったことではなく，高齢者では既に握力低下をきたしている人が多い。握力が低下すると自己注射の際，注入ボタンが押しにくくなる。そのような患者向けにいくつかの補助具が考案されている。簡単に言うと注入器に突起物を付けることで，しっかり握らなくても突起物が注入器の移動を止めるので，親指で注入ボタンを押し込むことに力を集中することができる。

血糖測定に関しては，指先穿刺の測定方法からFreeStyleリブレへ切り替えてみる。インスリン療法を行っているすべての糖尿病患者が保険適用の範囲で使用できるようになり，2022年4月1日より適用されている。FreeStyleリブレは，皮下に刺したセンサーで間質液中のグルコース濃度を15分ごとに1日96回，まるまる2週間測定可能である。リーダーでスキャンすることで数値を表示でき，連続測定した血糖変動パターンも表示してくれる。毎回の指先穿刺の煩わしさから解放される。

コントロール不良──次の一手はこれだ！

経口薬

変更なし

食事療法

変更なし

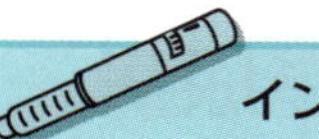

インスリン

補助具を使ってもうまく注入できない場合，ヒューマリン®R注ミリオペン®をノボラピッド®注フレックスタッチ®に同じ投与量で切り替えてみる

運動療法

体幹部や上肢の軽い筋力トレーニングや，バランス運動を取り入れる

解 説 コントロール不良──次の一手はこれだ！

補助具を使ってもうまく注入できない場合には，超速効型ではあるがノボラピッド®注フレックスタッチ®に切り替えてみる。筆者らはステロイド使用時にはレギュラーインスリンを使用することが基本であると考えているが，使用できるデバイスにも制限がある。新しいフレックスタッチ®は高い注入精度を保ちつつ，従来のフレックスペン®から改良されている。注入ボタン（単位数ダイヤル部分）が伸びずに押しやすくなったほか，注入ボタンが軽くてより小さい力で注入できるようになったなどの特長がある。2023年で発売から10年になる。**このメカニカルなデバイスはペンの内部にトルクスプリングが仕込まれ，注入ボタンのせり出しがなくバネの力だけで注入できる**[2)]。まさにボタン式と呼べるものになっている。

処方の出番は少なくなったがノボラピッド®注イノレット®というデバイスも健在である。レギュラーインスリンのイノレット®R注というものもあったが時代とともになくなってしまった。イノレット®は特に握力や視力の低下した患者や高齢患者も扱いやすいよう，タイマー型の握りやすい形状で小さい力でも保持できる特徴的なデバイスである。

Keyword
- 悪性腫瘍
- ステロイド治療
- 化学療法

担癌患者の糖尿病

山本絢菜

parameter

70歳男性　無職

肥満	★★☆☆☆	なし(BMI 20.1)
家族歴	★★★☆☆	父：糖尿病
HbA1c	★★★★★	10.0%
食前血糖	★★★★★	210mg/dL
食後血糖	★★★★☆	290mg/dL
罹病期間	★★☆☆☆	1年
腎障害	★★☆☆☆	腎症2期(eGFR 80mL/分/1.73m^2, 尿アルブミン55mg/gCr)
合併症	★★★★☆	原発性肺癌，肝転移，骨転移
併用薬	★☆☆☆☆	なし

現処方 なし。食事療法・運動療法なし

身長170cm，体重58kg。5年前に仕事を退職した。採血検査のみ健康診断を毎年受けており，昨年の健康診断では糖尿病の指摘はなかった。半年前から，咳嗽および嗄声症状が出現し内科を受診した。精査の結果，Stage Ⅳの肺癌と診断された。前医で施行された採血検査にてHbA1c 10%，随時血糖210mg/dLと高値であり当科に紹介となった。問診では，半年で10kgの体重減少があったことが発覚した。尿ケトンは陰性であり，代謝失調症状は認めていない。手術適応はなく，化学療法が開始となった。

病態をどうとらえるか——parameterを読み解く

遠隔転移を伴った進行肺癌の診断がきっかけで高血糖が明らかになった症例である。健康診断にて糖尿病の指摘はなく，悪性腫瘍により耐糖能異常が出現したものと考えられる。代謝失調症状はなく，体重減少については悪性腫瘍の進行に伴うものの可能性が高い。

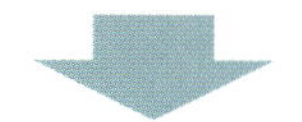

問題点の整理

悪性腫瘍が原因で耐糖能異常が生じるケースは多い。急激に悪化した糖尿病を診たときには悪性腫瘍の鑑別も行うことが重要である。腫瘍細胞から放出されるサイトカインによってインスリン抵抗性が高くなり血糖値が上昇する。本症例においてもこれまで高血糖の指摘はなく肥満も認めていないことより，肺癌が高血糖の原因となった可能性は高い。

処方例——まずはこうする！

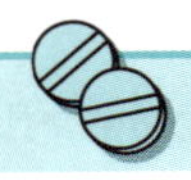

経口薬

適応なし

食事療法

1,760kcal/日(27.6kcal/kg/日)

インスリン

インスリン グラルギンBS注「リリー」
4単位
ノボラピッド®注4-4-4単位

運動療法

適応なし

解説 処方例——まずはこうする！

本症例は著明な高血糖が持続しており，糖毒性の解除を目的としてインスリン頻回注射療法を導入した。**担癌患者におけるインスリン頻回注射療法の適応は，周術期，膵全摘後，肝硬変合併肝癌，ステロイド使用時などである**[1)]。担癌患者では食事量が急に減ることも多く，低血糖などのリスクもあるため経口血糖降下薬の処方は避ける。また，悪液質による肝腎心機能の低下が見込まれ，その点でも経口血糖降下薬の使用は控える。インスリン注射の投与量については上記の通り少量から始めるのがよいと思われる。化学療法では副腎皮質ステロイドを併用するケースが多い。ステロイドは肝の糖新生を促進し，血糖値が上昇する可能性が高いため，食前血糖値200mg/dL以上で超速効型インスリンを2単位追加するなどの指示を使う。担癌患者においてインスリン頻回注射療法を施行する場合には，食事摂取不良の場合には超速効型インスリンは注射しないなどのシックデイ対応の指導は必ず行う。

コントロール不良―次の一手はこれだ！

経口薬

トラゼンタ®5mg/日 分1

食事療法

変更なし

インスリン

インスリン グラルギンBS注「リリー」，ノボラピッド®注は継続
空腹時血糖300mg/dL以上でインスリン グラルギンBS注「リリー」を2単位追加

運動療法

変更なし

解 説 コントロール不良―次の一手はこれだ！

化学療法施行中の担癌患者が急激な血糖悪化を認めた際には，免疫チェックポイント阻害薬による劇症1型糖尿病を発症した可能性もあるため，必ず糖尿病性ケトアシドーシスの除外を行う[2,3]。免疫チェックポイント阻害薬の中でも抗PD-1/PD-L1抗体薬による発症の報告がほとんどである。血糖測定にて急激に血糖高値を認めた場合は早期受診してもらうなどの指示をしておくとよい。

悪性腫瘍患者の血糖コントロールは生命予後と患者のQOLに配慮して目標を設定する。悪性腫瘍の進行による多臓器不全などを認める場合には，**ある程度の血糖高値は許容し，糖尿病性ケトアシドーシスや高血糖高浸透圧症候群などの高血糖緊急症を避けるような治療に切り替える**。具体的には空腹時血糖300mg/dL以上で持効型インスリンを2単位追加するなど実行しやすい指示を出す。また，悪性腫瘍の進行に伴い食事摂取不良になることも予想されるため，ビグアナイド薬やSGLT2阻害薬は避ける。食事摂取不良の患者にビグアナイド薬を処方すると乳酸アシドーシスのリスクがあり，SGLT2阻害薬では正常血糖ケトアシドーシスのリスクがある。低血糖を引き起こす可能性の低いDPP-4阻害薬などを選択する。

新規抗癌剤による有害事象例

久永香織

Keyword
- 免疫チェックポイント阻害薬
- 各種内分泌検査の評価

parameter

60歳男性　会社員

肥満	★★☆☆☆	あり(BMI 26.5)
家族歴	★☆☆☆☆	なし
HbA1c	★★★☆☆	7.4%
食前血糖	★★☆☆☆	140mg/dL
食後血糖	★★★☆☆	200mg/dL
罹病期間	★☆☆☆☆	不詳
腎障害	★☆☆☆☆	なし
合併症	★☆☆☆☆	なし
併用薬	★★☆☆☆	オプジーボ®

現処方 なし

身長167cm，体重74kg。毎年会社の健康診断を受診しているものの，血糖高値の指摘は受けていない。最終の健診受診は半年前であった。2016年4月に診断された肺扁平上皮癌stage Ⅳで，2016年5月から抗PD-1抗体(オプジーボ®)による化学療法を計14回受けていた。14コース目投与日までは随時血糖90～110mg/dLであったが，15コース目投与時，随時血糖350mg/dLであったため緊急入院となった。来院の数日前から口渇・多飲・多尿症状を感じていたとのことだった。入院時の尿検査で尿糖(4+)，尿ケトン(+)，入院後24時間蓄尿で尿中Cペプチド18.8μg/日，動脈血pH=7.38であった。貧血は認めなかった。

病態をどうとらえるか──parameterを読み解く

これまで糖尿病未指摘の患者で，オプジーボ®開始半年後に突然発症した高血糖である。尿ケトン（＋）で尿中Cペプチドは著明に低下しており，糖尿病ケトアシドーシスまでは至っていないものの危険な状態であった。入院の数日前から口渇・多飲・多尿といった症状が出現しており，この頃から高血糖が出現していたものと考えられる。**抗PD-1抗体使用時の劇症1型糖尿病の発症が報告されており**，本症例は診断基準（後掲の表）[1]は満たしていなかったが，十分に発症を考慮すべき病態である。診察ごとに血糖値を確認していたが，診察時以外でも症状出現時にはすぐに来院するよう改めて指導を徹底することが肝要である。

問題点の整理

抗PD-1抗体をはじめとする免疫チェックポイント阻害薬は新たな抗癌治療として注目されている。一方で免疫反応活性化に伴う有害事象が報告されている。その発生率は，ダナ・ファーバー癌研究所のSaraらの7,689人におけるメタ解析では，甲状腺機能亢進症3.2%，甲状腺機能低下症7.0%，下垂体炎0.3%，原発性副腎不全0.46%，1型糖尿病0.24%と報告されている[2]。劇症1型糖尿病は，きわめて急激な発症経過をたどり，糖尿病症状出現から早ければ数日以内にインスリン分泌能が枯渇して，重篤なケトアシドーシスに至る病態である。

日本糖尿病学会では免疫チェックポイント阻害薬投与患者における1型糖尿病発症に対応するため，①投与開始前および投与後来院日ごとに，高血糖の有無を確認し血糖値を測定する，②高血糖症状や異常値（空腹時126mg/dL以上，あるいは随時200mg/dL以上）を認めた場合には可及的速やかに糖尿病専門医にコンサルトし，糖尿病の確定診断，病型診断を行う，③1型糖尿病と診断されるか，あるいは強く疑われれば，当日から糖尿病治療を開始する，④患者には，劇症1型糖尿病を含む1型糖尿病発症の可能性や，注意すべき症状をあらかじめ十分に説明し，高血糖症状（口渇，多飲，多尿）を自覚したら予定来院日でなくても受診するよう指導しておくことを推奨している。

処方例へ

処方例 ── まずはこうする！

経口薬

適応なし

インスリン

強化インスリン療法

食事療法

標準体重当たり25～30kcal/kg

運動療法

散歩など適度な有酸素運動

解 説　処方例 ── まずはこうする！

治療の基本は通常の1型糖尿病と同様に，強化インスリン療法となる。入院したらすぐにインスリン導入を行うが，経口摂取不良や脱水所見が強ければ適宜補液を検討する。皮下インスリン投与の効果が乏しい場合は，CVII (continuous venous insulin infusion) も検討する。

本症例は退院後もインスリンが必須の病態であり，状態安定後は疾患の理解を促すとともにインスリン手技や血糖自己測定の手技取得に努める。また，糖尿病の合併症について理解してもらい，食事・運動療法についても指導を行う。食事に関しては，1型糖尿病では基本的に食事制限は必要ない。

解 説　コントロール不良 ── 次の一手はこれだ！

入院中に自己抗体の測定，内分泌能の精査を行い，インスリン依存状態である1型糖尿病であることが判明すれば，基本的には強化インスリン療法の継続となる。**急性発症1型糖尿病においては治療開始後一時的にインスリン必要量が減少もしくは不要になるハネムーン期が予想されるため，低血糖にも注意が必要**であり，インスリンの調整方法についても説明しておく。インスリン分泌能が枯渇すると血糖変動が大きくなりコントロールが難しくなることも予想される。そのようなときにはカーボカウントやCSII，SAP (sensor augmented pump) の導入も有用である。

免疫チェックポイント阻害薬の使用により，免疫反応活性化に伴う有害事象

コントロール不良──次の一手はこれだ！

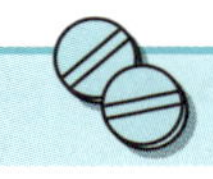

経口薬

変更なし

食事療法

カーボカウントの導入

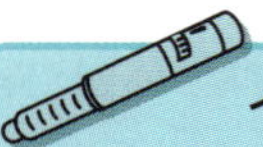

インスリン

持続皮下インスリン注入療法（continuous subcutaneous insulin infusion：CSII），SAP（sensor-augmented pump）の導入

運動療法

有酸素運動（散歩，水泳）やレジスタンス運動（腹筋，スクワット）

が出現した際には無増悪生存期間が延長することが示されている[3)]。近年の研究では，自己免疫疾患や免疫不全に対する遺伝的素因を含む宿主因子が，免疫チェックポイント阻害薬治療の結果を予測することができる可能性が示唆されており[4)]，その進展が望まれている。

表　劇症1型糖尿病診断基準（2012）

下記1〜3のすべての項目を満たすものを劇症1型糖尿病と診断する。

1. 糖尿病症状発現後1週間前後以内でケトーシスあるいはケトアシドーシスに陥る（初診時尿ケトン体陽性，血中ケトン体上昇のいずれかを認める。）
2. 初診時の（随時）血糖値が288mg/dL（16.0mmol/L）以上であり，かつHbA1c値（NGSP）<8.7%*である。
3. 発症時の尿中Cペプチド<10μg/day，または，空腹時血清Cペプチド<0.3ng/mLかつ グルカゴン負荷後（または食後2時間）血清Cペプチド<0.5ng/mLである。

*：劇症1型糖尿病発症前に耐糖能異常が存在した場合は，必ずしもこの数字は該当しない。

〈参考所見〉

A）原則としてGAD抗体などの膵島関連自己抗体は陰性である。
B）ケトーシスと診断されるまで原則として1週間以内であるが，1〜2週間の症例も存在する。
C）約98%の症例で発症時に何らかの血中膵外分泌酵素（アミラーゼ，リパーゼ，エラスターゼ1など）が上昇している。
D）約70%の症例で前駆症状として上気道炎症状（発熱，咽頭痛など），消化器症状（上腹部痛，悪心・嘔吐など）を認める。
E）妊娠に関連して発症することがある。
F）HLA DRB1*04:05-DQB1*04:01との関連が明らかにされている。

（文献1より引用）

3章-1

1) Nguyen ATM, et al:The association of periodontal disease with the complications of diabetes mellitus. A systematic review. Diabetes Res Clin Pract. 2020;165:108244.
2) Kuzulugil D, et al:Recent advances in diabetes treatments and their perioperative implications. Curr Opin Anaesthesiol. 2019;32(3):398-404.
3) Deutsche Gesellschaft für Anästhesiologie und Intensivmedizin (DGAI), et al:Preoperative evaluation of adult patients before elective, noncardiothoracic surgery :Joint recommendation of the German Society of Anesthesiology and Intensive Care Medicine, the German Society of Surgery, and the German Society of Internal Medicine. Anaesthesist. 2019;68(Suppl 1):25-39.
4) Chen C, et al:Discrepancy in Therapeutic and Prophylactic Antibiotic Prescribing in General Dentists and Maxillofacial Specialists in Australia. Antibiotics (Basel). 2020;9(8):492.

3章-2

1) 後藤由夫,他:ステロイド糖尿病.糖尿病.1971;14(1):1-4.
2) Yang X, et al:Fasting plasma glucose levels predict steroid-induced abnormal glucose metabolism in patients with non-diabetic chronic kidney disease:a prospective cohort study. Am J Nephrol. 2015;41(2):107-15.
3) 日本糖尿病学会,編:糖尿病専門医研修ガイドブック.改訂第8版.診断と治療社,2020,p421.
4) 上野浩晶,他:GLP-1受容体作動薬の体重減少効果糖尿病.2017;60(9):570-2.
5) 藤田浩樹,他:腎症とGLP-1.糖尿病.2017;60(9):576-8.
6) Marso SP, et al:Semaglutide and cardiovascular outcomes in patients with type 2 diabetes. N Engl J Med. 2016;375(19):1834-44.

3章-3

1) Kristensen SL, et al:Cardiovascular, mortality, and kidney outcomes with GLP-1 receptor agonists in patients with type 2 diabetes:a systematic review and meta-analysis of cardiovascular outcome trials. Lancet Diabetes Endocrinol. 2019;7(10):776-85.

2) Arnott C, et al:Sodium-Glucose Cotransporter 2 Inhibition for the Prevention of Cardiovascular Events in Patients With Type 2 Diabetes Mellitus:A Systematic Review and Meta-Analysis. J Am Heart Assoc. 2020;9(3):e014908.

3) 坊内良太郎，他：2型糖尿病の薬物療法のアルゴリズム（第2版）．糖尿病．2023;66(10):715-33.

3章-4

1) 日本循環器学会，他：第1章 定義・分類．2021年 JCS/JHFSガイドライン フォーカスアップデート版 急性・慢性心不全診療．2021, p9. [https://www.j-circ.or.jp/cms/wp-content/uploads/2021/03/JCS2021_Tsutsui.pdf]

2) Yaku H, et al:Demographics, Management, and In-Hospital Outcome of Hospitalized Acute Heart Failure Syndrome Patients in Contemporary Real Clinical Practice in Japan - Observations From the Prospective, Multicenter Kyoto Congestive Heart Failure (KCHF) Registry. Circ J. 2018;82(11):2811-9.

3) Ho JE, et al:Predictors of new-onset heart failure:differences in preserved versus reduced ejection fraction. Circ Heart Fail. 2013;6(2):279-86.

4) Anker SD, et al:Empagliflozin in Heart Failure with a Preserved Ejection Fraction. N Engl J Med. 2021;385(16):1451-61.

5) Solomon SD, et al:Dapagliflozin in Heart Failure with Mildly Reduced or Preserved Ejection Fraction. N Engl J Med. 2022;387(12):1089-98.

6) 日本糖尿病学会，編著：糖尿病専門医研修ガイドブック．改訂第8版．診断と治療社，2020, p173.

7) SGLT2阻害薬の適正使用に関する委員会：糖尿病治療におけるSGLT2阻害薬の適正使用に関するRecommendation. 改訂2022年7月26日．[http://www.jds.or.jp/uploads/files/recommendation/SGLT2.pdf]

8) American Diabetes Association:Standards of Care in Diabetes-2023. Diabetes Care. 2023;46(Suppl 1):S1-291.

3章-5

1) Haba-Rubio J, et al:Objective sleep structure and cardiovascular risk factors in the general population:the HypnoLaus Study. Sleep. 2015;38(3):391-400.
2) Yoshikawa F, et al:Changes in subjective sleep quality in patients with type 2 diabetes who did not use Sleep agents:a cross-sectional study according to age and clinical background. Diabetol Int. 2021;13(1):142-7.
3) Matsumoto T, et al:Impact of sleep characteristics and obesity on diabetes and hypertension across genders and menopausal status:the Nagahama study. Sleep. 2018;41(7).
4) Ford ES, et al:Sleep duration and body mass index and waist circumference among U.S. adults. Obesity (Silver Spring). 2014;22(2):598-607.
5) Peppard PE, et al:Longitudinal study of moderate weight change and sleep-disordered breathing. JAMA. 2000;284(23):3015-21.
6) Frías JP, et al:Tirzepatide versus Semaglutide Once Weekly in Patients with Type 2 Diabetes. N Engl J Med. 2021;385(6):503-15.

3章-6

1) Ewald N, et al:Diagnosis and treatment of diabetes mellitus in chronic pancreatitis. World J Gastroenterol. 2013;19(42):7276-81.
2) Wang W, et al:Occurrence of and risk factors for diabetes mellitus in Chinese patients with chronic pancreatitis. Pancreas. 2011;40(2):206-12.
3) 柳町 幸，他：2.膵疾患における膵内分泌機能障害の評価と治療 －新規インスリンによる治療も含めて－. 膵臓. 2017;32(4):679-86.

3章-7

1) Yamada E, et al:Clinical factors associated with the symptoms of constipation in patients with diabetes mellitus:A multicenter study. J Gastroenterol Hepatol. 2018;33(4):863-8.
2) Dubourg J, et al:Long-term safety and efficacy of imeglimin as monotherapy or in combination with existing antidiabetic agents in Japanese patients with type 2 diabetes (TIMES 2):A 52-week, open-label, multicentre phase 3 trial. Diabetes Obes Metab. 2022;24(4):609-19.

3) Nishimura A, et al:Efficacy and safety of repaglinide added to sitagliptin in Japanese patients with type 2 diabetes:A randomized 24-week open-label clinical trial. Endocr J. 2016;63(12):1087-98.

3章-8

1) 日本糖尿病学会, 編:糖尿病専門医研修ガイドブック. 改訂第8版. 診断と治療社, 2020, p207.

2) Bianchi G, et al:Prognostic significance of diabetes in patients with cirrhosis. Hepatology. 1994;20(1 Pt 1):119-25.

3) Shiramoto M, et al:Fast-acting insulin aspart in Japanese patients with type 1 diabetes:Faster onset, higher early exposure and greater early glucose-lowering effect relative to insulin aspart. J Diabetes Investig. 2018;9(2):303-10.

3章-9

1) Adams LA, et al:Nonalcoholic fatty liver disease increases risk of death among patients with diabetes:a community-based cohort study. Am J Gastroenterol. 2010;105(7):1567-73.

2) Watt MJ, et al:The Liver as an Endocrine Organ-Linking NAFLD and Insulin Resistance. Endocr Rev. 2019;40(5):1367-93.

3) 日本消化器病学会, 他編:NAFLD/NASH診療ガイドライン2020. 改訂第2版. 南江堂, 2020.

4) Hiruma S, et al:Empagliflozin versus sitagliptin for ameliorating intrahepatic lipid content and tissue-specific insulin sensitivity in patients with early-stage type 2 diabetes with non-alcoholic fatty liver disease:A prospective randomized study. Diabetes Obes Metab. 2023;25(6):1576-88.

5) Musso G, et al:Impact of current treatments on liver disease, glucose metabolism and cardiovascular risk in non-alcoholic fatty liver disease (NAFLD):a systematic review and meta-analysis of randomised trials. Diabetologia. 2012;55(4):885-904.

6) Eguchi Y, et al:Pilot study of liraglutide effects in non-alcoholic steatohepatitis and non-alcoholic fatty liver disease with glucose intolerance in Japanese patients (LEAN-J). Hepatol Res. 2015;45(3):269-78.

7) Hashida R, et al:Aerobic vs. resistance exercise in non-alcoholic fatty liver disease:A systematic review. J Hepatol. 2017;66(1):142-52.

3章-10

1) 日本肥満学会，編：肥満症診療ガイドライン2022．ライフサイエンス出版，2022.

2) Redmon JB, et al:Two-year outcome of a combination of weight loss therapies for type 2 diabetes. Diabetes Care. 2005;28(6):1311-5.

3) Muramoto A, et al:Three percent weight reduction is the minimum requirement to improve health hazards in obese and overweight people in Japan. Obes Res Clin Pract. 2014;8(5):e466-75.

4) Pereira MJ, et al:Emerging Role of SGLT-2 Inhibitors for the Treatment of Obesity. Drugs. 2019;79(3):219-30.

5) Aroda VR, et al:PIONEER 1:Randomized Clinical Trial of the Efficacy and Safety of Oral Semaglutide Monotherapy in Comparison With Placebo in Patients With Type 2 Diabetes. Diabetes Care. 2019;42(9):1724-32.

6) Rodbard HW, et al:Oral Semaglutide Versus Empagliflozin in Patients With Type 2 Diabetes Uncontrolled on Metformin:The PIONEER 2 Trial. Diabetes Care. 2019;42(12):2272-81.

7) Pratley R, et al:Oral semaglutide versus subcutaneous liraglutide and placebo in type 2 diabetes (PIONEER 4):a randomised, double-blind, phase 3a trial. Lancet. 2019;394(10192):39-50.

8) Frías JP, et al:Tirzepatide versus Semaglutide Once Weekly in Patients with Type 2 Diabetes. N Engl J Med. 2021;385(6):503-15.

3章-11

1) Sugai T, et al:High Prevalence of Obesity, Hypertension, Hyperlipidemia, and Diabetes Mellitus in Japanese Outpatients with Schizophrenia:A Nationwide Survey. PLOS ONE. 2016;11(11):e0166429.

2) Kivimäki M, et al:Common mental disorder and obesity:insight from four repeat measures over 19 years:prospective Whitehall II cohort study. BMJ. 2009;339:b3765.

3) Salvi V, et al:The risk of new-onset diabetes in antidepressant users - A systematic review and meta-analysis. PLOS ONE. 2017;12(7):e0182088.

4) Walker ER, et al：Mortality in mental disorders and global disease burden implications：a systematic review and meta-analysis. JAMA Psychiatry. 2015；72(4)：334-41.

5) 坊内良太郎，他：2型糖尿病の薬物療法のアルゴリズム．糖尿病．2022；65(8)：419-34.

6) ElSayed NA, et al：6. Glycemic Targets：Standards of Care in Diabetes— 2023. Diabetes Care. 2023；46(Suppl 1)：S97-110.

3章-12

1) 日本内分泌学会：ステロイド糖尿病．
[http://www.j-endo.jp/modules/patient/index.php?content_id=99]

2) 朝倉俊成：糖尿病疾患治療におけるDDSの進歩　医療デバイスの進歩～糖尿病治療用注射製剤のペン型注入デバイスの変遷と療養指導の関係～．Drug Delivery Syst. 2016；31(5)：408-22.

3章-13

1) 日本糖尿病学会，編著：糖尿病専門医研修ガイドブック．改訂第8版．診断と治療社，2020，p429.

2) Baden MY, et al：Diabetol Int. 2018；10(1)：58-66.

3) 日本糖尿病学会：免疫チェックポイント阻害薬使用患者における1型糖尿病の発症に関するRecommendation(2016年5月18日).
[http://www.fa.kyorin.co.jp/jds/uploads/recommendation_nivolumab.pdf]

3章-14

1) 1型糖尿病調査研究委員会（劇症および急性発症1型糖尿病分科会）：1型糖尿病調査研究委員会報告―劇症1型糖尿病の新しい診断基準（2012）．糖尿病．2012；55(10)：815-20.

2) Barroso-Sousa R, et al：Incidence of endocrine dysfunction following the use of different immune checkpoint inhibitor regimens：A systematic review and meta-analysis. JAMA Oncol. 2018；4(2)：173-82.

3) Kartolo A, et al：Predictors of immunotherapy-induced immune-related adverse events. Curr Oncol. 2018；25(5)：e403-10.

4) Chye A, et al：Insights into the host contribution of endocrine associated immune-related adverse events to immune checkpoint inhibition therapy. Front Oncol. 2022；12：894015.

4 章

治療を見直したい
（このケースならこう変えられる）

Keyword
- 高齢者
- 肥満なし
- 糖尿病合併症の進行なし

治療を見直すその前に! First lineをどうするか!?

詫摩晃大

parameter

78歳男性　無職

項目	評価	内容
肥満	★☆☆☆☆	なし(BMI 22.5)
家族歴	★★★☆☆	母:糖尿病
HbA1c	★★★★☆	8.1%
食前血糖	★★★☆☆	135mg/dL
食後血糖	★★☆☆☆	190mg/dL
罹病期間	★★☆☆☆	3年
腎障害	★☆☆☆☆	腎症1期(eGFR 90mL/分/1.73m^2,尿アルブミン15mg/gCr)
合併症	★★☆☆☆	網膜症なし,神経障害(末梢神経障害,自律神経障害)なし,大血管障害:高血圧症
併用薬	★★☆☆☆	アムロジピン2.5mg/日 分1 朝食後

現処方 なし

高血圧症と前立腺肥大症のため内服治療中,75歳で糖尿病を指摘された。食事療法でHbA1cは6%台で推移していたが,食生活が不規則となったため,HbA1cが8.1%に悪化した。身長165cm,体重61.3kg,血圧135/80mmHg,胸腹部異常なし,下肢浮腫なし。CPRインデックス1.2(>0.8)。腹部エコーで異常なし。心エコー:EF 70%,壁運動異常なし。人間ドックでの胸部X線,胃・大腸がん検診では異常なし。

病態をどうとらえるか — parameterを読み解く

肥満がない2型糖尿病で内因性インスリン分泌も保たれている。高血圧症の合併はあるものの，罹病期間は短く，合併症の進行も認めない。

問題点の整理

2型糖尿病は微小血管障害や大血管合併症とも関連しており，血糖値の低下だけでなく血管合併症の予防にも重点を置く必要がある[1)]。そのため当教室で行ったDIVERSITY-CVR study[2)]では，HbA1cの改善だけでなく，最適体重の維持や低血糖の回避などの観点から，心血管リスク因子の改善に対して，近年注目されているSGLT2阻害薬のひとつであるダパグリフロジン（フォシーガ®）と，わが国で実質的に第一選択薬となっているDPP-4阻害薬のひとつであるシタグリプチン（グラクティブ®またはジャヌビア®）の効果を直接比較した。

本症例は食事指導のみで良好な血糖コントロールを維持していたが，食生活が不規則となったことでHbA1cが悪化している。罹病期間は3年と短く，合併症の進行も認めていない，早期の2型糖尿病患者である。高齢者で，肥満がないこともふまえて第一選択薬を検討する。

DIVERSITY-CVR study[2)]では，罹病期間が短く，合併症の進行のない，日本人2型糖尿病患者が対象であった。HbA1c 7.0%未満の達成，3.0%以上の体重減少，低血糖の回避の3項目からなる複合エンドポイントの達成率を主要評価項目としたところ，SGLT2阻害薬群が有意に良好であった。しかし，複合エンドポイントに含まれるHbA1c 7.0%未満の達成はBMI 23以上25未満の集団でDPP-4阻害薬群が有意に良好であり，副次評価項目である血糖変動に関してもDPP-4阻害薬群が有意に良好であった。

これらの結果が異なったことを受け，対象患者をBMIごとに分類した際の両群の薬剤投与前後のtime in range（TIR）の割合を比較し，さらに，各群におけるTIR＞70%の達成率を検討した。TIRは近年提唱された概念で，70～180mg/dLの範囲に血糖値を保つことで，同じHbA1cであっても，より質の良い血糖コントロールに寄与し，大小の血管合併症のリスク低減につながるとされてい

処方例──まずはこうする！

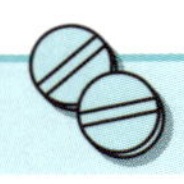

経口薬

グラクティブ®　または
ジャヌビア®50mg/日 分1朝食後

インスリン

適応なし

食事療法

1,800kcal/日(30.1kcal/kg/日)，減塩(塩分6g/日)
※高齢者であり，フレイルの予防のため，身体活動レベルを普通の労作(坐位中心だが運動・家事，軽い運動を含む)のエネルギー係数である30〜35kcal/kgに設定する

運動療法

中等度の運動を週3回以上。毎日歩行を1万歩/日

る[3)4)]。介入前後のTIRを比較すると，**BMI 23以上25未満の集団でDPP-4群が，BMI 30以上の集団ではSGLT2群が有意にTIRの改善を認めた。また，BMIごとに両群のTIR＞70%達成率を評価すると，BMIが低い集団ではDPP-4群，高い集団ではSGLT2群が有意に達成する**という興味深い結果が得られた(図)[5)]。

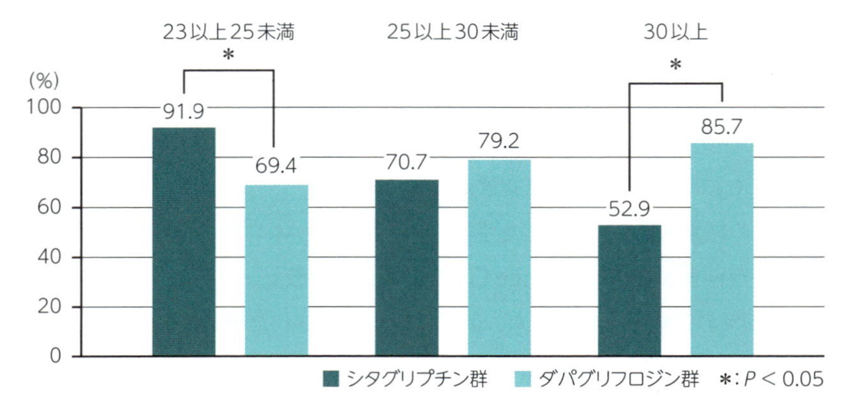

図　BMIごとに分類した際のDPP-4(シタグリプチン)阻害薬群とSGLT2(ダパグリフロジン)阻害薬群のTIR＞70%の達成率
(文献5より引用)

コントロール不良──次の一手はこれだ！

経口薬

食後高血糖の改善が得られない場合はツイミーグ®2,000mg/日 分2
空腹時高血糖を認める場合はメトホルミン500mg/日 分2　または
アマリール®0.5mg/日 分1

インスリン

変更なし

食事・運動療法

変更なし

解 説 処方例──まずはこうする！

BMIが低いアジア人の患者ではSGLT2阻害薬と比較してDPP-4阻害薬が効果を発揮することは既報で示されており，またBMIが低い患者のほうがHbA1c低下効果はより高いとの報告もある[6)]。以上から，肥満がなく，合併症の進行もない本症例のような日本人の高齢者にはDPP-4阻害薬が第一選択薬となりうるであろう。本症例にSGLT2阻害薬を使用することは体重減少によるフレイルを引き起こす可能性があり，前立腺肥大症の既往があることから尿路感染症のリスクも高める可能性がある。

解 説 コントロール不良──次の一手はこれだ！

DPP-4阻害薬単剤でコントロール不良の場合は，インスリン分泌能が保たれた非肥満患者であるため，食後高血糖が問題となっている場合はツイミーグ®，空腹時高血糖が問題となっている場合は少量のメトホルミンやSU薬(アマリール®)などを併用すべきであろう。

一方で，合併症が進行しており，肥満のある患者においては，血糖変動の観点からもSGLT2阻害薬が選択肢となりうる。

4章 治療を見直したい（このケースならこう変えられる）―2

とりあえずDPP-4阻害薬を入れたけど…次は？ その次は??

五日市篤

Keyword

- インスリン分泌低下
- DPP-4阻害薬
- 薬剤効果不十分

parameter

45歳男性	会社員（デスクワーク，電車通勤）	
肥満	★☆☆☆☆	なし（BMI 23.4）
家族歴	★☆☆☆☆	なし
HbA1c	★★★☆☆	7.5%
食前血糖	★★☆☆☆	120mg/dL
食後血糖	★★★☆☆	230mg/dL
罹病期間	★★★☆☆	5年
腎障害	★★☆☆☆	腎症1期（eGFR 80mL/分/1.73m²，尿アルブミン15mg/gCr）
合併症	★★★☆☆	脂質異常症，高血圧症
併用薬	★★★☆☆	クレストール®2.5mg/日 分1 朝食後，ミカルディス®20mg/日 分1 朝食後

現処方 グラクティブ®50mg/日 分1 朝食後

脂質異常症，高血圧症で治療中，40歳時に健康診断で糖尿病を初回指摘された。当初は食事療法を指導されたが，食生活が不規則で改善乏しく経過した。血糖管理不十分であり，グラクティブ®50mg/日が開始された。しかし，血糖管理目標には依然達していない状態である。喫煙20本/日で15年。身長168cm，体重66kg，血圧128/76mmHg，胸腹部異常なし，下肢浮腫なし。CPRインデックス1.0（>0.8）。腹部エコーは脂肪肝を認めること以外には特記すべき異常なく，膵臓に異常なし。心エコー：EF 75%，壁運動異常なし。

病態をどうとらえるか――parameterを読み解く

本症例は空腹時血糖に比べて食後高血糖が目立っており，インスリンの追加分泌不全がその病態の主体として考えられる。DPP-4阻害薬はグルカゴン分泌抑制作用も有するためグラクティブ®の投与開始となったが，血糖改善効果が乏しい状態であると考えられる。また，食生活のコントロール不十分な状態も血糖増悪の一因であった。

問題点の整理

糖尿病を初回指摘された後に食事指導を行って，3カ月以上経過しても仕事で遅くなることが多く，食事の量や時間のコントロールが付かなかった。そのため血糖管理の改善は乏しく，まずはDPP-4阻害薬のグラクティブ®投与開始となった。しかし，依然HbA1c 7.5%と管理は今一つである。今後はDPP-4阻害薬に加えて薬物療法の強化を検討する。また，糖尿病治療の基本である食事運動療法についての再確認と栄養指導などを実施する必要がある。

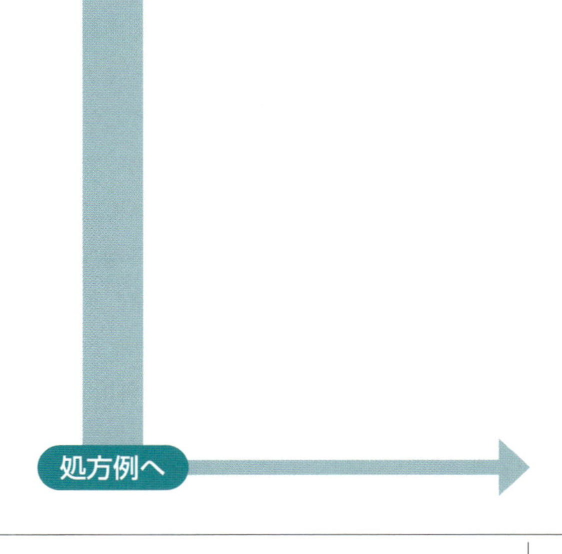

処方例 ──まずはこうする！

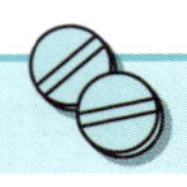

経口薬

グラクティブ®50mg/日 分1 朝食後にツイミーグ®2,000mg/日 分2 朝夕食後を追加

食事療法

1,680kcal/日(27.1kcal/kg/日)，減塩(塩分6g/日)

インスリン

適応なし

運動療法

食後を中心に20〜30分程度の散歩を実施するように指導。できれば毎日続ける習慣をつけてもらう

解 説 処方例──まずはこうする！

2型糖尿病で合併症の進行を予防するためには，HbA1c 7.0％未満を管理目標とする。空腹時血糖130mg/dL未満，食後2時間血糖180mg/dL未満がその目安である。本症例は病態として空腹時血糖に比べて食後高血糖が目立っており，追加インスリンの分泌不全が病態の主体として考えられる。DPP-4阻害薬はインクレチン分解に関わるDPP-4の活性を阻害することで，活性型GLP-1とGIP濃度を上昇させ，血糖依存性のインスリン分泌促進作用とグルカゴン分泌抑制作用を発揮する経口血糖降下薬である。そのため分泌能低下を主体とし，非肥満者が多いとされる日本人を含めたアジア人の2型糖尿病患者に対して良好な効果が期待できると考えられている[1)]。

この治療内容で治療効果不十分であった場合に追加する次の一手としてツイミーグ®を選択した。ツイミーグ®は2021年8月にわが国で薬価収載された新規経口血糖降下薬であり，グルコース濃度依存的なインスリン分泌を促す膵作用と，肝臓・骨格筋での糖代謝を改善する膵外作用(糖新生抑制・糖取り込み能改善)という2つのメカニズムで血糖降下をもたらすとされている。また，国内第3相試験では**DPP-4阻害薬との併用でHbA1c低下効果が大きい**ことが示された[2)]。

コントロール不良――次の一手はこれだ！

経口薬

グラクティブ®50mg/日 分1 朝食後
+ツイミーグ®2,000mg/日 分2
朝夕食後にジャディアンス®10mg/日
分1 朝食後を追加

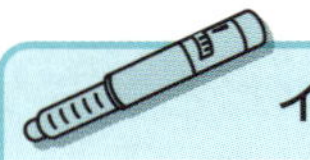

インスリン

変更なし

運動療法

変更なし

食事療法

変更なし

解 説 コントロール不良――次の一手はこれだ！

食後高血糖が目立っている症例であり，3剤目を追加する際，グリニド薬も候補として考えられる。しかし，服薬行動を検討したところ服薬アドヒアランスにも問題があり，これ以上の服薬タイミングの増加は治療強化につながらない可能性が高いと考えられた。そのため分1で投与できる薬剤で治療強化を検討し，本症例ではSGLT2阻害薬のジャディアンス®の追加を選択した。

SGLT2阻害薬は近位尿細管でのグルコース再吸収を抑制し，尿中へのグルコース排泄を促進することで血糖降下作用を示す薬剤である。また，**SGLT2阻害薬は脂肪肝の改善作用についても有用**であるとの報告[3)]もあり，脂肪肝を伴う2型糖尿病の本症例には適していると考えられた。

SU・DPP-4阻害薬・メトホルミン・SGLT2阻害薬・α-GI…これ以上どうしたら

小柴博路

Keyword
- コントロール不良な2型糖尿病
- 多剤服用

parameter

62歳男性　会社員

項目	評価	内容
肥満	★★☆☆☆	あり（BMI 26.3）
家族歴	★★★☆☆	母：糖尿病
HbA1c	★★★★☆	8.0%
食前血糖	★★★★☆	150mg/dL
食後血糖	★★★☆☆	202mg/dL
罹病期間	★★☆☆☆	約5年
腎障害	★★☆☆☆	腎症2期
合併症	★★★★★	高血圧症，脂質異常症，肥満症，労作性狭心症，脂肪肝
併用薬	★★★★★	アムロジピン10mg/日，テルミサルタン40mg/日，ピタバスタチン2mg/日，ペマフィブラート0.4mg/日，バイアスピリン100mg/日

現処方

アマリール®2mg/日，ジャヌビア®40mg/日，メトグルコ®1,500mg/日，ベイスン®0.6mg/日，フォシーガ®10mg/日
食事療法：1,400kcal/日，運動療法：週4回 夕食後に30分ウォーキング

身長160cm，体重67.3kg。57歳時に会社の健診を契機に脂質異常症，高血圧症，糖尿病，肥満症の診断となり，食事・運動療法が開始となった。しかし血糖値が徐々に増悪し，翌年にはHbA1c 7.6%まで増悪し内服加療が開始となった。その後も治療薬を増量調整するも血糖コントロール不良な状況が続き，血糖降下薬5剤で加療するも改善を得られず，今回紹介受診となった。服薬アドヒアランスは不良で，過食があり食事療法は遵守できていない。

病態をどうとらえるか——parameterを読み解く

本症例では，糖尿病に対する薬剤のほかに併存疾患に対する内服薬もあり，服薬数が多くなっていることが，服薬アドヒアランス低下の一因となっていると考えられる。現在，糖尿病治療薬は多くの種類が存在し，薬剤選択に関しては日本糖尿病学会から「2型糖尿病の薬物療法のアルゴリズム（第2版）」が示されている[1)]。これは，インスリンの絶対的・相対的適応をまず判断し，その後目標HbA1cの決定，病態に応じた薬物選択，安全性への配慮，併存疾患の有無，患者背景を考慮というように治療薬を選択していくものである。本症例でも，これに準じて現在の病態を紐解き，治療薬を選択していく。

問題点の整理

経口血糖降下薬を多種用いるも十分な血糖コントロールを得られておらず，むしろ薬剤が増えることで服薬アドヒアランスが低下する悪循環に陥っている可能性もある。また，肥満症がある一方で体重増加のリスクがあるスルホニル尿素（SU）薬を内服しているなどの問題もあり，その他の病態や併存疾患との兼ね合いも考慮して薬剤選択を行うことが必要と考える。一度，血糖コントロールの改善および薬剤の調整を行い，アドヒアランス良好で今後も継続可能な治療法を模索する必要がある。

処方例──まずはこうする！

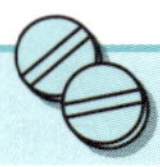

経口薬・注射薬

入院が可能な場合：いったん経口薬は中止し，インスリン頻回注射療法へ切り替え。その後必要な薬を再度取捨選択する。
外来の場合：肥満傾向あればDPP-4阻害薬は中止し，GLP-1受容体作動薬を導入する。SU薬は漸減し終了。肥満がなければ基礎インスリンから。

食事療法

肥満症があり1,400kcal(24.9kcal/kg)に設定していたが，本人継続困難であり，指導内容として適切かつ現実的に継続可能な値として，1,600kcal(28.4kcal/kg)に変更

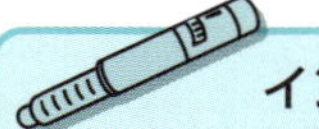

インスリン

経口血糖降下薬で良好な血糖コントロールを得られない場合，インスリン療法の相対的適応[2]。一度インスリン治療を導入することが望ましい。
※具体的投与法は次頁「インスリン」参照

運動療法

週2〜3回のレジスタンス運動

解 説　処方例──まずはこうする！

多剤を用いて治療を行うも血糖コントロール不良な期間が続いており，また肥満症もあることから，糖毒性がある程度存在していると考えられる。外来の場合は本症例のように肥満症を有する場合は，SU薬は漸減し，DPP-4阻害薬をGLP-1受容体作動薬へ切り替えることが検討される。また，入院が可能であれば，まずは**十分なインスリンを用いて治療することで，糖毒性を積極的に解除することが重要**である。そして内因性インスリン分泌が保たれていることを確認して，その他の治療薬の選択を行う。まず目標となるHbA1cは合併症予防の7.0％に設定する[3]。また，肥満症や狭心症を有することから，インスリン抵抗性改善および心血管イベントの抑制効果を持つメトホルミン[4]や，3-point MACEの抑制効果や腎保護効果が示されているSGLT2阻害薬も再開

コントロール不良──次の一手はこれだ！

経口薬・注射薬

経口薬：変更なし
注射薬（GLP-1受容体作動薬）：オゼンピック®皮下注0.25mg　週1回を開始
※1日1回のビクトーザ®皮下注や経口セマグルチドのリベルサス®も選択肢として挙がるが，服薬アドヒアランスを重視して週1回注射製剤を選択した

インスリン

食後高血糖を認める場合には，必要に応じて超速効型インスリンを検討する

運動療法

変更なし

食事療法

変更なし

が推奨される[5)~8)]。ただし，メトホルミンの再開にあたっては事前に心機能の評価を行い，また服薬アドヒアランスの観点から服薬回数は1日3回から1～2回に減らすことも検討される。このように，その他の合併症および併存疾患の有無を確認した上でインスリン以外の治療薬を選択することが望ましい。

解 説 コントロール不良──次の一手はこれだ！

心血管イベントの抑制効果が大規模臨床試験で示されている，リラグルチドやセマグルチドの開始が検討される[9)10)]。GLP-1受容体作動薬は，糖代謝改善作用のほかに，胃排泄遅延や食欲抑制による体重減少効果が示されており[11)]，本症例のように肥満症があり減量を期待したい場合には有効と考えられる。なお，**先に再開した2剤（メトホルミンとダパグリフロジン）との間に明確な優先順位は存在しない**。本症例の場合は，服薬タイミングを減らすことや注射回数は1回でも少ないほうがよいという希望があったため，今回のような順序としたが，各々患者の状況において治療を選択する。

Keyword
- インスリン依存状態の判断
- HbA1c値の維持
- 注射離脱後に悪化しないか

注射療法のstep-down

宮城匡彦

parameter

56歳男性 会社役員

肥満	★☆☆☆☆	あり(BMI 24.4)
家族歴	★☆☆☆☆	なし
HbA1c	★★☆☆☆	6.8%
食前血糖	★★☆☆☆	120mg/dL
食後血糖	★★☆☆☆	180mg/dL
罹病期間	★★★★☆	8年
腎障害	★★☆☆☆	腎症1期(eGFR 65mL/分/1.73m^2，尿アルブミン20mg/gCr)
合併症	★★★★☆	網膜症なし，神経障害なし，大血管障害：狭心症，脂質異常症，高血圧症
併用薬	★★★☆☆	リバロ®2mg/日 分1 朝食後，エンレスト®200mg/日 分1 朝食後，タケルダ®配合錠1錠/日 分1 朝食後

現処方 ヒューマログ®(8-4-6)単位，インスリン グラルギンBS注ミリオペン®「リリー」(0-0-16)単位，食事・運動療法あり

狭心症，脂質異常症，高血圧症で治療中，48歳で糖尿病を指摘された。経口薬で加療しHbA1c 7.5%の血糖管理状況であった。1年前に狭心症で入院加療し，インスリン頻回注射で退院した。その後は同じ単位数を続けていて，HbA1c値<7.0%が続いている。以前より，「2種類のインスリンを持ち歩きたくない」「インスリンをやめたい(回数を

減らしたい)」との訴えがある。身長167cm，体重68kg，血圧120/70mmHg，胸腹部異常なし。腹部エコーは脂肪肝あり，膵臓などに異常なし。

病態をどうとらえるか──parameterを読み解く

食事・運動およびインスリン療法で血糖管理状態も良く，糖尿病合併症は進展していない。頻回注射法で総投与量は34単位/日になっている。注射回数を減らすためには，少なくともインスリン依存状態にない（つまり内因性インスリン分泌能が保たれている）ことが前提となる。しかし，前記のparameterからの判断は困難である。

問題点の整理

インスリン依存状態の判断には主に3種類があるが，現実的なところとして，空腹時血中Cペプチドをチェックし，依存状態の基準（0.6ng/mL未満）ではないことを確認する。血中インスリン濃度（IRI）は，インスリン投与を行っている場合は当てにならない。

インスリンからの離脱は，少なくとも熊本宣言2013の「合併症予防のための目標」に相当する状態のHbA1c 7.0%未満が必須ではあるが，2010年頃から種々の薬剤が登場しており，HbA1c 7%台ならば試す価値はある。糖尿病薬はSGLT2阻害薬およびGLP-1製剤が全盛の時代である[1)2)]。これらを利用する方法を大胆に試みる。

処方例 ―まずはこうする！

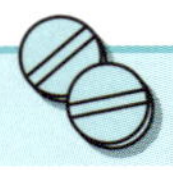

経口薬

インスリンの欄を参照

食事療法

総カロリーは25～30kcal/kg目標体重，高血圧があり塩分6g未満/日に設定する

1,680kcal/日(27.4kcal/kg/日)，減塩(塩分6g/日)

インスリン・注射薬

ボーラス注射のヒューマログ®(8-4-6単位)を中止し，以下のどちらか一方を選択

カナグル®100mg/日 分1 朝食後を追加

または　ビクトーザ®皮下注0.3～1.8mg朝1回を追加

運動療法

注射回数を減らすことを目標に，再度運動療法を指導

解 説　処方例―まずはこうする！

まずは持効型のインスリン グラルギンBS注ミリオペン®「リリー」16単位をそのままに，ボーラス注射の超速効型すべてをSGLT2阻害薬もしくはGLP-1製剤へ変更してみる。外来スタディで検証されており，HbA1c＜7.5％の2型糖尿病を対象に，**持効型＋カナグル®100mgまたは持効型＋ビクトーザ®0.3～0.9mgにして再調整**している[3]。カナグル®なら朝1回100mgの服用を続け，ビクトーザ®では朝1回0.3mgから開始して2週間ごとに0.3mgずつ増量する。現在は1.8mgまで使用可能である。持効型のインスリン グラルギンBS注ミリオペン®「リリー」の調整は，毎朝食前と低血糖を感じたときに，自己血糖測定器で血糖値を確認して投与量を調整していく。切り替え当初からうまくいかず，前治療に戻る例は20％ほどみられる。いずれの群も持効型はわずかに増量しているが，遜色なく注射投与量・回数，体重およびQOLも減少し，かつHbA1c値を維持している[3]。これで注射回数も減り，朝投与なので薬剤を持ち歩く必要もなくなる。

グローバルでは上記と同じような検証が，HbA1c＞7.5％の頻回注射を対象に行われている。SGLT2阻害薬は上記と同様に，GLP-1製剤はbasal注射の持効型も含めて配合注のゾルトファイ®もしくはソリクア®へ変更している[4]。離脱はめざせないと思うが，上記スタディと似たような結果になっている。

コントロール不良―次の一手はこれだ！

経口薬

(「処方例―まずはこうする！」で使用していなければ) カナグル® 100mg/日 分1 朝食後を追加

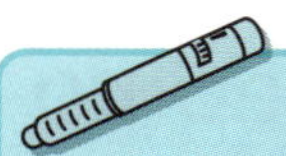

注射薬

(「処方例―まずはこうする！」で使用していなければ) ビクトーザ® 皮下注 0.3～1.8mg 朝1回を追加，もしくはオゼンピック® 皮下注0.25～1.0mg 週1回へ変更

食事療法

変更なし

運動療法

その場でできるレジスタンス運動(腹筋，ダンベル，スクワットなど) を取り入れてみる

解 説 コントロール不良―次の一手はこれだ！

次の手はSGLT2阻害薬かGLP-1製剤の，もう一方の薬剤を併用してみる。持効型インスリンを2/3程度に減量し，残しておくことで，空腹時にかけての基礎インスリン補充を担保しておく。持効型の調整は，前頁同様に朝食前血糖値を確認して投与量を調整していく。**2単位まで減量したら中止してみる。**

さらに次の手はというと，DPP-4阻害薬以外のもう1剤経口薬を追加したくなるが，4剤目となるのでお勧めしない。この場合，GLP-1製剤をビクトーザ®からオゼンピック®もしくはマンジャロ®へ切り替えてみる。いずれも初期投与量から開始し，調整していく。これは，ビクトーザ®を最大量使用していても，切り替え後は通常量で事足りてしまうことがあるためである。起床時服用ができるのであれば，リベルサス®を初期投与量から利用してもよい。

なお，インスリン離脱後に，再度血糖管理が悪化する例が少なくない。その際に大切なのは，スルホニル尿素(SU) 薬などの経口薬を追加して増量していくのではなく，早期に持効型インスリンを再開することである。インスリンからの離脱を考えるにあたっては，「いつでも戻せる安全」を確保しておくことが重要である[5)]。

Keyword
- インスリン分泌能低下
- インスリン注射導入
- インスリン頻回注射療法

注射療法のstep-up

吉田有沙

parameter

63歳男性　自営業

肥満	★★☆☆☆	なし（BMI 21.8）
家族歴	★★★☆☆	父：糖尿病
HbA1c	★★★★☆	8.2%
食前血糖	★★★★☆	165mg/dL
食後血糖	★★★☆☆	220mg/dL
罹病期間	★★★★★	30年
腎障害	★★★☆☆	腎症2期（eGFR 45mL/分/1.73m²，尿アルブミン55mg/gCr）
合併症	★★★☆☆	単純網膜症，神経障害（末梢神経障害，自律神経障害）あり
併用薬	★★☆☆☆	アジルバ®20mg/日 分1 朝食後

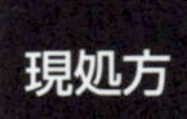

メトグルコ®1,500mg/日 分3 毎食後，ジャディアンス®10mg/日 分1 朝食後，アマリール®1mg/日 分1 朝食後，トルリシティ®皮下注0.75mgアテオス®週1回 皮下注射

身長170cm，体重63kg。仕事は自営業であり，時間の都合はつきやすい。これまでインスリン以外の血糖降下薬にて治療を行ってきた。食事療法や運動療法に関しては遵守しており，徐々に薬剤を増やしているが，HbA1c 8%台の推移であり，なかなか改善しない。本人はインスリンに対しての抵抗が強く，導入できていない。

病態をどうとらえるか──parameterを読み解く

血糖降下薬を多剤服用中であり，食事・運動療法も実施しているが血糖が改善しない症例である。

血中CPRを測定したところ，空腹時血糖値165mg/dLに対してCPR 0.7ng/mL，CPRインデックス0.42とインスリン分泌の低下がみられた。インスリン分泌を促すスルホニル尿素（SU）薬内服下でもインスリン分泌低下があり，罹病期間が長期であることからも，膵β細胞機能低下が想定される。

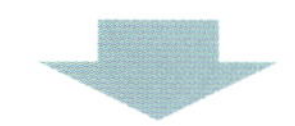

問題点の整理

インスリン分泌能の低下を認めており，血糖降下薬多剤服用下で目標血糖値を達成できていないことから，インスリン治療の相対的適応である。

本人がインスリンに対して抵抗を示していたことから，インスリン導入が先延ばしになってしまっていたが，現時点で腎症2期，単純網膜症があり，65歳未満でADLの低下もないことから，合併症の進行抑制のため治療強化を勧めるべき症例である。

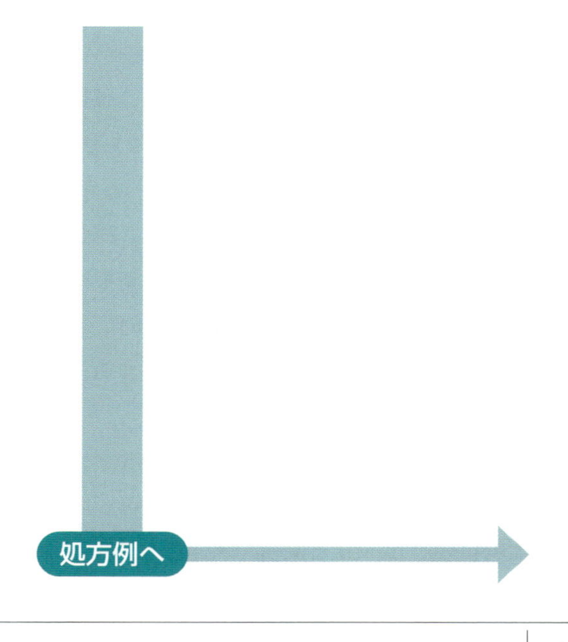

処方例──まずはこうする！

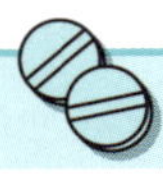

経口薬

アマリール®を0.5mg/日 分1 朝食後に減量，それ以外の血糖降下薬は継続

インスリン

インスリン グラルギンBS 6単位で導入し，空腹時血糖に合わせて2単位ずつ増量

食事療法

1,780kcal/日(28.0kcal/kg/日)，減塩(塩分6g/日)

運動療法

中等度の運動を週3回以上。毎日歩行を1万歩/日

解説 処方例──まずはこうする！

2型糖尿病で合併症の進行を予防するためには，HbA1c 7.0%未満を目標とする。HbA1c 7.0%に相当する血糖値としては，空腹時血糖値130mg/dL未満，食後2時間血糖値180mg/dL未満が目安である。外来でインスリン療法を導入する場合には患者の実行力や生活環境を考慮し，1日1回の注射から開始するとよりスムーズに受け入れることができる場合も多い。本症例では，空腹時血糖値も165mg/dLと高値を認めていたため，まずは持効型インスリンであるインスリン グラルギンBS注を導入した。低血糖予防のために，アマリール®1mg/日を0.5mg/日に減量し，体重当たり0.1単位/kgを目安に6単位で導入した。**外来インスリン導入で最も注意しなければならない点は，低血糖を起こさない単位設定とすることと，万が一低血糖を起こしてしまった場合の対処法や単位の減量に関して指示しておくこと**である。2週間後の外来にて低血糖がないことを確認し，空腹時血糖推移も130mg/dL程度と良好であることから，アマリール®を中止し，最終的にインスリン グラルギンBS 10単位で，空腹時血糖値130mg/dL未満を達成するようになった。

解説 コントロール不良──次の一手はこれだ！

空腹時血糖値は是正されたが，HbA1cは依然として7.6%であり，食後2時間血糖値250mg/dLと高値であった。SU薬が効果不十分であった経緯や，既に

コントロール不良──次の一手はこれだ！

経口薬

血糖降下薬をすべて中止する

食事・運動療法

変更なし

インスリン

インスリン グラルギンBSは継続
ノボラピッド®を0-0-4単位にて導入。その後，経過を見て適宜，朝・昼にもノボラピッド®を追加し，責任インスリン法に則り2単位ずつ調節

GLP-1受容体作動薬，SGLT2阻害薬，ビグアナイド薬を使用していることをふまえると，食後高血糖是正のためにはグリニド薬やイメグリミンなどの経口血糖降下薬の追加ではなく，追加インスリン製剤の開始が適切と考えられた。治療の受け入れやすさを考慮し，まずはインスリン グラルギンBSと同じタイミングで夕食時のみ少量のノボラピッド®を追加した。ノボラピッド®により食後高血糖の改善を認めたことで，治療満足度が向上し，朝・昼食時のノボラピッド®投与にも前向きであったため，インスリン頻回注射療法へ適宜ステップアップした。インスリン以外の血糖降下薬は本症例に関しては有効性が乏しいと判断し，ノボラピッド®導入後に漸減・最終的に中止した。ノボラピッド®8-4-8単位，インスリン グラルギンBS 10単位まで増量し，空腹時血糖値130mg/dL，食後血糖値180mg/dLを低血糖なく達成することができた。

本症例ではインスリン以外での血糖降下薬による血糖管理目標の達成が困難となり，「最終手段」としてインスリン導入が行われた。しかし，発症早期からインスリンによる厳格な血糖管理を行うことで，膵β細胞機能やインスリン抵抗性の改善，最終的には糖尿病の寛解につながることが報告されている[1)2)]。インスリン離脱はできなくとも，内因性インスリン分泌が保持されている症例と高度低下・枯渇している症例では，同じインスリン治療であっても前者のほうが血糖変動の少ない安定した血糖管理を達成しやすい。インスリン適応と考えられる場合には，**遅滞なくインスリンを導入し，速やかにstep-upを行うことが長期的に安定した血糖管理のため肝要**である。

Keyword
- 肥満
- 大血管症の再発予防

最適な注射インクレチン製剤活用法

山本絢菜

parameter

55歳男性	タクシードライバー	
肥満	★★☆☆☆	あり（BMI 29.0）
家族歴	★☆☆☆☆	なし
HbA1c	★★★☆☆	7.7%
食前血糖	★★★☆☆	130mg/dL
食後血糖	★★★☆☆	220mg/dL
罹病期間	★★★★★	約15年
腎障害	★★★☆☆	微量アルブミン尿あり，eGFR 40台単位前半
合併症	★★☆☆☆	神経障害
併用薬	★★★☆☆	アムロジン®5mg/日，ミカルディス®40mg/日

現処方 メトグルコ®1,500mg/日 分3，食事療法あり，運動療法なし

身長170cm，体重83.8kg。約15年前に糖尿病と高血圧症を指摘されたが放置していた。10年前の健康診断にて，HbA1c 10%と高値を指摘され加療開始となった。インスリン療法も導入されたが，本人の努力もあり血糖改善傾向となったため，インスリン注射は中止され内服薬のみでのコントロールとなっている。インスリン注射使用時は低血糖発作を起こしたこともあり，なるべく今後は使用したくないと考えている。腎機能障害は緩やかに悪化しており，最近の採血検査にてeGFRは低

下傾向である。タクシードライバーという職業柄，仕事は夜勤も多く，運動量は極端に少ない。運転中に缶コーヒーを飲む回数が多い。食事も車内ですませることが多く，野菜が少ない食生活となっている。

病態をどうとらえるか──parameterを読み解く

肥満があり，インスリン分泌能は保たれていると推測される。本症例においては運動不足によるインスリン感受性の低下，食生活の乱れによる高血糖が問題点と考えられる。腎機能障害の進行，微量アルブミン尿の出現を認めていることから，糖尿病腎症の進行を抑制するような薬剤の使用が望ましい。

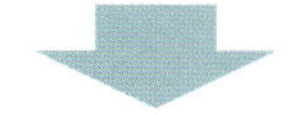

問題点の整理

食事療法・運動療法は遵守できておらず，肥満も認められる。タクシードライバーなど，運転手は低血糖発作を起こすと交通事故につながる可能性があるため，インスリン注射やスルホニル尿素（SU）薬などの低血糖リスクのある薬剤の使用は避けたい。外来にて経過観察中の患者が徐々に腎機能障害をきたしているときに漫然とメトホルミンを投与していると，乳酸アシドーシスをきたす可能性がある。現行のガイドラインではeGFR 30mL/分/1.73m^{2}以下でのメトホルミンは継続を止めるように勧告が出されている[1)]。本症例では現在のところ禁忌症例には当たらないが，今後メトホルミンに関しては減量が望ましい。現状は糖毒性解除が必要なほど血糖コントロールが不良というわけではなく，低血糖発作を起こしにくい薬剤への変更が望ましい。

処方例──まずはこうする！

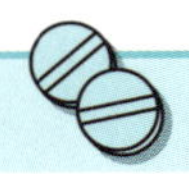

経口薬

現処方を継続

食事療法

身体活動量は低く，軽労作のため25〜30kcal/kg/日が原則

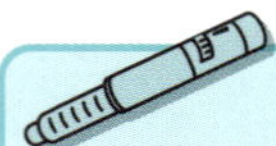

注射薬

オゼンピック®皮下注0.25mg 週1回より開始
または
マンジャロ®皮下注アテオス®2.5mg 週1回より開始

運動療法

適応なし

解説 処方例──まずはこうする！

本症例では，運動不足によるインスリン感受性の低下，食事療法の乱れによる肥満を認めている。食事療法については，まずは缶コーヒーをブラックに変えるなど取り組みやすい目標を立てることが望ましい。炭水化物量の多い食生活に偏っていることが予想されるため，食事の際はまずサラダから食べるなど，順番についても指導が必要である。運動療法については通勤までの間は歩くなどの指示がよいであろう。**実臨床において，厳しすぎる指示で実践できないことをよく経験するため，最初は取り組みやすい目標を提案する。**

本症例においては低血糖を起こしにくい薬剤としてGLP-1受容体作動薬を選択した。GLP-1受容体作動薬は初回投与の際に嘔吐・嘔気などの副作用の訴えが多いことから，少量より開始する。GLP-1受容体作動薬は心血管イベント抑制の報告[2)]もあり，本症例においては積極的に使用していきたい。また，食後血糖高値の症例でもあり，インクレチン関連薬の適応と考えられる。比較的高価な薬剤のため，使用前には患者への確認も必要である。

コントロール不良──次の一手はこれだ！

経口薬

ジャディアンス® 10mg/日 分1
朝食前を追加

食事療法

変更なし

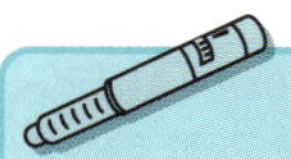

注射薬

オゼンピック®皮下注0.5mg/週を
1.0mg/週へと適宜増量
または
マンジャロ®皮下注アテオス®を，
4週以上間隔を空けて2.5mg/週
ずつ増量，最大15mg週1回まで

運動療法

変更なし

解 説 コントロール不良──次の一手はこれだ！

次の一手としては，本症例の場合はGLP-1受容体作動薬の増量が望ましいと考えられる。副作用の出現がないことを確認し増量とする。また，生活リズムが乱れやすい多忙な患者では，連日の注射を遵守できない場合がある。GLP-1受容体作動薬は週1回製剤も発売されており，服薬アドヒアランス不良な患者に適すると考えられる。または肥満のある2型糖尿病症例であり，SGLT2阻害薬のジャディアンス®の追加も勧められる。**SGLT2阻害薬も低血糖をきたしにくい**薬剤として知られている。**体重減少も得られるため患者満足度も高い**と考えられる。

4章-1

1) Gerstein HC, et al:Effects of intensive glucose lowering in type 2 diabetes. N Engl J Med. 2008;358(24):2545-59.

2) Fuchigami A, et al:Efficacy of dapagliflozin versus sitagliptin on cardiometabolic risk factors in Japanese patients with type 2 diabetes:a prospective, randomized study (DIVERSITY-CVR). Cardiovasc Diabetol. 2020;19(1):1.

3) Lu J, et al:Time in Range in Relation to All-Cause and Cardiovascular Mortality in Patients With Type 2 Diabetes:A Prospective Cohort Study. Diabetes Care. 2021;44(2):549-55.

4) Raj R, et al:Time in range, as measured by continuous glucose monitor, as a predictor of microvascular complications in type 2 diabetes:a systematic review. BMJ Open Diabetes Res Care. 2022;10(1):e002573.

5) Takuma K, et al:Comparison of the effects of sitagliptin and dapagliflozin on time in range in Japanese patients with type 2 diabetes stratified by body mass index:A sub-analysis of the DIVERSITY-CVR study. Diabetes Obes Metab. 2023;25(8):2131-41.

6) Kim YG, et al:Differences in the glucose-lowering efficacy of dipeptidyl peptidase-4 inhibitors between Asians and non-Asians:a systematic review and meta-analysis. Diabetologia. 2013;56(4):696-708.

4章-2

1) Nomiyama T, et al:Contributing factors related to efficacy of the dipeptidyl peptidase-4 inhibitor sitagliptin in Japanese patients with type 2 diabetes. Diabetes Res Clin Pract. 2012;95(2):e27-8.

2) Dubourg J, et al:Long-term safety and efficacy of imeglimin as monotherapy or in combination with existing antidiabetic agents in Japanese patients with type 2 diabetes (TIMES 2):A 52-week, open-label, multicentre phase 3 trial. Diabetes Obes Metab. 2022;24(4):609-19.

3) 日本消化器病学会，他編:NAFLD/NASH診療ガイドライン2020．改訂第2版．南江堂，2020.

4章-3

1) 坊内良太郎，他：2型糖尿病の薬物療法のアルゴリズム(第2版)．糖尿病．2023;66(10):715-33.

2) 日本糖尿病学会，編著：糖尿病専門医研修ガイドブック．改訂第8版．診断と治療社，2020，p271.

3) Ohkubo Y, et al:Intensive insulin therapy prevents the progression of diabetic microvascular complications in Japanese patients with non-insulin-dependent diabetes mellitus:a randomized prospective 6-year study. Diabetes Res Clin Pract. 1995;28(2):103-17.

4) Effect of intensive blood-glucose control with metformin on complications in overweight patients with type 2 diabetes (UKPDS 34). UK Prospective Diabetes Study (UKPDS) Group. Lancet. 1998;352(9131):854-65.

5) Zinman B, et al:Empagliflozin, Cardiovascular Outcomes, and Mortality in Type 2 Diabetes. N Engl J Med. 2015;373(22):2117-28.

6) Neal B, et al:Canagliflozin and Cardiovascular and Renal Events in Type 2 Diabetes. N Engl J Med. 2017;377(7):644-57.

7) Perkovic V, et al:Canagliflozin and Renal Outcomes in Type 2 Diabetes and Nephropathy. N Engl J Med. 2019;380(24):2295-306.

8) Heerspink HJL, et al:Dapagliflozin in Patients with Chronic Kidney Disease. N Engl J Med. 2020;383(15):1436-46.

9) Marso SP, et al:Liraglutide and Cardiovascular Outcomes in Type 2 Diabetes. N Engl J Med. 2016;375(4):311-22.

10) Marso SP, et al:Semaglutide and Cardiovascular Outcomes in Patients with Type 2 Diabetes. N Engl J Med. 2016;375(19):1834-44.

11) 上野浩晶，他：3.GLP-1受容体作動薬の体重減少効果．糖尿病．2017;60(9):570-2.

4章-4

1) Neal B, et al：Canagliflozin and cardiovascular and renal events in type 2 diabetes. N Engl J Med. 2017；377(7)：644-57.

2) Marso SP, et al：Liraglutide and cardiovascular outcomes in type 2 diabetes. N Engl J Med. 2016；375(4)：311-22.

3) Ando Y, et al：Simplification of complex insulin regimens using canagliflozin or liraglutide in patients with well-controlled type 2 diabetes：A 24-week randomized controlled trial. J Diabetes Investig. 2021；12(10)：1816-26.

4) Giugliano D, et al：Feasibility of simplification from a basal-bolus insulin regimen to a fixed-ratio formulation of basal insulin plus a GLP-1RA or to basal insulin plus an SGLT2 inhibitor：BEYOND, a randomized, pragmatic trial. Diabetes Care. 2021；44(6)：1353-60.

5) 臼井州樹，他：インスリンからの離脱を考える．月刊糖尿病．2012；4(10)：109-15.

4章-5

1) Weng J, et al：Effect of intensive insulin therapy on beta-cell function and glycaemic control in patients with newly diagnosed type 2 diabetes：a multicentre randomised parallel-group trial. Lancet. 2008；371(9626)：1753-60.

2) Kramer CK, et al：Short-term intensive insulin therapy in type 2 diabetes mellitus：a systematic review and meta-analysis. Lancet Diabetes Endocrinol. 2013；1(1)：28-34.

4章-6

1) ビグアナイド薬の適正使用に関する委員会：メトホルミンの適正使用に関するRecommendation. 2016年5月12日改訂．[http://www.fa.kyorin.co.jp/jds/uploads/recommendation_metformin.pdf]

2) Marso SP, et al：LEADER Steering Committee；LEADER Trial Investigators.：Liraglutide and Cardiovascular Outcomes in Type 2 Diabetes. N Engl J Med. 2016；375(4)：311-22.

5章

特殊な糖尿病

LADA（緩徐進行1型糖尿病：SPIDDM）

吉川芙久美

Keyword
- 誘因のない血糖増悪
- インスリン分泌能低下
- 膵島関連自己抗体陽性

parameter

58歳男性　会社員（営業職，1～2回／週で車を運転する）

肥満	★☆☆☆☆	なし（BMI 23.1）
家族歴	★☆☆☆☆	なし
HbA1c	★★★★☆	8.3%
食前血糖	★★★☆☆	143mg／dL
食後血糖	★★★★☆	298mg／dL
罹病期間	★★★★★	18年
腎障害	★★★☆☆	腎症2期（eGFR 56mL／分／1.73m^2，尿アルブミン158mg／gCr）
合併症	★★★★★	単純網膜症，慢性腎臓病（CKD），高血圧・脂質異常症
併用薬	★★★☆☆	アムロジピン10mg／日，アジルバ®20mg／日，ピタバスタチン2mg／日

現処方　アマリール3mg／日 分1 朝食後，メトグルコ1,000mg／日 分2 朝夕食後，トラゼンタ5mg／日 分1 朝食後，ベイスン0.9mg／日 分3 毎食前

身長174cm，体重70kg。40歳で糖尿病と診断された。当初は少量の内服薬でHbA1cは良好であったが，5～6年前から徐々に悪化している。適宜，薬が追加されるも改善に乏しく，ここ数年はHbA1c>8%で経過している。元来真面目な性格で，薬の飲み忘れはほとんどなく，食事療法にも前向きに取り組んでいる。本人はリモートワークの導

入による運動不足が原因と考えているが，体重変化はない。空腹時血清Cペプチド（CPR）0.56ng/mL，CPRインデックス0.39（<0.8）。抗GAD抗体>2,000U/mL。各種検査で悪性腫瘍を疑う所見なし。

病態をどうとらえるか──parameterを読み解く

長期罹病期間のある糖尿病で，経過中に誘因なく血糖増悪をきたしている。2型糖尿病と診断されている症例でも，緩徐にインスリン分泌能が低下し，1型糖尿病のような病態を呈してくる場合がある。必要に応じて，自己抗体やCPRを確認する。本症例はインスリン分泌が高度に低下し，抗GAD抗体が強陽性である。

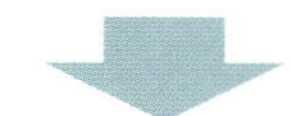

問題点の整理

緩徐進行1型糖尿病（slowly progressive insulin-dependent diabetes mellitus：SPIDDM）は，自己免疫学的機序により膵β細胞が破壊されインスリン分泌が低下する病態で，急性発症・劇症1型糖尿病と違いケトーシスやケトアシドーシスに陥ることは少ない。初期にはインスリン分泌が保持され慢性経過をたどるため，自己抗体を測定しない限りは2型糖尿病として加療されているケースも多い。2023年に新しい診断基準が策定され[1]，従来の基準に「③糖尿病の診断後3カ月を過ぎてからインスリン療法が必要になり，最終観察時点で内因性インスリン欠乏状態（空腹時血清CPR＜0.6ng/mL）」が追加され，③を満たさない場合は疑診となる。本症例は全項目を満たし診断に至るため，インスリンの絶対的適応となる。Tokyo studyにおいてSPIDDMにスルホニル尿素（SU）薬で治療した群ではインスリンで治療した群に比してインスリン分泌能の低下が有意に早かったとされ[2]，疑診でも早期にインスリン導入を検討し，インスリン以外でも膵臓への負担の少ない薬剤選択が望ましい。

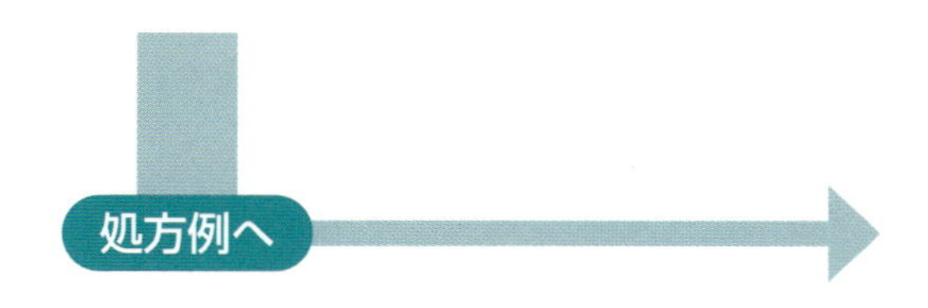

処方例――まずはこうする！

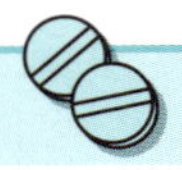

経口薬

適応なし

食事療法

1,800kcal／日（27.0kcal／kg／日），減塩（塩分6g／日）

インスリン

ヒューマログ®注ミリオペン®各食前4単位～開始
空腹時血糖が上昇してきた場合は，インスリン グラルギンBS注ミリオペン®「リリー」夕4単位～を追加する

運動療法

ウォーキング（30～60分程度）を週3回以上

解 説 処方例――まずはこうする！

一般的に1型糖尿病では強化インスリン療法が必要となる。しかし，本症例のようにインスリン分泌がある程度保持されている段階のSPIDDMでは基礎インスリンは不要で，一方，食後血糖高値の血糖profileを呈しやすいことからbolusインスリンのみが必要となる場合も多い。外来インスリン導入であり，手技獲得や指導時間の短縮・安全面の担保の点からも単剤からの導入が望ましく，まずは超速効型インスリン各食前3回注射から開始する。病期の進行とともに空腹時血糖値が上昇してきた場合には持効型インスリンを導入する。本症例は営業職であり，活動量が日によってばらつきが多く血糖値が変動することが予想される。仕事で定期的に運転するため，運転中の低血糖にも配慮が必要である。**「低血糖時の対応」→「食事量や活動量に応じた超速効型インスリンの調整」と段階に応じて順番に療養指導を行う**。車の運転は導入初期には中止し，ある程度インスリン治療が軌道に乗った段階で許可するほうが安心である。その際は運転時の注意点を指導するとともに，指導内容を診療録にも記載しておくことが重要である。

コントロール不良──次の一手はこれだ！

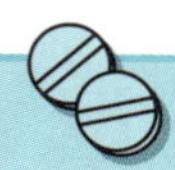

経口薬

フォシーガ®5mg/日 分1で開始，必要に応じて10mg/日 分1へ増量する

食事療法

変更なし

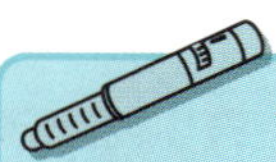

インスリン

インスリン グラルギンBS注ミリオペン®「リリー」を，トレシーバ®注フレックスタッチ®に変更(同量で開始し適宜変更)
ヒューマログ®注ミリオペン®を，ルムジェブ®注ミリオペン®に変更(同量で開始し適宜変更)

運動療法

変更なし

解説 コントロール不良──次の一手はこれだ！

強化インスリン療法のみで血糖変動が大きい場合や，インスリン必要量が多く体重増加が懸念される場合，1型糖尿病にも適応のあるフォシーガ®の導入を検討する。本症は慢性腎臓病(chronic kidney disease：CKD)合併例であり，進展抑制目的でも有効である[3)]。ただし，CKDに対してはフォシーガ®10mg/日が適応となるため，「1型糖尿病の患者でCKDに対して導入する場合は5mgで開始し，血糖コントロールが安定したら速やかに10mgに増量する」と「添付文書改訂のお知らせ」に記載されている点に注意する。インスリン分泌が高度に低下している症例では，インスリン グラルギンの効果が減弱する時間帯(例：夕投与時は主に夕方～夕食前)に血糖増悪をきたす場合がある。この場合は，長時間作用型の持効型インスリンへ切り替えることで，夜間の低血糖を増加することなく空腹時血糖値の低下やTIRの増大が得られることが報告されている[4)]。同様に，超速効型インスリンの効果発現時間の遅れにより食後血糖値の是正が困難な症例では，新規の超速効型インスリンに切り替えることで，食後血糖値が改善しTIRが有意に増大することが報告されている[5)]。

Keyword
- 若年発症
- 濃厚な家族歴
- 肥満歴なし

MODY (若年発症成人型糖尿病)

佐藤源記

parameter

18歳男性 大学生

肥満	★★☆☆☆	なし(BMI 21.3)
家族歴	★★★★★	兄・母・母方の祖父:糖尿病
HbA1c	★★★☆☆	7.2%
食前血糖	★★☆☆☆	125mg/dL
食後血糖	★★★☆☆	210mg/dL
罹病期間	★★☆☆☆	約2年
腎障害	★☆☆☆☆	腎症1期(eGFR 90mL/分/1.73m^2, 尿アルブミン1.3mg/gCr)
合併症	★☆☆☆☆	なし
併用薬	★☆☆☆☆	なし

現処方 なし

身長165cm, 体重58.0kg。14歳時の学校健診にて尿糖陽性を指摘されたが, 腎性糖尿として経過観察を指示された。しかし, その後も健診で尿糖陽性が続き, 16歳時に糖尿病と診断(HbA1c 6.7%, 75g OGTT 0分値101mg/dL, 2時間値234mg/dL)された。insulinogenic index 0.25とインスリン初期分泌の低下を認めていたが, 膵島関連自己抗体は陰性であり2型糖尿病として食事・運動療法を指示された。当初は積極的に治療に取り組んでいたが, 受験期に生活が乱れ, 18歳で空腹時血糖値125mg/dL, 随時血糖値250mg/dL, HbA1c 7.2%まで

増悪を認めた。薬物療法開始を検討されたが，若年発症かつ濃厚な家族歴を認めることから，同意を取得した上で遺伝子検査を行ったところ，*HNF-1α*遺伝子異常を認めMODY3と診断された。

病態をどうとらえるか——parameterを読み解く

学校健診を契機に診断された若年発症の糖尿病で，3世代にわたる糖尿病家族歴を有した症例である。

25歳未満の発症で，肥満がなく，常染色体優性遺伝を疑う家族歴を持った糖尿病患者に対しては，若年発症成人型糖尿病（maturity-onset diabetes of the young：MODY）の可能性を検討する必要がある。

MODYは常染色体優性遺伝を示す単一遺伝子異常による若年発症糖尿病で，病態としては進行性のインスリン分泌不全を主とし，一般的にインスリン抵抗性は認められない。本症例は著明な食後高血糖を認めるものの，空腹時血糖値は比較的低値で経過しており，インスリン追加分泌の相対的不足が考えられる。

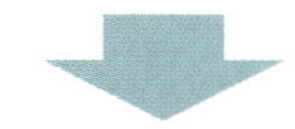

問題点の整理

インスリン分泌不全が高度に進行したMODYに対してはインスリン療法が必要となるが，MODY3およびMODY1に関してはスルホニル尿素（SU）薬や速効型インスリン分泌促進薬（グリニド薬）の有効性が報告されている。現時点で空腹時血糖値は比較的低値で経過しており，まずは食後高血糖をターゲットにグリニド薬を開始する。

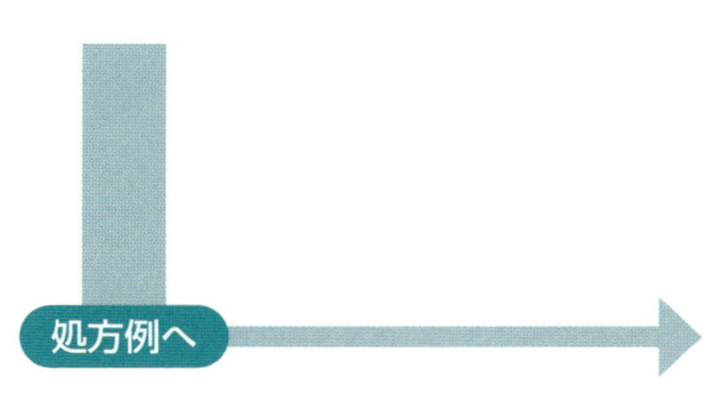

処方例──まずはこうする！

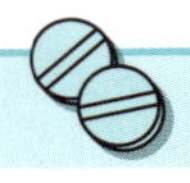

経口薬

グルファスト®30mg/日 分3 毎食前

インスリン

適応なし

食事療法

1,800kcal/日(30kcal/kg/日)

運動療法

ウォーキング等の有酸素運動を週3日以上，合計150分以上となるように行う。食後高血糖対策として，できるだけ食後に運動を勧めるが，血糖降下薬使用下では低血糖に注意する

解 説 処方例──まずはこうする！

MODYの原因遺伝子は1つではなく，*HNF*に代表される転写因子や解糖系酵素のひとつであるグルコキナーゼの遺伝子異常による発症が報告されており，どの遺伝子に異常をきたすかによって臨床経過は異なる。頻度としてはMODY3の報告が多く，尿糖排泄閾値の低下から腎性糖尿と診断されている場合がある。MODY患者は若年発症であることから1型糖尿病と誤って診断され，診断直後からインスリン治療を受けている例が少なくないが，*HNF*遺伝子異常によるMODY3およびMODY1の患者においてはSU薬[1)]やグリニド薬の反応性が保たれており，経口薬で管理できる症例も存在する。注射から経口薬への切り替えは患者QOLの向上につながるため，**膵島関連自己抗体が陰性である点と家族歴を手がかりに鑑別する**。グリニド薬はSU薬に比して低血糖リスクが少なく食後高血糖を改善すると報告されており[2)]，本症例でもグルファスト®を開始した。その後HbA1c 6.5%まで改善を認めている。

コントロール不良—次の一手はこれだ！

経口薬

グルファスト®にトラゼンタ®5mg/日 分1 朝食後を追加

食事・運動療法

変更なし

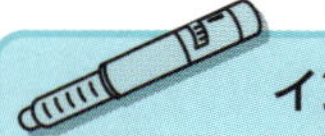

インスリン

経口薬の効果が不十分なら，経口薬を中止の上で，インスリン頻回注射療法（ノボラピッド®注3-3-3単位+インスリン グラルギンBS注ミリオペン®「リリー」3単位）

解説 コントロール不良—次の一手はこれだ！

MODY3ではインクレチン効果が減弱していると報告されており[3)]，DPP-4阻害薬やGLP-1受容体作動薬などのインクレチン関連薬が新たな治療選択肢として注目されている。実際，SU薬を使用しても血糖マネジメントが困難であった症例にDPP-4阻害薬を追加した結果，血糖値の改善を得られたという症例報告もあり[4)]，本症例でも一考の価値がある。

その一方で，18年の経過観察で47％の症例がインスリン治療を必要としたという報告もある[5)]。そのため，インスリン分泌低下が進行し，血糖マネジメントが困難となった症例に対しては，**細小血管症の発症・進行予防のため，いたずらに経口薬のみで治療を長引かせるのではなく，躊躇せずインスリン導入を勧めることが大切である**。また，MODY3では肝での脂質代謝異常によって動脈硬化が進行し心血管リスクが増大すると示唆されており，**大血管症の発症にも注意を要する**。

その他遺伝子異常による糖尿病としては，ミトコンドリア糖尿病，異常インスリン症，インスリン受容体異常症などが挙げられる。「ミトコンドリア糖尿病」は母系遺伝・感音難聴の合併が特徴的であり，「異常インスリン症」や「インスリン受容体異常症」は，空腹時IRI 50μU/mL以上の高インスリン血症が疑うきっかけとなる[6)]。このように特徴的な遺伝形式・随伴症状・検査値異常を認めた場合に，特殊な糖尿病を疑う習慣を持つことが診断への第一歩となる。

妊娠糖尿病

蛭間真梨乃

Keyword
- 妊娠糖尿病既往
- 双胎妊娠

parameter

42歳女性　教員(デスクワーク，車通勤)

肥満	★★★☆☆	なし(BMI 19.0)
家族歴	★★★☆☆	父：糖尿病
HbA1c	★☆☆☆☆	5.5%
食前血糖	★☆☆☆☆	87mg/dL
食後血糖	★★☆☆☆	158mg/dL
罹病期間	★☆☆☆☆	数週間
腎障害	★☆☆☆☆	なし
合併症	★☆☆☆☆	なし
併用薬	★☆☆☆☆	なし

現処方 なし

38歳で第一子を妊娠し，妊娠糖尿病を指摘された。その際は栄養指導のみで血糖値は安定し，出産に至った。その後，定期的に健康診断を行っていたが，血糖値に関して特に指摘を受けていない。今回，42歳で第二子・第三子の双胎妊娠がわかった。妊娠16週時に行った75g oral glucose tolerance test(OGTT)で空腹時血糖値87mg/dL，負荷後1時間血糖値182mg/dL，負荷後2時間血糖値158mg/dLで，妊娠糖尿病と診断された。つわりはほとんどなく体調は良好で，産前休業まで仕事を続ける予定である。身長155cm，非妊娠時体重45.6kg。食事は2～3食/日。朝食はたびたび欠食するが，間食はほとんどしない。

病態をどうとらえるか──parameterを読み解く

妊娠糖尿病とは，妊娠中に初めて発見または発症した糖尿病に至っていない糖代謝異常のことである。妊娠糖尿病の危険因子として，尿糖陽性，糖尿病家族歴，肥満，過度の体重増加，加齢などが挙げられ，本症例においてもそれらが複数該当する。

妊娠糖尿病は，75g OGTTで①空腹時血糖値92mg/dL以上，②負荷後1時間血糖値180mg/dL以上，③負荷後2時間血糖値153mg/dL以上のいずれか1点以上を満たした場合に診断される。本症例は②，③の2点を満たし，診断に至った。

問題点の整理

母体が高血糖であると，母児に様々な併発症が出現する可能性が高くなることから，妊娠中は厳格な血糖管理が重要である。

本症例は妊娠前肥満のない妊婦である。75g OGTTで負荷後のみ血糖上昇を認めており，朝食をたびたび欠食する代わりに1食分の糖質量が多い可能性があることから適切な栄養管理が必要である。

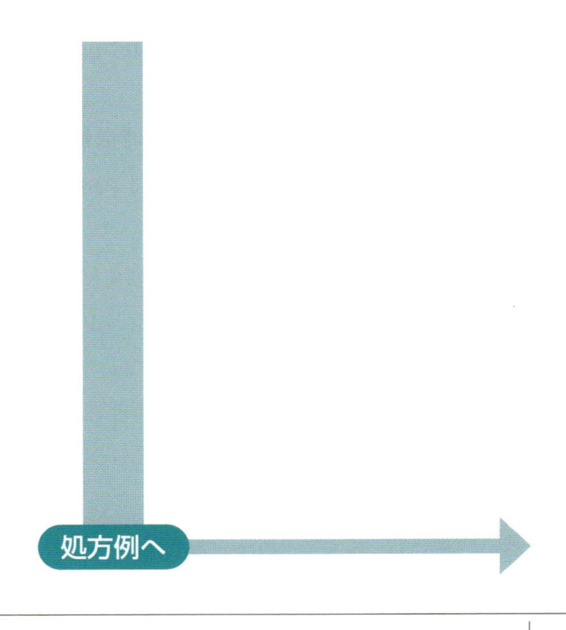

処方例──まずはこうする！

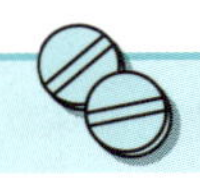

経口薬

適応なし

インスリン

適応なし

食事療法

1,840kcal/日，6分食

運動療法

可能な限り食後にウォーキングを行う

解説 処方例──まずはこうする！

妊娠糖尿病においては，はじめに食事療法によって血糖管理を行うことを基本とする。

食後高血糖の是正のため，1日3回の食事摂取を担保し，可能な限り分食を行う。1日の摂取カロリーの目安は，非妊娠時肥満がない場合，妊娠初期：目標体重kg×30＋50kcal/日，中期：目標体重kg×30＋250kcal/日，後期：目標体重kg×30＋450kcal/日[1)]，もしくは妊娠中一律：目標体重kg×30＋200kcal/日とする施設もある。妊娠前肥満がある場合には目標体重kg×30kcal/日とする。

妊娠中の血糖管理目標は，空腹時血糖値95mg/dL未満，食後1時間値140mg/dL未満または食後2時間値120mg/dL未満，HbA1c 6.0～6.5%未満である。

妊娠糖尿病と診断された後，食後高血糖を是正するために食事制限をする患者をしばしば見受ける。妊娠中はインスリン抵抗性の増大，脂肪分解の亢進により非妊娠時よりもケトーシスをきたしやすい。その上，**食事制限を行うと，ケトン体の上昇や体重減少をきたす可能性があり，注意が必要である。**

妊娠中，制限がない限りはウォーキングなどの適度な運動が推奨される。

コントロール不良──次の一手はこれだ！

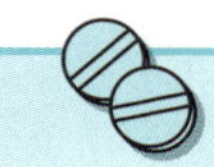

経口薬

変更なし

食事療法

変更なし

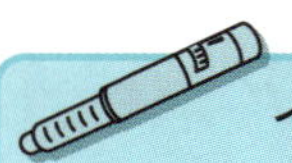

インスリン

インスリン リスプロ
または
インスリン アスパルト 4-4-4単位
朝・昼・夕食直前

運動療法

変更なし

解説 コントロール不良──次の一手はこれだ！

分食を行っても血糖自己測定にて前述の血糖管理目標を達成しない場合は，速やかにインスリン導入を行う。妊娠中の経口血糖降下薬やGLP-1受容体作動薬の使用については安全性が確立していないことから，インスリン注射の適応となる。本症例においては，分食を行っても食後高血糖が是正されず，超速効型インスリン製剤を使用した。

インスリン製剤の選択については，米国食品医薬品局（Food and Drug Administration：FDA）の薬剤胎児危険度分類を参考にすることが多い。現在はその分類が廃止されたものの，慣例的にこれまでFDAの分類のカテゴリーBに該当していた薬が使われている（ヒューマログ®，ノボラピッド®，レベミル®）。またトレシーバ®は，2023年に発表されたEXPECT試験の中で[2]，母体の安全性と妊娠分娩転帰についてレベミル®と同等の評価が得られている。

分娩後はインスリン需要量が急激に低下し，妊娠糖尿病患者はインスリン注射が不要になることがほとんどである。本症例においても，産後はインスリン注射が不要であった。

妊娠糖尿病患者は正常妊婦と比較し，将来的に2型糖尿病を発症する頻度が高く[3]，産後のフォローアップが大切である。出産後6～12週で75g OGTTを実施して耐糖能の再評価を行い，定期的なフォローアップを行う。

糖尿病性ケトアシドーシス

岩田葉子

Keyword
- 正常血糖ケトアシドーシス（euDKA）
- SGLT2阻害薬
- 経口摂取減少（低炭水化物食，食欲不振等）

parameter

44歳女性　会社員

肥満	★★☆☆☆	あり（BMI 27.7）
家族歴	★★★☆☆	父：糖尿病
HbA1c	★★★★☆	8.2%
食前血糖	★★★☆☆	145mg/dL
食後血糖	★★★☆☆	220mg/dL
罹病期間	★☆☆☆☆	半年
腎障害	★★☆☆☆	腎症1期（eGFR 84mL/分/1.73m²，尿アルブミン7mg/gCr）
合併症	★☆☆☆☆	網膜症なし，神経障害なし
併用薬	★☆☆☆☆	なし

現処方　カナグル®100mg/日 分1，メトグルコ®500mg/日 分2

身長159cm，体重70kg。半年前の健康診断で糖尿病の初回指摘。近医でメトグルコ®が処方され，HbA1c 7.0%前後で推移していた。2週間前の定期受診時にHbA1c 8.2%と上昇しておりカナグル®100mg/日が追加され，その直後よりダイエット目的で極端な糖質制限食を開始した。6日前より嘔吐と下痢が始まり継続したため，2日前に近医受診したが高血糖は認めず，急性胃腸炎の診断で帰宅した。しかし，症状の改善なく倦怠感が強くなり，当院受診。65kgと5kgの体重減少あり，随時血糖186mg/dL，HbA1c 8.2%，尿ケトン3+，pH

7.291，HCO_3^- 11.8mmol/Lであった。自己抗体は陰性。血中Cペプチド1.68ng/mL。

病態をどうとらえるか── parameterを読み解く

膵島関連自己抗体は陰性で，インスリン分泌が保持されており，1型糖尿病発症は考えにくい。SGLT2阻害薬が開始された2週間前よりほぼ炭水化物を摂取しておらず，SGLT2阻害薬と低炭水化物食が誘因となって正常血糖ケトアシドーシス（euglycemic diabetic ketoacidosis：euDKA）を発症した2型糖尿病と考えられた。

問題点の整理

糖尿病性ケトアシドーシス（diabetic ketoacidosis：DKA）とは，極度のインスリンの欠乏とコルチゾールやアドレナリンなどの拮抗ホルモンの増加により，高血糖，高ケトン血症，アシドーシスをきたした状態であり，緊急の対応が必要である。SGLT2阻害薬内服下で全身倦怠・悪心嘔吐・腹痛などを伴う場合は，高血糖がなくてもeuDKAの可能性があり，血中ケトン体（即時にできない場合は尿ケトン体）を確認するとともに専門医へコンサルトする[1)]。SGLT2阻害薬内服下での低炭水化物食や，食欲不振などによる経口摂取減少や手術後などが誘因となる。ケトン体には，アセト酢酸，アセトン，3-ヒドロキシ酪酸があるが，DKA時のケトン体の主要成分は3-ヒドロキシ酪酸である。ケトスティックスは3-ヒドロキシ酪酸に反応しないので，尿ケトン診断の決め手としてはならない。

処方例──まずはこうする！

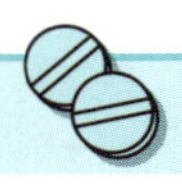

経口薬

カナグル®100mg/日中止，メトグルコ®500mg/日中止

インスリン

ヒューマリン®Rの経静脈的投与を1単位/時から開始し適宜調整

食事療法

適応なし（倦怠感が強く食欲低下が遷延し，食事開始できず）

運動療法

適応なし

解 説 処方例──まずはこうする！

DKA，euDKAでは，直ちに初期治療として十分な輸液，インスリン投与，電解質補正を開始する。体重変化から脱水の程度を推定し，生理食塩水の投与を開始するとともにインスリンを少量持続静注する[1]。euDKAでは，SGLT2阻害薬による尿糖排泄増加を介した血糖降下の結果としてインスリン分泌が相対的に低下し，インスリン/グルカゴン比が低下することで脂肪分解が亢進し，遊離脂肪酸が肝臓で代謝されケトン体が産生される。そこに糖質制限等でブドウ糖の供給が減少すればさらに脂肪分解が亢進し，血中ケトンが上昇する。SGLT2阻害薬の血中半減期は5～16時間であり，体内の薬理効果が消失するためには1～3日は休薬が必要となる。ケトン体産生を抑制するには，初期治療に加え十分量の糖質補充が重要となる。ケトン体産生を抑制するのに必要な糖質量は50～130g/日との報告もあり[2]，**SGLT2阻害薬により尿糖排出量が約60～100g/日増加するので，単純計算でも110～230g/日相当の糖質補充が必要**となる。本症例では，7.5g/時（180g/日）の糖質を補充しながら速効型インスリンを1単位/時から開始し，適宜調整した。**DKAでは著しいインスリン不足が主な原因となるのに対し，euDKAでは利用可能なブドウ糖の絶対的な不足やSGLT2阻害薬投与が主な原因となる**ので，SGLT2阻害薬の中止および通常のDKAよりも多くの糖質補充が必要となる。Kは，治療による細胞内移動やケトン体大量排泄時にK塩として排泄され低下傾向となるため，適宜補充を行う。

コントロール不良──次の一手はこれだ！

経口薬

適応なし

食事療法

1,520kcal/日(27.3kcal/kg/日), 減塩(塩分6g/日)

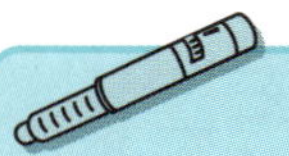

注射薬

ヒューマリン®Rを中止し，下記に切り替え
インスリン グラルギンBS注ミリオペン®「リリー」とインスリン リスプロBS注ソロスター®「サノフィ」によるインスリン頻回注射療法

運動療法

変更なし

解説 コントロール不良──次の一手はこれだ!

糖質を補充しながらインスリンを持続投与することで代謝性アシドーシスが改善すると，嘔気・嘔吐も改善し，食欲も改善することが多い。食事開始に伴う食後血糖値上昇については，超速効型インスリンを開始し調整する。本症例でも食事開始後はインスリン グラルギンおよびインスリン リスプロを用いたインスリン頻回注射療法に切り替えた。インスリン分泌が保持されていればインスリンから離脱し，経口血糖降下薬への移行も可能である。**SGLT2阻害薬内服下では，食事の炭水化物比を40%未満に制限するとケトーシスのリスクが上昇する**ことが報告されており[3)]，SGLT2阻害薬を処方する際は，極度の低炭水化物食を避けること，シックデイなど食事摂取不良のときは休薬するようあらかじめ説明しておくのが望ましい。なお，DKAの診断には動脈血液ガス分析の結果が用いられるが，静脈血液ガス分析を用いてもpHやHCO_3^-濃度に関しては差がほとんどないとされており，DKAのスクリーニング検査として用いる場合は静脈血液ガス分析で十分有用である。

Keyword
- 肥満
- 生活習慣の乱れ
- 通院アドヒアランス

高校生・大学生

蛭間重典

parameter

20歳男性　大学生

項目	評価	内容
肥満	★★☆☆☆	あり(BMI 28.7)
家族歴	★★★☆☆	父:2型糖尿病
HbA1c	★★★☆☆	7.5%
食前血糖	★★★☆☆	144mg/dL
食後血糖	★★★☆☆	216mg/dL
罹病期間	★☆☆☆☆	約0.5年
腎障害	★★☆☆☆	eGFR 76mL/分/1.73m^2
合併症	★☆☆☆☆	なし
併用薬	★☆☆☆☆	なし

現処方 食事療法のみ

身長175cm，体重88kg。進学に伴う一人暮らしの開始をきっかけに19歳時より食生活が不規則となり，1年間で10kgの体重増加があった。1年前に学校の健康診断で尿糖陽性を指摘されたため当院を受診し，精査の結果，2型糖尿病と診断した。教育入院も勧めたが本人は希望せず，外来診療で食事療法から治療を開始した。栄養指導に従い食事療法も維持できていたためHbA1c 6.6~6.8%程度で安定して推移していたが，その後，就職活動などで忙しくなると通院間隔が不定期となり，HbA1cも7.5%まで上昇していた。

病態をどうとらえるか――parameterを読み解く

2型糖尿病の世界的な蔓延が進むにつれ，発症年齢はしだいに低下している。肥満と運動不足によりインスリン抵抗性が増悪し，代償性高インスリン血症が一定期間持続すると，膵β細胞傷害もまねき高血糖状態が顕現する。

問題点の整理

単身者で食事療法の遵守が難しく，自覚症状がなく病識も乏しいことから定期通院がおろそかとなり，血糖コントロールの悪化につながったと考えられる。

治療には，生活習慣への介入と定期的な通院の継続が最も重要である。本症例では教育入院も行われていないため，外来診療の限られた時間で効率的に疾病教育を行っていくことが必要である。高校生，大学生の患者では慢性疾患に対する受容に時間を要することもあるが，一方で理解力は良好であるため，いったん手間を惜しまずに治療の重要性を説明すると，治療動機が強くなりアドヒアランスの改善につながる場合も多い。

合併症予防のためには生涯にわたる適切な自己管理が必要であることを理解させ，食事の見直し，ウォーキングなどの運動やこまめに体を動かす習慣づけを行っていくことが肝要である。

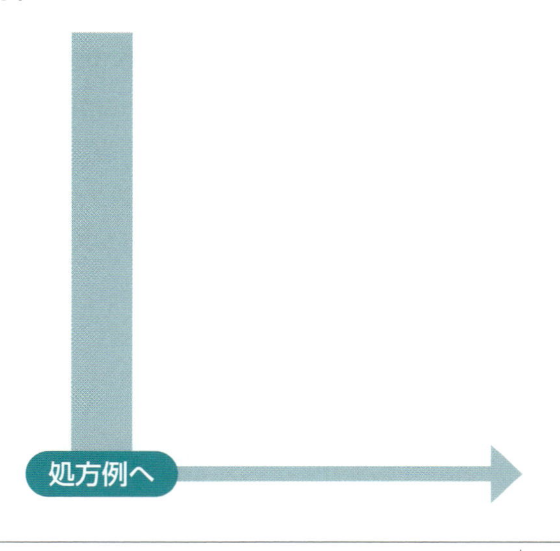

処方例――まずはこうする！

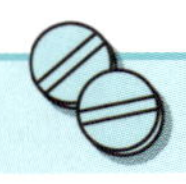

経口薬

メトグルコ®500mg/日 分1 朝食後

インスリン

適応なし

食事療法

肥満はあるが，若年男性であり身体活動量が高いことを考慮し，2,000～2,400kcal/日（30～35kcal/kg/日）程度の食事療法を指導

運動療法

1回30分程度の有酸素運動（歩行，ジョギング，水泳など）を，食後1日2回行う

解説 処方例――まずはこうする！

生活習慣改善によっていったんはコントロール良好となったものの，生活改善が維持できておらず，治療へのモチベーションも低下しやすい。治療の基本は食事療法と運動療法であるが，**食事・運動療法を実践してもコントロール不良でHbA1c 7.0%以上が続く場合には，薬物治療の開始を検討**する必要がある。インスリン抵抗性を有する肥満2型糖尿病患者であり，SGLT2阻害薬やGLP-1受容体作動薬も考慮可能ではあるが，自己負担費の増加は受診モチベーションの低下につながりかねないため，まずは安価であり，かつ体重増加や低血糖をきたしにくいメトグルコ®での治療開始が妥当と考える。添付文書ではメトグルコ®は分服投与とされているが，低用量（500mg/日）であれば朝1回にまとめて投与しても朝夕2回の分服投与と同等の効果を認めた報告があるため[1)]，**消化器症状などの副作用リスクが高くない若年患者には500mgを朝にまとめて処方するほうがアドヒアランスの観点からは望ましい**と考える。

コントロール不良──次の一手はこれだ！

経口薬

メトグルコ®1,000mg/日 分2 朝夕食後への増量　または
リベルサス®3mg/日 分1 起床時の追加　または
ジャディアンス®10mg/日 分1 朝食後の追加

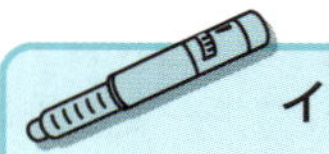

インスリン

変更なし

食事・運動療法

変更なし

解 説 コントロール不良──次の一手はこれだ！

若年発症の2型糖尿病は，中高年で発症した2型糖尿病や1型糖尿病に比し，働き盛りでライフイベントの多い早期成人期に合併症を発症するリスクが高いため，厳格な血糖コントロールが必要となる[2)]。

メトグルコ®を増量しても血糖コントロールがつかない肥満症例に対しては，食事・運動療法の指導を繰り返し行うとともに，経口GLP-1受容体作動薬であるリベルサス®か，ジャディアンス®をはじめとしたSGLT2阻害薬を開始する。米国糖尿病学会（American Diabetes Association）の提示したガイドラインでは，肥満のある糖尿病患者に対してはGLP-1受容体作動薬の次にSGLT2阻害薬が推奨されている[3)]。両者とも体重減少が期待できる薬であるが，GLP-1受容体作動薬はその効果に個人差があることが知られており，数カ月試してみても明らかな効果が現れない場合にはだらだらと漫然投与することは避け，その患者をノンレスポンダー（GLP-1受容体作動薬が効きにくい体質）と割り切って別系統の血糖降下薬へ切り替えるべきである。また，2023年11月現在，わが国で唯一上市されている経口GLP-1受容体作動薬の**リベルサス®は「食事と十分な時間間隔を空けて少量の水で服用する」といった服用方法でなければ薬効を発揮できないため，決められた用法を遵守できる患者かどうか，性格を吟味して薬剤選択を行う必要がある**。

ketosis prone diabetes (ソフトドリンクケトーシス)

内野 泰

Keyword
- DKA
- 1型糖尿病
- 体重減少

parameter

42歳男性 プログラマー

肥満	★★☆☆☆	あり(BMI 28.7)
家族歴	★★★★★	母，妹：2型糖尿病
HbA1c	★★★★★	11%
食前血糖	★★★★★	268mg/dL
食後血糖	★★★★★	422mg/dL(食後2時間値)
罹病期間	★☆☆☆☆	初回指摘
腎障害	★☆☆☆☆	なし
合併症	★★☆☆☆	網膜症なし，高血圧症，脂質異常症
併用薬	★★☆☆☆	降圧薬

現処方 なし

身長175cm，体重88kg。職業はコンピュータプログラマー。3年前に転職し，就業中の身体活動がなくなった。以前は営業で1日2万歩以上歩いていた。2～3年間で体重が15kgほど増加し，健診で高TG血症を指摘されていた。今回は夏場にスポーツドリンクを毎日1～2L飲んでいたが，急激に体重減少(3カ月で7kg)したことにより心配になり，家人とともに来院。

病態をどうとらえるか──parameterを読み解く

血液ガス所見から，糖尿病ケトアシドーシス（diabetic ketoacidosis：DKA）と診断された。しかし膵島関連自己抗体（抗GAD抗体，抗IA-2抗体，抗ZnT8抗体）はすべて陰性であった。また，血中Cペプチドも空腹時0.66ng/mL，食後1.42ng/mLと完全に枯渇はしていなかった。DKA，体重減少，新規糖尿病と考えれば，まずは1型糖尿病を想定する。アジア人に特有なソフトドリンクケトーシスを特徴とする糖尿病の可能性が高い。

問題点の整理

1型糖尿病，DKAに準じた治療が開始される。しかし，膵島関連自己抗体はすべて陰性。内因性インスリン分泌能も完全には枯渇していない。1型糖尿病のハネムーン期か，別の病態が推定される。ketosis prone diabetes（KPD。ケトーシスになりやすい糖尿病）という病態を知っていれば鑑別診断は容易である。

処方例――まずはこうする！

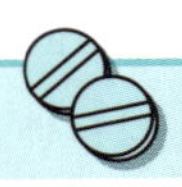

経口薬

急性期に推奨される経口糖尿病薬はない。エビデンスは乏しいが，少量のインスリンで管理できるならメトホルミンは候補となる。急性期のSGLT2阻害薬の投与は，インスリン欠乏時には瞬く間に糖尿病ケトアシドーシスを引き起こすため，推奨されない

食事療法

標準体重当たり25kcal/kg/日が原則。脂質異常症を認めるため，炭水化物60%，脂質20〜25%，蛋白質15〜20%で行う。食物繊維を1日25g以上摂取するようにする。またスポーツ飲料や人工甘味料入り飲料，果物ジュースも禁止とする

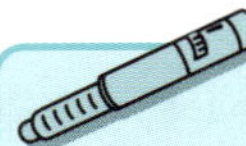

インスリン

BOT(basal supported oral therapy)よりも最初は強化インスリン療法が望ましい

運動療法

急性期は運動療法の適応なし。血糖値管理，代謝状態が安定したら，通常の週に150分以上，中等度以上の運動を行う

解説 処方例――まずはこうする！

ketosis prone diabetesという疾患概念が近年できてきた[1)]。今までわが国では清涼飲料ケトーシス，ペットボトルケトーシスが近い概念としてあった。世界的に見た場合，サハラ以南の有色人種や東洋人に報告が多い。強化インスリン療法が導入されるが，一定の患者ではインスリンから離脱できる症例が存在する。**一時的なインスリン分泌不全が病態の中心**である。フルクトース(果糖)含有の液体，果物ジュースなどの大量摂取がリスクである。フルクトース200g/Lを含む加糖飲料(例：赤ラベルに白文字ロゴのコカ・コーラ)の1.5L/日以上の摂取を2週間継続することで，上記の病態となる[2)]。

コントロール不良──次の一手はこれだ！

経口薬

急性期に推奨できる経口薬はなく，インスリンが必然である。治療安定期となれば膵β細胞保護効果が*in vivo*で証明されている，メトホルミン，チアゾリジン誘導体，DPP-4阻害薬なども候補となる。SGLT2阻害薬にはケトン合成上昇作用があるため，急性期には使用できない

食事療法

前記指導に加え，下記を指導する。食物繊維（野菜，根菜類）を最初に食べる。間食は午前中は避ける（午前中に間食する肥満者は減量困難）。コップ1杯の水を飲んでから食事を開始する。空腹時の飲酒は避ける（その後の摂食量が増大する）。加糖飲料は厳禁

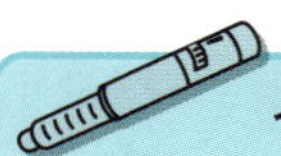

インスリン

強化インスリン療法が導入されるが，一定の患者ではインスリンから離脱できる

運動療法

運動ほどの強度のない身体活動も実はインスリン抵抗性を格段に改善させる。エレベーターを使わず，3階までなら1日10往復すると，10分で約60kcalの運動量が得られる

解説 コントロール不良──次の一手はこれだ！

膵β細胞保護効果が*in vivo*で証明されているチアゾリジン誘導体，DPP-4阻害薬などが候補となる。SGLT2阻害薬にはケトン合成上昇作用があるため，急性期には使用できない。ketosis prone diabetesの病態生理や病因はいまだにはっきりしていない。臨床的には発症形態は1型糖尿病だが，経過は2型糖尿病である。ケトン体が高値になることより，ケトン合成に特徴があるのか，それともケトンクリアランスに障害があるのか結論には至っていないが，ケトンクリアランス低下によって血中ケトン体が高値となるという報告が多い[3)]。また，鑑別として単一遺伝子疾患の糖尿病maturity-onset diabetes of the young（MODY）があり，特にHNF1Aの機能不全である**MODY3に注意する必要がある**[4)]。

5章-1

1) 日本糖尿病学会：緩徐進行1型糖尿病(SPIDDM)の診断基準(2023).
[http://www.jds.or.jp/modules/study/index.php?content_id=50]
2) Maruyama T, et al:Insulin intervention in slowly progressive insulin-dependent (type 1) diabetes mellitus. J Clin Endocrinol Metab. 2008;93(6):2115-21.
3) Heerspink HJL, et al:Dapagliflozin in Patients with Chronic Kidney Disease. N Engl J Med. 2020;383(15):1436-46.
4) Battelino T, et al:InRange: Comparison of the Second-Generation Basal Insulin Analogues Glargine 300 U/mL and Degludec 100 U/mL in Persons with Type 1 Diabetes Using Continuous Glucose Monitoring-Study Design. Diabetes Ther. 2020;11(4):1017-27.
5) Buse JB, et al:Fast-acting insulin aspart versus insulin aspart in the setting of insulin degludec-treated type 1 diabetes: Efficacy and safety from a randomized double-blind trial. Diabetes Obes Metab. 2018;20(12):2885-93.

5章-2

1) Pearson ER, et al:Genetic cause of hyperglycaemia and response to treatment in diabetes. Lancet. 2003;362(9392):1275-81.
2) Tuomi T, et al:Improved prandial glucose control with lower risk of hypoglycemia with nateglinide than with glibenclamide in patients with maturity-onset diabetes of the young type 3. Diabetes Care. 2006;29(2):189-94.
3) Østoft SH, et al:Incretin effect and glucagon responses to oral and intravenous glucose inpatients with maturity-onset diabetes of the young-type2 and type3. Diabetes. 2014;63(8):2838-44.
4) Katra B, et al: Dipeptidyl peptidase-IV inhibitors are efficient adjunct therapy in HNF1A maturity-onset diabetes of the young patients—report of two cases. Diabetes Technol Ther. 2010;12(4):313-16.

5) Doria A, et al:Phenotypic characteristics of early-onset autosomal-dominant type 2 diabetes unlinked to known maturity-onset diabetes of the young (MODY) genes. Diabetes Care. 1999;22(2):253-61.

6) 日本糖尿病学会，編著：糖尿病専門医研修ガイドブック．改訂第7版．診断と治療社，2017，p134.

5章-3

1) 伊藤貞嘉，他監修：II 各論 2 対象特性．日本人の食事摂取基準 2020年版．第一出版，2020，p378-9.

2) Mathiesen ER, et al:Insulin degludec versus insulin detemir, both in combination with insulin aspart, in the treatment of pregnant women with type 1 diabetes (EXPECT): an open-label, multinational, randomised, controlled, non-inferiority trial. Lancet Diabetes Endocrinol. 2023;11(2):86-95.

3) Freinkel N:Banting Lecture 1980. Of pregnancy and progeny. Diabetes. 1980;29(12):1023-35.

5章-4

1) 日本糖尿病学会，編著：糖尿病治療ガイド2022-2023．文光堂，2022，p81.

2) Oh R, et al:Low Carbohydrate Diet. StatPearls Publishing, 2023.

3) Yabe D, et al:Sodium-glucose co-transporter-2 inhibitor use and dietary carbohydrate intake in Japanese individuals with type 2 diabetes: A randomized, open-label, 3-arm parallel comparative, exploratory study. Diabetes Obes Metab. 2017;19(5):739-43.

5章-5

1) Ohira M, et al:No Deterioration of Blood Glucose and Arterial Stiffness by Switching Metformin to 500 mg Once Daily. Int J Endocrinol Metab Disord 1(3), 2015.

2) Svensson M, et al:Signs of nephropathy may occur early in young adults with diabetes despite modern diabetes management: results from the nationwide population-based Diabetes Incidence Study in Sweden (DISS). Diabetes Care. 2003;26(10):2903-9.

3) ElSayed NA, et al:9. Pharmacologic Approaches to Glycemic Treatment: Standards of Care in Diabetes-2023. Diabetes Care. 2023;46(Suppl 1):S140-57.

5章-6

1) Lebovitz HE, et al:Ketosis-Prone Diabetes (Flatbush Diabetes): an Emerging Worldwide Clinically Important Entity. Curr Diab Rep. 2018;18(11):120.

2) Perez-Pozo SE, et al:Excessive fructose intake induces the features of metabolic syndrome in healthy adult men:role of uric acid in the hypertensive response. Int J Obes (Lond). 2010;34(3):454-61.

3) Mulukutla SN, et al:Autoantibodies to the IA-2 Extracellular Domain Refine the Definition of "A+" Subtypes of Ketosis-Prone Diabetes. Diabetes Care. 2018;41(12):2637-40.

4) Tang J, et al:Genetic diagnosis and treatment of a Chinese ketosis-prone MODY 3 family with depression. Diabetol Metab Syndr. 2017;9:5.

6章
その他のケース

経済的に苦しい…

蛭間真梨乃

Keyword
- 経済的に厳しい
- 服薬アドヒアランス不良
- インスタント食品摂取が多い

parameter

42歳男性　コンビニ店員

肥満	★★★☆☆	あり（BMI 32.9）
家族歴	★☆☆☆☆	なし
HbA1c	★★★★☆	8.2%
食前血糖	★★☆☆☆	128mg/dL
食後血糖	★★☆☆☆	182mg/dL
罹病期間	★★☆☆☆	約3年
腎障害	★☆☆☆☆	なし
合併症	★★☆☆☆	脂質異常症
併用薬	★☆☆☆☆	なし

現処方　メトグルコ®500mg/日，トラゼンタ®5mg/日

身長169cm，体重94kg，独身。3年前，虫垂炎に伴う腹痛で救急搬送された際に高血糖を指摘され，生活習慣改善の指導を受けた。2年前に健康診断で病院を受診した際に糖尿病の診断となり，メトグルコ®500mg/日を開始された。定期的に病院を受診するものの，HbA1cは7～8%台で推移し薬剤調節を行っていた。仕事は夜勤が多いため，普段仕事以外で外出することはほとんどなく，家でテレビを見て過ごしている。食事はインスタント食品やコンビニ弁当ですませ，スナック菓子などの嗜好品を好んで食べている。経済的に苦しく，薬局に薬剤を受け取りに行けていないこともある。

病態をどうとらえるか──parameterを読み解く

夜勤で生活が不規則になりがちであり，食事に気をつけたり定期的に身体を動かしたりする機会がない。これらの生活状況から相対的に総カロリー・脂質摂取過剰となり，血糖値やコレステロール値の悪化を生じている。食前・食後血糖値の割にHbA1c 8%台と高値であり，外来受診の数日前に限って食事や規則的な内服に気をつけている可能性がある。また，経済的背景や不規則な生活から内服遵守できていない。

問題点の整理

本症例の問題は，①生活が不規則であること，②食事療法や運動療法が不十分なこと，③服薬遵守ができていないこと，などが挙げられる。いずれも経済的な理由が根底にあるが，血糖コントロール不良が続くと様々な合併症を併発し，結果的にコストが増大してしまうことが予想される。したがって，患者教育を行い，患者自身に問題点を十分理解してもらう必要がある。

肥満者でありインスリン抵抗性が高いと考えられることから，インスリン抵抗性改善薬が第一選択となる。

経済的に苦しく内服遵守が困難であるなら，そのことを考慮した上で糖尿病治療薬の選択を行う必要がある。

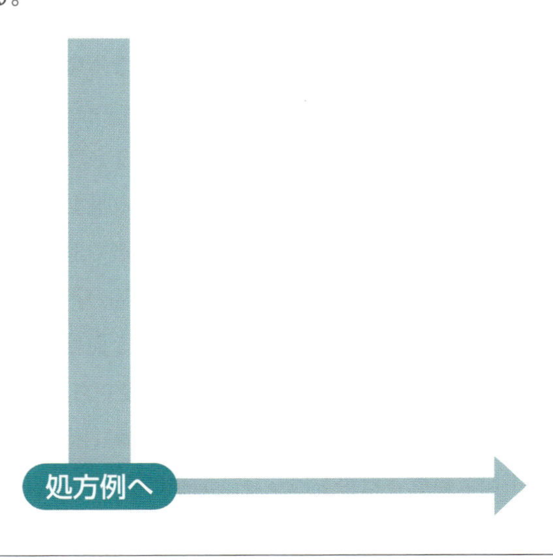

処方例 ―― まずはこうする！

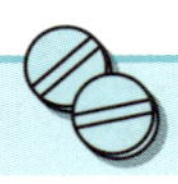

経口薬

エクメット®配合錠LDに切り替えた後，エクメット®配合錠HDへ変更　または
エクメット®配合錠LDに切り替えた後，ピオグリタゾン後発品15mg／日の追加

インスリン

適応なし

食事療法

食事は丼ものや麺類など炭水化物が多いものを避け，病院食のようなイメージで主食，主菜，副菜のバランスがとれるよう心がける。間食の量・回数を減らす

運動療法

日常生活の中で運動を取り入れるよう心がける。たとえば通勤時に歩く距離や自転車移動の時間を増やし，軽く息が上がる程度に負荷をかけていく。
歩行運動では1回15～30分，1日2回，1万歩／日程度が適当とされている[1)]

解 説　処方例――まずはこうする！

内服遵守と食事・運動療法で血糖値改善の余地がある。

夜勤者は，日によって生活パターンがまったく異なることがあり，極力1日の服薬回数が少ないほうが内服を続けやすい。また，本症例では内服遵守が困難な理由のひとつに，経済的事情も絡んでいる。後発医薬品（ジェネリック，後発品）を使用したり，配合錠に切り替えたりすることでコストを抑えることができる。

経口血糖降下薬の中でメトホルミンは非常に安価で，現在は先発品と後発品がほぼ同等の値段である（メトホルミン1,000mg／日の保険適用前の薬価は約600円／月で，3割負担は200円弱／月，2023年8月現在）。また**メトホルミンとDPP-4阻害薬には配合錠があり，2種類単剤を内服するよりも配合錠のほうが安価**なため切り替えを行う。その上で，服薬量の増量や追加薬を考慮する。ピオグリタゾンも比較的安価な上，肥満者ほど血糖降下作用が得られやすく[2)]，費用対効果比は高い。

また，食事療法，運動療法は良好な血糖コントロールの手助けとなり，合併症の発症を遅らせ，経済的にも有意義であることを患者に伝える。

血糖コントロールが安定したら可能な限り通院回数を減らし，検査や通院費用による患者負担を減らし，治療に前向きな姿勢で取り組めるよう工夫する。

コントロール不良——次の一手はこれだ！

経口薬

エクメット®配合錠HDにメトグルコ®500mg／日の追加　または
エクメット®配合錠LD＋ピオグリタゾン後発品15mg／日をエクメット®配合錠HD＋ピオグリタゾン後発品15mg／日に変更

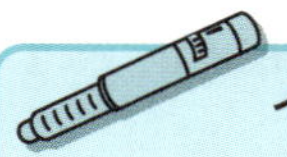

インスリン

変更なし

食事療法

栄養管理と食費軽減の面から自炊を心がける。食事量の見直しを行い，よくかんで食事を摂る

運動療法

休みの日や起床時，帰宅後の時間を使って運動を行う。自宅で1分間の腕立て伏せや腹筋などの高強度筋力トレーニングを，1分の休憩を挟んで合計10分(休憩込みで20分)行う。上記を週3回行うことで，運動後24時間の血糖改善，特に食後血糖値の急激な上昇の抑制が期待できる[3]

解説 コントロール不良——次の一手はこれだ！

2018年の米国糖尿病学会（ADA）と欧州糖尿病学会（EASD）の共同声明[4]では，経済面を考慮した治療を行う場合の薬物選択が明記され，**メトホルミン使用後の第二選択として，チアゾリジンやグリメピリドが有用**であると述べられている（グリメピリド1mgの先発品は360円／月程度，後発品は300円／月程度）。2023年のADAのガイドラインの治療薬選択[5]においては，経済面を考慮した際の治療薬選択について特別な枠組みでの記載がなくなったものの，引き続きコスト面について考慮することが綴られている。

本症例は肥満でインスリン抵抗性が強い症例であり，経済的な側面からも，まずは既に内服している薬の増量を考慮する。DPP-4阻害薬やSGLT2阻害薬，GLP-1受容体作動薬は比較的高価であるが，肥満で食事摂取量が多く食後高血糖となりがちな症例においては良い適応である。血糖管理不良であれば，これらの追加を検討する。

また，生涯の糖尿病治療で最もコストを要するのは合併症の治療であるため，内服でコントロール不十分であれば，早めにインスリンを用いて厳格に血糖管理を行い，合併症予防に努めるべきである。

インスリンは絶対イヤと言い張る

望月皓平

Keyword
- スルホニル尿素(SU)薬内服
- BOT・BPT
- patient-centered approach

parameter

68歳男性　無職

肥満	★★☆☆☆	なし(BMI 20.2)
家族歴	★★★☆☆	父：糖尿病
HbA1c	★★★★☆	8.5%
食前血糖	★★★★☆	165mg/dL
食後血糖	★★★☆☆	240mg/dL
罹病期間	★★★★★	18年
腎障害	★★☆☆☆	腎症2期(eGFR 65mL/分/1.73m^2，尿アルブミン120mg/gCr)
合併症	★★★★☆	網膜症なし，神経障害(末梢神経障害，自律神経障害)あり，大血管障害なし，脂質異常症，高血圧症
併用薬	★★★☆☆	リピトール®10mg/日 分1 朝食後，オルメテック®10mg/日 分1 朝食後

現処方　アマリール®2mg/日 分1 朝食後，エクメット®配合錠HD 2錠/日 分2 朝夕食後，スーグラ®100mg/日 分1 朝食後，ベイスン®0.9mg/日 分3 朝昼夕食直前

カルテより

身長168cm，57kg。40歳時に高血圧症と脂質異常症を健康診断で指摘され通院開始となり，50歳時に糖尿病の診断となった。診断時には最大70kgの体重を認めていたが，ここ数年で徐々に体重が減少している。58歳頃より内服薬加療が開始となり，しだいに経口血糖降下薬の種類が増加している。内服状況は特に問題ない。週2回のテニスや毎月ゴルフのラウンドに行くなどの運動習慣があり，間食の習慣も認めないが，血糖コントロールが増悪している。これまでもインスリン導入を勧めてきたが，食生活や運動を頑張るとのことでインスリン導入を拒否している。HbA1cは8%前後で推移しており，空腹時血糖165mg/dL，血清Cペプチド0.9ng/mLであった。

病態をどうとらえるか──parameterを読み解く

経口血糖降下薬を多剤服用し，運動習慣や食生活に大きな問題を認めないにもかかわらず，血糖コントロールの増悪を認めている。体重減少や内因性インスリン分泌能の低下を認めており，インスリン導入が必要だが，患者が拒否している。

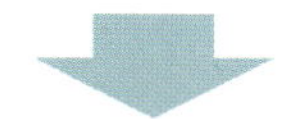

問題点の整理

2型糖尿病においてインスリン治療開始の目安は，空腹時血清Cペプチド1.0ng/mL以下とされている。Cペプチドインデックス（C peptide index：CPI）も有用であり，「空腹時に同時測定した血中Cペプチド（ng/mL）/血糖（mg/dL）×100」で算出される[1)]。本症例では，CPI 0.55と低値であり，インスリン治療の適応となる。血清Cペプチドは腎機能低下例やスルホニル尿素（SU）薬使用例では高値となることもあるため注意する。インスリン導入を拒否する症例では，インスリン治療を最終手段と考え，注射薬が怖い，開始すると先が短い，やめられなくなるといった誤った考えを持っている場合も多い。まずは，患者がインスリンを拒否している理由を確認した上で，インスリン分泌能低下のためにインスリン治療が必要な状態である客観的データを示し，実際に注射の針や器具などを用いて説明し相談することが重要である。しかし，**インスリン導入を勧めても同意を得るには時間がかかることも多く，インスリン導入期に先駆けて事前に説明しておくことも重要**である。

処方例へ

処方例 ―まずはこうする！

経口薬

エクメット®配合錠HD，スーグラ®，ベイスン®は継続
アマリール®を1mg／日 分1 朝食後に減量。インスリン増量に併せて漸減・中止

食事療法

1,760kcal／日(28.3kcal／kg／日)，減塩(塩分6g／日)

インスリン

インスリン グラルギンBS「リリー」4単位 眠前から開始。空腹時血糖130mg／dLを目標に2単位ずつ増減

運動療法

現在の運動療法を継続する

解説 処方例―まずはこうする！

インスリンには絶対的適応と相対的適応があり，著明な高血糖で経口血糖降下薬やGLP-1受容体作動薬によっても目標の血糖コントロールが得られない場合や，やせ型で栄養状態が低下している場合，ステロイド治療時などはインスリンの相対的適応となる[2)]。本症例では，複数の経口血糖降下薬を用いても血糖コントロールが得られず，体重も徐々に減少しており，インスリンの相対的適応と考えられる。そのため，持効型インスリンであるインスリン グラルギンBS「リリー」を眠前4単位から導入し，空腹時血糖130mg/dLを目標に2単位ずつ増減する。その際にSU薬であるアマリール®は低血糖回避の面から減量を行い，経過に応じて漸減中止する。インスリンを拒否する理由として，社会的/対人的影響（糖尿病だと知られたくない，人前での注射は恥ずかしい）や，時間的制約を挙げる症例は多い[3)]。持効型インスリン製剤の1日1回注射と経口血糖降下薬の併用をBOT（basal supported oral therapy）と呼ぶ。**BOTは1日1回の自宅での注射で完結するため，インスリンの初回導入では最も受け入れられやすく，安全性も高い治療である。**

コントロール不良──次の一手はこれだ！

経口薬

GLP-1受容体作動薬導入の場合は，エクメット®配合錠HDをメトホルミン1,000mg/日 分2朝夕食後へ変更

食事・運動療法

変更なし

インスリン・注射薬

トルリシティ®皮下注0.75mgアテオス® 週1回の追加，もしくはインスリン グラルギンBS「リリー」からゾルトファイ®配合注フレックスタッチ®(継続中のインスリン グラルギンBS「リリー」と同量)への変更　または インスリン グラルギンBS「リリー」からライゾデグ®配合注フレックスタッチ®朝食前投与(継続中のインスリン グラルギンBS「リリー」を1.4倍した量)への変更

解 説 コントロール不良──次の一手はこれだ！

持効型インスリンを開始し空腹時血糖値の是正後もHbA1c高値が持続する場合は，食後高血糖の存在を考慮する。血糖測定時に食後2時間値を測定したり，受診時にも食後2時間後で採血してもらうことで確認できる。食後血糖が高値である場合には，GLP-1受容体作動薬の導入も有用である。注射回数の少ない週1回製剤のトルリシティ®皮下注0.75mgアテオス®(週1回)の追加やインスリン グラルギンBS「リリー」からゾルトファイ®配合注フレックスタッチ®へ変更することで，注射回数を増やすことなく治療強化ができるため，注射に拒否的な症例にも比較的受け入れられやすい。GLP-1受容体作動薬開始時はDPP-4阻害薬の中止が必要なため，エクメット®配合錠HDからメトホルミンへ変更する。ビッグミール時の食後高血糖が目立つ場合は，超速効型インスリンと持効型インスリンの配合剤であるライゾデグ®配合注フレックスタッチ®への変更も有用である。**変更時はインスリン グラルギンBS「リリー」の単位を1.4倍した単位から開始する**。年齢が高くなると朝の必要インスリン量が多くなることが報告されており[4)]，朝食後の血糖高値が目立つ場合は，朝にライゾデグ®配合注フレックスタッチ®を投与する。

血糖値測定ができない，したくない

渕上彩子

Keyword
- 高齢者
- 認知機能低下
- 服薬アドヒアランス不良

parameter

78歳女性　アルツハイマー型認知症，膵臓全摘出術後，80歳の夫と同居，息子夫婦と二世帯住宅

肥満	★★★★☆	なし（BMI 17.8）
家族歴	★☆☆☆☆	なし
HbA1c	★★★★☆	8.6%
食前血糖	★★★☆☆	140mg/dL
食後血糖	★★★★☆	251mg/dL
罹病期間	★★★★★	18年
腎障害	★★☆☆☆	腎症2期（eGFR 60mL/分/1.73m^2，尿アルブミン33.5mg/gCr）
合併症	★★★☆☆	網膜症あり，神経障害（末梢神経障害，自律神経障害）あり，大血管障害なし
併用薬	★★☆☆☆	ミカルディス®20mg/日 分1 朝食後

現処方　インスリン リスプロBS注ソロスター®「サノフィ」4-2-3単位，ランタス®XR注ソロスター® 4単位/日 分1

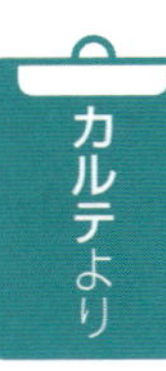

60歳時に膵臓癌を指摘され，膵臓全摘出術を施行してから強化インスリン療法を施行中であった。真面目な性格もあり，熱心に治療に取り組んできたが，数カ月前より血糖手帳の持参忘れがあり，自宅での血糖測定回数が減った。HbA1cはもともと7%台前半であったが8.6%まで悪化した。

神経内科を受診し，アルツハイマー型認知症の指摘があり，MMSEは17点であった。身長150cm，体重40kg，BMI 17.8とやせ型である。内因性インスリン分泌は枯渇。腹部エコーでは，膵臓全摘出後でその他の所見は指摘できない。

病態をどうとらえるか──parameterを読み解く

膵臓全摘出後であり，インスリン療法が必須の患者である。しかし，アルツハイマー型認知症を発症後，血糖測定が億劫となり取り組んでいないようである。インスリン注射は自身で行っているとのことだが，打ち忘れの可能性も否定できない。インスリン治療以外の代替療法は，インスリン分泌が枯渇しているため不可能である。

問題点の整理

1型糖尿病・膵性糖尿病患者の高齢化は年々進んでおり，認知機能低下に伴う血糖コントロールの悪化は問題のひとつとなっている。インスリン分泌が枯渇しているため強化インスリン療法は必須であり，本人のみでの管理が難しい場合は家族や他者のサポートが必須となる。高齢者のカテゴリー分類を検討しHbA1c値を設定する必要があり，低血糖回避に重点を置きインスリン単位数の設定を行う。本症例の場合は，インスリン注射の手技は自身で行うことが可能であるが，食事の直前投与を忘れ，高血糖が散見されることが多くなった。

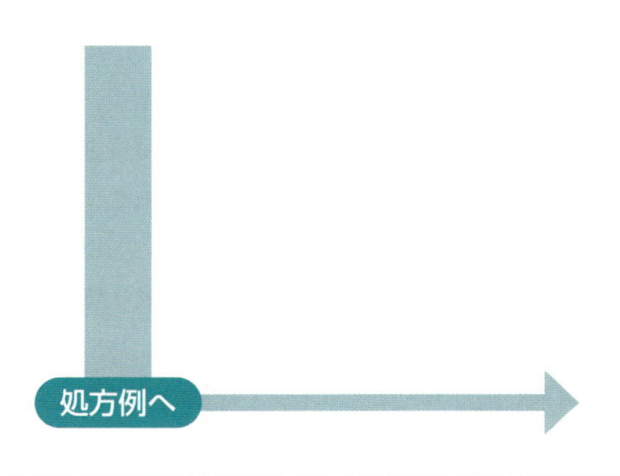

処方例──まずはこうする！

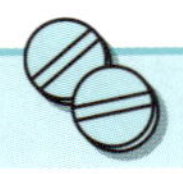

経口薬

適応なし

食事療法

1,480kcal/日(30.0kcal/kg/日)

インスリン

インスリン リスプロBS注ソロスター®「サノフィ」，ランタス®XR注ソロスター®を中止して，下記に切り替え
ノボラピッド®注フレックスタッチ®4-2-3単位，トレシーバ®注フレックスタッチ®3単位/日 分1

運動療法

自宅で可能なストレッチや筋肉トレーニングを行う。また，可能であればデイサービス等のサービスを利用して，定期的にリハビリテーションを行えることが望ましい

解 説 処方例──まずはこうする！

高齢者カテゴリー分類を考慮すると，本症例はカテゴリーⅡと考えられ，目標HbA1c値は下限値で7.0％である。低血糖回避のための治療法を模索する必要があるが，インスリン治療は必須の病態である。すべてのインスリン注射を家族が代行できることが最も望ましいが，現実的には家族が仕事で日中留守の場合もあり難しい。よって，家族が必ず管理して持効型インスリンの投与を行い，超速効型インスリンは本人と同居の夫が協同で管理を行うことにした。やせ型で単位数も少ないため，持効型インスリンはより効果が安定している注射を選択し，超速効型インスリンは単位をすべて同一にする等，本人が投与しやすい工夫を行う。高齢になると注射を押しきることも難しくなるため，フレックスタッチ®を使用して継続しやすい注射を選択する。**血糖測定に関しては，FreeStyleリブレを使用し，可能な限り簡便に血糖測定ができるように切り替える**。6時間ごとのスキャンが必須となるため基本は家族に代行してもらうが，可能な限り本人にスキャンを行ってもらい，インスリン注射を継続する。

コントロール不良──次の一手はこれだ！

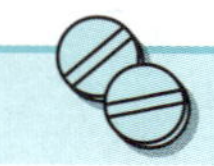

経口薬

変更なし

食事療法

変更なし

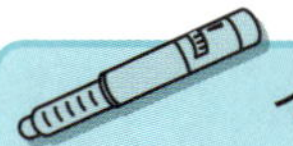

インスリン

必要に応じ，Dexcom G6 CGMシステムやガーディアン™コネクトを検討

運動療法

変更なし

解説 コントロール不良──次の一手はこれだ！

治療変更後，家族の助けもあり，順調に治療を継続している。HbA1c値も8％前後で推移するようになった。今後最も問題となるのは，低血糖の回避と考えられる。高齢者は無自覚低血糖や重症低血糖を起こしやすく，低血糖に対する脆弱性を有する。さらに，高齢者の低血糖は転倒や骨折のリスクにつながる。頻回の低血糖は患者の認知機能の低下，心血管疾患の発症，死亡の原因となる[1)2)]。

FreeStyleリブレの使用により，血糖値は40～500mg/dLまで測定が可能となり，数値が明確化する。低血糖の場合は〔必要に応じて血糖自己測定（self-monitoring of blood glucose：SMBG）にて確認を行い〕ブドウ糖の内服を行い，インスリンの減量も考慮する。**急激な低血糖が頻回に起きる，無自覚低血糖が頻回に起き突然の意識障害を起こすといった管理不良な場合は，血糖測定デバイスの変更を考慮する**。候補となるのは，低血糖時にアラートが可能なDexcom G6 CGMシステムやガーディアン™コネクトである。これらはFreeStyleリブレと違い，腹部に装着可能である。何より低グルコースアラートも設定可能で，低血糖になる前にアラートし，対応を検討することができる。また，携帯電話の機種によっては家族がモニター可能であり，別の場所にいても患者の血糖値を確認することができる。今後低血糖が頻回に出現する場合は，Dexcom G6 CGMシステムの導入も模索する。

6章 その他のケース—4

糖質制限希望

Keyword
- 糖質制限食
- 減量効果
- SGLT2阻害薬とケトアシドーシス

佐藤源記

parameter

50歳女性　主婦

肥満	★★☆☆☆	あり(BMI 28.1)
家族歴	★★★☆☆	母:糖尿病
HbA1c	★★★☆☆	7.4%
食前血糖	★★★☆☆	135mg/dL
食後血糖	★★☆☆☆	190mg/dL
罹病期間	★★★★☆	約10年
腎障害	★☆☆☆☆	腎症2期(eGFR 70mL/分/1.73m^2, 尿アルブミン130mg/gCr)
合併症	★★★★☆	高血圧症, 脂質異常症, 高尿酸血症
併用薬	★★★☆☆	アジルバ®20mg/日 分1 朝食後, クレストール®2.5mg/日 分1 朝食後, フェブリク®20mg/日 分1 朝食後

現処方 メトグルコ®1,500mg/日 分3 毎食後, ジャディアンス®10mg/日 分1 朝食後

身長160cm, 体重72kg。29歳時に結婚を機に仕事を退職し, その後運動量の低下と間食の影響で徐々に体重は増加した。29歳時は体重66kgであったが, 40歳時には76kgに増加し, 健診を受診したところ空腹時血糖値150mg/dL, HbA1c 8.0%と高値であり, 精査の結果2型糖尿病と診断された(空腹時CPR 2.0ng/mL)。腹囲95cmで上

記疾患の併発も認めメタボリックシンドロームと考えられた。食事・運動による減量に加え，上記内服を開始したが，体重72kg以下には改善せずHbA1c 7%以上であるため，患者から糖質制限について相談された。

病態をどうとらえるか──parameterを読み解く

BMI 28.1と肥満を認めており，メタボリックシンドロームの基準を満たしている2型糖尿病患者である。治療の原則は内臓脂肪量を低下させることであり，食事・運動療法による体重の適正化をめざす。本症例は内因性インスリン分泌が保持されており，薬剤選択としては体重を増加させない・もしくは減量効果が期待できるメトホルミン，SGLT2阻害薬，GLP-1受容体作動薬などが選択肢となる。

問題点の整理

糖質制限食に関しては減量効果が報告されているため，患者希望がある際には検討の余地がある。しかし，日本ではいまだ炭水化物の摂取下限に関するコンセンサスは得られておらず安易な低炭水化物食の指示は避けるべきである。

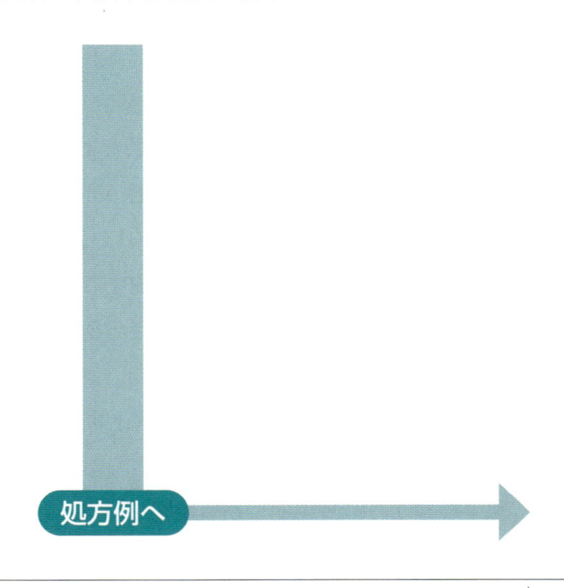

処方例 ―まずはこうする！

経口薬

現処方を継続

インスリン

適応なし

食事療法

総エネルギー量を1,400kcal/日(25kcal/kg/日)とした上で，炭水化物の摂取比率は40%エネルギー程度までの引き下げにとどめる

運動療法

食後を中心に20〜30分程度のウォーキングを指示。関節痛などを伴う場合には負担のかからないプール歩行等を提案する

解説 処方例 ―まずはこうする！

2006年に報告されたメタ解析によると，低炭水化物食は6カ月までに有意な体重減少をもたらすが，開始1年後の効果に関しては，低脂肪食との間に有意差を認めなかったと報告されている[1)]。長期効果を見出せなかった理由として，症例数の少なさや30〜50%の高い脱落率が挙げられている。一方，2008年に報告されたDIRECT研究では，低脂肪食，低炭水化物食，地中海食の体重減量効果について2年にわたり追跡された。この研究では実際の炭水化物摂取比率が40%エネルギー強と従来の研究に比して緩やかで，脱落率も20%を下回った。本研究の結果では，低脂肪食に比べて地中海食と低炭水化物食では減量効果がまさり，インスリン抵抗性が改善したと報告されている[2)]。研究ごとに異なる結果が報告される中，2001〜2010年に発表された炭水化物摂取量と血糖値・心血管疾患発症リスクに関する研究のsystematic reviewでは，炭水化物制限が高血糖やインスリン感受性改善をもたらすとしながらも，交絡因子の多さ，不十分な症例数・観察期間，高い脱落率などエビデンスの質は高くないと指摘している[3)]。また，低炭水化物食では心血管疾患リスクは低減せず，総死亡率は有意に増加したという報告もある[4)]。

以上の点から，短期的に糖質制限を行うことは有益となりうるが，食事療法

コントロール不良──次の一手はこれだ！

経口薬

メトグルコ®，ジャディアンス®を継続。ただし，極端な炭水化物制限の結果ケトーシスが出現する場合には，ジャディアンス®の中止を検討する
中止後血糖上昇をきたす場合には，減量効果を期待してGLP-1受容体作動薬を初期投与量で開始し，経過を見て増量する
リベルサス®3mg/日 分1 起床時

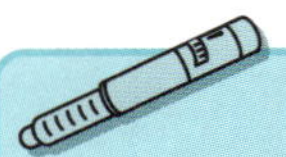

注射薬

オゼンピック®皮下注0.25mg/週，または，マンジャロ®皮下注アテオス®2.5mg/週

運動療法

変更なし

食事療法

変更なし

としての長期的な遵守性・効果・安全性に関しては，エビデンスが不足していると言わざるをえない。身体活動量，併存疾患の状態，年齢，嗜好性などに応じて個別化を図るのがよいと考えるが，日本糖尿病学会による『糖尿病治療ガイド2022-2023』では，**指示エネルギー量の40～60%を炭水化物から摂取する**ことが推奨されており，現状はこれを一定の目安とする。

解説　コントロール不良──次の一手はこれだ！

極端な糖質制限者に対しSGLT2阻害薬を使用すると糖尿病ケトアシドーシスを発症する危険性がある。特に注意すべき病態として，血糖値が正常に近くともケトアシドーシスをきたす「正常血糖糖尿病ケトアシドーシス」があるため，全身倦怠感・悪心嘔吐・体重減少を伴う場合には血中ケトン体を確認するとともにSGLT2阻害薬を中止する[5)]。中でもインスリン分泌能が比較的低下している糖質制限者に対してのSGLT2阻害薬の投与はケトアシドーシスのハイリスクとなりうるため，適応は慎重に判断する。

不妊治療中

Keyword
- 挙児希望
- 肥満
- 多囊胞性卵巣症候群

岩田葉子

parameter

35歳女性	会社員(事務職)	
肥満	★★☆☆☆	あり(BMI 25.2)
家族歴	★★★☆☆	母:糖尿病
HbA1c	★★★☆☆	7.1%
食前血糖	★★☆☆☆	128mg/dL
食後血糖	★★★☆☆	203mg/dL
罹病期間	★★☆☆☆	1年
腎障害	★★☆☆☆	腎症1期(eGFR 82.5mL/分/1.73m^2,尿アルブミン6mg/gCr)
合併症	★★☆☆☆	網膜症なし,神経障害なし,多囊胞性卵巣症候群,脂質異常症なし,高血圧症なし
併用薬	★☆☆☆☆	なし

現処方 なし

身長158cm,体重63kg,血圧120/73mmHg。2年前(33歳時)に結婚。結婚前体重は59kgであり,結婚後に4kg増加した。1年前(34歳時)の健診でHbA1c 6.9%,空腹時血糖値128mg/dLを認め糖尿病を指摘され,近医受診し食事療法と運動療法により減量するよう言われていた。今回,挙児希望でリプロダクションセンターを受診したところ,もともとの月経異常に加え,多囊胞卵巣,血中男性ホルモン高値を認め,多囊胞性卵巣症候群(polycystic ovary syndrome:PCOS)と診断された。HOMA-IR 11.0。

病態をどうとらえるか──parameterを読み解く

肥満，糖尿病の家族歴があり，2型糖尿病に矛盾しない。HOMA-IR 11.0＞2.5であり，インスリン抵抗性を認める。結婚後の体重増加で血糖管理が悪化したと考えられるが，網膜症および腎症の進行は認めておらず，ほかに脂質や血圧異常もみられていない。

問題点の整理

挙児希望で不妊治療を開始した35歳女性。糖尿病の妊娠前の管理としては，HbA1c＜6.5%，網膜症なし，腎症2期（微量アルブミン尿）までが妊娠に適した状態とされている。児の先天異常・形成異常や流産，母体の糖尿病合併症予防のため，計画妊娠が勧められ，妊娠に適した状態となるまでは避妊を指導する[1]。肥満についても妊娠前の体重減少に努め（最低限BMI＜35），妊娠中の体重増加にも注意する。PCOSは生殖年齢女性の5～8%が発症するとされており，排卵障害は不妊症の原因のひとつとなる。肥満のあるPCOSにおいて妊娠を望む場合，食事・運動療法で肥満の改善を図ることは，インスリン抵抗性だけでなく排卵障害の改善にも好影響を及ぼす。それでも排卵の回復がない場合は排卵誘発剤が投与されるが，**国内外のガイドラインでは排卵誘発の際にメトホルミンの併用投与が推奨されている**。

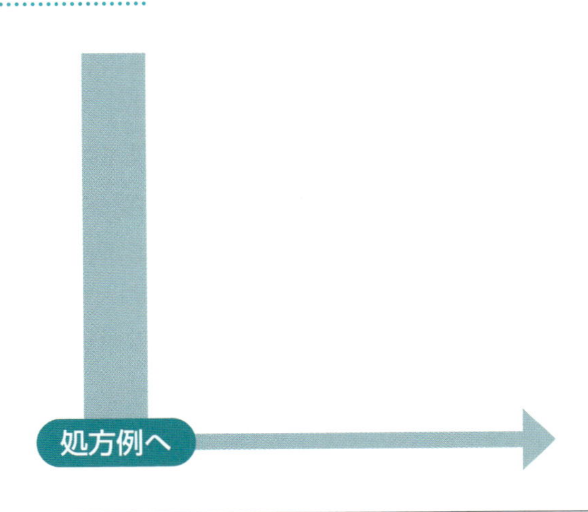

処方例——まずはこうする！

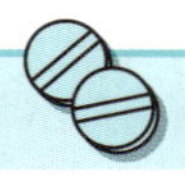

経口薬

適応なし

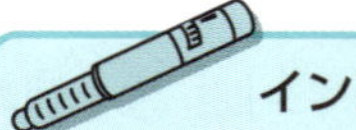

インスリン

ノボラピッド®注フレックスタッチ®
4-2-4単位 食直前

食事療法

1,500kcal/日(27.5kcal/kg/日),
減塩(塩分6g/日)

運動療法

有酸素運動(ウォーキングなど)を複数回行い，合計150分/週以上を目標とする

解説 処方例——まずはこうする！

経口血糖降下薬やGLP-1受容体作動薬の安全性は確立しておらず，インスリン療法に切り替える。インスリンは胎盤通過性が低く，胎盤に存在する酵素により不活化されるため，母体に投与されたインスリンはほとんど胎児に移行しない。まず食後高血糖を改善すべく，超速効型インスリンを開始した。また，**PCOSの不妊治療ではメトホルミン併用群で最も採卵率が高く生産率も有意に上昇したと報告があり**[2)]，2022年9月，メトホルミンはPCOSにおける①排卵誘発や②生殖補助医療における調節卵巣刺激に適応となった。1日1回500mgより開始し，1日投与量1,500mgを超えない範囲で1日2～3回分割投与し，①は排卵までに②は採卵までに中止する。PCOSでのメトホルミンの開始や中止で血糖が変動する可能性があり，連携を図ることが大事である。メトホルミン継続中に妊娠が判明したらすぐ中止し受診するよう説明しておく。

減量を図る場合は，目標体重(BMI 22)に乗じるエネルギー係数を身体活動レベルより小さくし，総摂取エネルギー量を少なくする。運動は習慣化によってインスリン抵抗性，感受性の改善が期待でき，活動がない日が2日を超えないよう複数回で実施するのが望ましい[3)]。

コントロール不良――次の一手はこれだ！

経口薬

変更なし

食事療法

変更なし

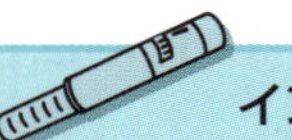

インスリン

ノボラピッド®注フレックスタッチ®
6-4-6単位 食直前に増量
トレシーバ®注フレックスタッチ®
4単位 夕を追加

運動療法

変更なし

解説 コントロール不良――次の一手はこれだ！

血糖自己測定を導入し，食前や食後の血糖値を確認する。**夕食後血糖値が良好にもかかわらず朝食前血糖値が高値の場合は，1日1回持効型インスリンを追加する**。インスリン製剤の選択において，米国食品医薬品局（Food and Drug Administration：FDA）の薬剤胎児危険度分類は2015年6月に廃止されており，患者の治療状況や薬剤の安全性，有効性情報をもとに判断する必要がある。安全性の研究や母体への使用実績のあるインスリンは，ヒトインスリン（速効型，中間型），超速効型インスリンアナログ（アスパルト，リスプロ），持効型インスリンアナログ（デテミル，グラルギン，デグルデク）である。デグルデク（トレシーバ®）は1型糖尿病合併妊婦を対象とした海外臨床試験（EXPECT試験）の結果から，2023年5月に使用上の注意改訂がなされ，選択肢のひとつとなった。また，妊娠後はさらに厳格な血糖管理を要するため，血糖自己測定で血糖値を確認する習慣は重要である。持続血糖測定器のFreeStyleリブレは2022年4月に保険適用となり，指先穿刺を必要としない日常的な血糖管理を可能としただけでなく，専用のリーダー以外に「FreeStyleリブレLink」アプリにてスマートフォンをリーダーとして使用できる。インスリンも血糖測定も個々の患者に合った選択が求められる。

インスリンを100単位使ってもよくならない

内野 泰

Keyword
- インスリン抵抗性
- インスリン感受性細胞

parameter

62歳女性 印刷所勤務

肥満	★★☆☆☆	あり(BMI 28.7)
家族歴	★★★★★	母，弟，妹：2型糖尿病
HbA1c	★★★★★	10.2%
食前血糖	★★★★★	208mg/dL
食後血糖	★★★★☆	322mg/dL(食後2時間値)
罹病期間	★★★★★	19年
腎障害	★☆☆☆☆	なし
合併症	★★★☆☆	単純網膜症，高血圧症
併用薬	★★☆☆☆	降圧薬

現処方 メトグルコ®1,000mg/日，ノボラピッド®注30-30-30単位，ランタス®注40単位 就寝前

身長155cm，体重69kg。職業は印刷所勤務。糖尿病発症以前もBMI>25を超えるような肥満歴はない。母方の家系に糖尿病者が多く，自分も初産時に耐糖能異常を考慮された。10年ほど前から各種インスリンを使用するが，HbA1cに改善がない。

病態をどうとらえるか──parameterを読み解く

肥満症でも，100単位以上のインスリンを使用するのは稀であり，明らかに「インスリン抵抗性」状態である。本症例は後天性の病態を考えたい。

稀に多嚢胞性卵巣症候群（polycystic ovary syndrome：PCOS）の合併があり，持続的な排卵障害，高アンドロゲン血症とともにインスリン抵抗性リスクになる。当然，インスリン受容体そのもの，または受容体以降のシグナル障害も鑑別に挙がる。また，非アルコール性脂肪肝炎（nonalcoholic steatohepatitis：NASH）〔MASH〕も重要な併存疾患であり，その前駆状態の非アルコール性脂肪性肝疾患（nonalcoholic fatty liver disease：NAFLD）〔MASLD〕とともに注目されている。

問題点の整理

インスリン抵抗性を臨床的にとらえると，以下の2つが考えられる[1)]。

(1) インスリン感受性細胞による問題

インスリンに依存してブドウ糖を取り込む細胞において，インスリンシグナルがきてもブドウ糖を取り込まない，「細胞レベルの抵抗性」（例：PCOS，黒色表皮症，各種単一遺伝子疾患など）。

(2) インスリン感受性細胞以外の問題

高用量インスリンがしっかり効果を示せず糖尿病が「抵抗している」状態である（例：インスリン受容体異常症B型，インスリン自己免疫症候群など）。

インスリン自己免疫症候群（平田病）の発症原因として，①特定の遺伝的素因（HLA-DRB1*04:06 アリル），②SH基構造を持つ薬剤との関連が疑われている。α-リポ酸は本来SH基構造を持たないが，大量に摂取すると一部が還元されSH基構造を持つ物質に変化するため，②に該当する。α-リポ酸など原因薬剤を中止すると軽快する症例が存在する。また，PCOS，NAFLDなども該当する。

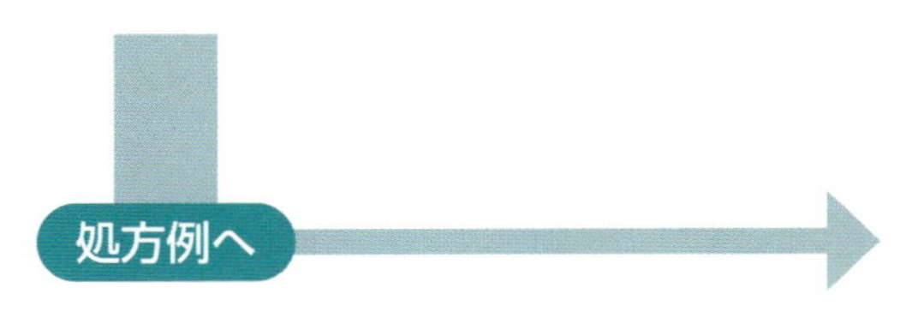

処方例 ──まずはこうする！

経口薬・注射薬

メトグルコ®にGLP-1受容体作動薬（経口，注射）を追加

食事療法

標準体重1kg当たり25kcal/kg/日が原則。脂質異常症を認めるため，炭水化物50～55%，脂質20～25%，蛋白質15～20%で行う。食物繊維を1日25g以上摂取するようにする。またスポーツ飲料や人工甘味料入り飲料，果物ジュースも禁止とする

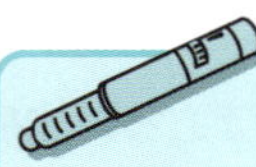

インスリン

一般的には効果はないことが証明されているが，症例によっては別メーカーのインスリン使用によって疾患管理が容易になることがある

運動療法

週に150分以上，中等度以上の運動を行う。多くの場合，食事療法よりも運動療法のほうがインスリン抵抗性低下に強く寄与する

解説 処方例──まずはこうする！

本症例をインスリン受容体異常症B型と仮定すれば，治療法は限られる。通常は各種自己免疫疾患（関節リウマチ，慢性甲状腺炎など）の合併が認められる。**インスリン受容体に対する自己抗体の除去は難しいが，合併する自己免疫疾患への免疫調整薬がインスリン受容体異常症にも効果がある**ことがわかっている[2)]。合併症治療にも注目する必要がある。

コントロール不良──次の一手はこれだ！

経口薬・注射薬

GLP-1受容体作動薬の効果判定を行い，順次GIP/GLP-1受容体作動薬はどうか，SGLT2阻害薬はどうかを試行してみる。必ず効果判定を行い，多剤投与とならないように注意する

食事療法

前記指導に加え，以下を指導する。食物繊維（野菜，根菜類）を最初に食べる。間食するときでも午前中の間食は避ける（午前中間食する肥満者は減量が難しい）。コップ1杯の水を飲んでから食事を開始する。空腹時の飲酒は避ける（その後の摂食量が増大する）

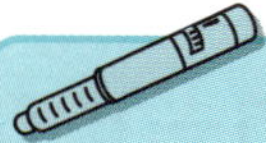

インスリン

多くの症例では，GLP-1受容体作動薬との同時投与でインスリン必要量は軽減する

運動療法

運動ほどの強度のない身体活動も実はインスリン抵抗性を格段に改善させる。エレベーターを使わず，3階までなら1日10往復する場合，10分で約60kcalの運動量が得られる。掃除機を25分かけるのもよい。酷暑や寒冷で屋外運動ができないときでも，ストレッチ運動，ヨガなどは著明にインスリン抵抗性を改善する

解説 コントロール不良──次の一手はこれだ！

インスリン受容体異常症B型とすると，NIH（米国国立衛生研究所）でしっかりした治療プロトコルが用意されている。わが国では保険未収載だが，リツキシマブ，デキサメタゾン，シクロホスファミドのカクテル治療に続き，アザチオプリンで経過観察していく[2)]。また，東洋人に多い*H. pylori*の除菌でも抗体が陰性化した報告がある[3)]。鑑別としてPCOS，インスリン自己免疫症候群は大切である。また，Online Mendelian Inheritance in Man®：OMIM®（遺伝子変異による疾患）には，高用量インスリンを必要とする各種単一遺伝子疾患として現在23種が登録されている[4)]。PCOSに対するGLP-1受容体作動薬の前向き研究も行われ，メトホルミンへのadd-onで良好な結果であった。

6 章 その他のケース―7

薬をやめて1年…いつまでフォローする？

五日市篤

Keyword
- 寛解
- 減量
- 食事運動療法

parameter

38歳男性　自営業

肥満	★☆☆☆☆	なし（BMI 24.8）
家族歴	★☆☆☆☆	なし
HbA1c	★☆☆☆☆	6.1％
食前血糖	★★☆☆☆	110mg/dL
食後血糖	★★☆☆☆	150mg/dL
罹病期間	★★☆☆☆	3年
腎障害	★★☆☆☆	腎症1期（eGFR 80mL/分/1.73m^2，尿アルブミン25mg/gCr）
合併症	★☆☆☆☆	網膜症なし，神経障害なし，大血管障害なし
併用薬	★☆☆☆☆	なし

現処方　なし

35歳時に健康診断で糖尿病初回指摘された。当初HbA1c 7.6%で食事運動療法開始も改善乏しく，メトグルコ®500mg/日にて薬物治療開始となった。その後，徐々に生活習慣を見直したことで，減量に成功した。血糖管理は経時的に改善傾向となり，経過良好のためメトグルコ®500mg/日の内服中止，HbA1cは6.5%未満で推移した。現在は薬物療法終了から1年が経過し，外来で定期採血フォロー中である。飲酒，喫煙なし。身長176cm，体重76.8kg，血圧120/75mmHg，胸腹部異常なし，下肢浮腫なし。CPRインデックス2.1（>0.8）。腹部エコーは

異常なし。心エコー：EF 72%で壁運動異常なし。人間ドックでの胸部X線，胃・大腸・前立腺のがん検診では異常なし。

病態をどうとらえるか──parameterを読み解く

糖尿病罹患歴の短い，2型糖尿病患者である。当初は生活習慣の乱れから血糖管理改善が乏しく，薬物治療開始となったが，その後減量に成功し薬物治療終了となった。1年にわたって外来通院・採血フォローとなっているが，増悪せずに経過している。

問題点の整理

3年前に健康診断で糖尿病初回指摘された。その際は生活習慣の乱れから体重が増加していた。当初は食事運動療法の遵守ができず，血糖管理が付かなかったことからメトグルコ®による薬物治療開始となった。その後は食事運動療法の遵守によって血糖管理が改善し，メトグルコ®の内服中止が可能となった。以降1年にわたり外来フォローも血糖増悪なく経過した。今後の外来フォロー継続の必要性と患者教育が問題となる。

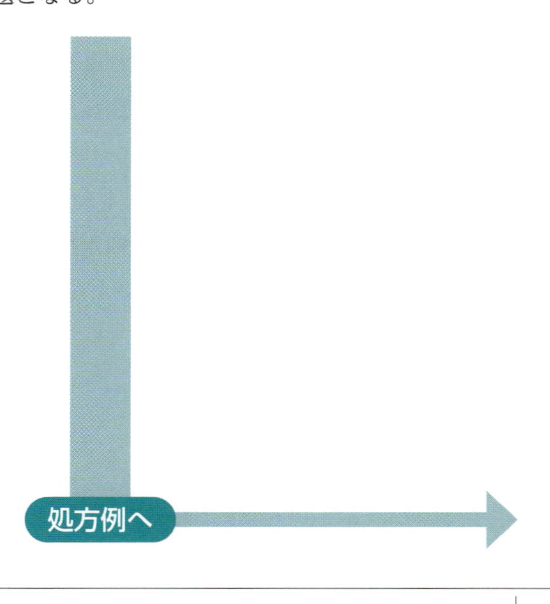

処方例 ―― まずはこうする！

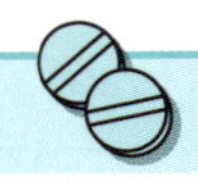

経口薬

適応なし

インスリン

適応なし

食事療法

1,880kcal/日(27.6kcal/kg/日)

運動療法

有酸素運動を中心に週3回以上。
毎日歩行を1万歩/日

解説 処方例――まずはこうする！

糖尿病は発症すると治るものではなく，一生付き合わなければならないとも言われていたが，食事運動療法をはじめとした生活習慣改善，薬物療法，肥満外科手術などによる減量で血糖値が正常まで改善し，薬物療法が不要となるケースがある。米国糖尿病学会(American Diabetes Association：ADA)を中心とする国際的な専門家グループは，**薬物療法を行っていない状態で3カ月以上HbA1c値6.5%未満を持続しているケースを「糖尿病の寛解」と定義**している[1)]。わが国では，HbA1c値や体重を継続的に測定されている18歳以上の日本人2型糖尿病患者4万8,320人を対象とし，1989年から2022年において寛解(薬物治療を中止され，HbA1c値6.5%未満が3カ月以上継続)がどの程度でみられたかを追跡した報告がある。その結果では1,000人・年当たりの寛解発生率は10.5であり，約100人に1人の割合となっていた。また，その報告では**糖尿病と診断されてからの期間が短い人・HbA1c値が低い人・肥満度(BMI)が高い人・1年間の体重減少が大きい人・薬物治療を受けていない人に寛解が起こりやすい**とされている[2)]。

コントロール不良──次の一手はこれだ！

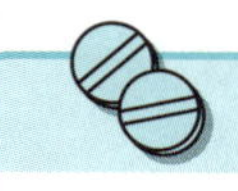

経口薬

変更なし

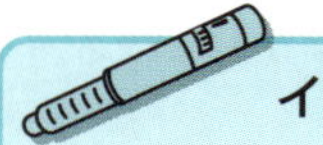

インスリン

変更なし

食事療法

変更なし

運動療法

変更なし

解説 コントロール不良──次の一手はこれだ！

本症例の場合は薬物治療なしにHbA1c 6.5％未満を3カ月以上達成しており，寛解と言える状態となっている。寛解については，その後の再発に関連する要因や期間について一定のコンセンサスが得られていない。また死亡率，心血管イベント，機能的能力，生活の質に及ぼす長期的な影響は不明となっている。しかし，**寛解の長期維持を確認するためには6カ月，最低でも12カ月おきの定期的な採血検査が望ましい**との報告もある。そのため本症例においても6～12カ月おきに採血検査を実施し，外来フォローを継続することが望ましいと考えられる。年1回の健診を受けている人なら健診を利用すればよいが，本症例は自営業のため当てはまらない。また，採血検査をすることによる食事運動療法の遵守や体重増加，生活習慣の乱れに対する気づきと指導は外来通院の際のポイントとなる。

食事が食べられるかわからない

吉川芙久美

Keyword
- 長期罹病期間
- 血糖推移が不安定
- すぐにお腹がいっぱいになる

parameter

72歳女性　主婦

肥満	★☆☆☆☆	なし(BMI 24.2)
家族歴	★☆☆☆☆	なし
HbA1c	★★★★☆	8.5%
食前血糖	★★★☆☆	140mg/dL
食後血糖	★★★★☆	259mg/dL
罹病期間	★★★★★	60年
腎障害	★★★☆☆	腎症2期(eGFR 56mL/分/1.73m^2，尿アルブミン55mg/gCr)
合併症	★★★☆☆	脂質異常症，高血圧症
併用薬	★★★☆☆	パルモディア®0.2mg/日 分2 朝夕食後，アムロジピン®5mg/日 分1

現処方　ノボラピッド®注フレックスタッチ®朝6-昼3-夕8単位，トレシーバ®注フレックスタッチ®4単位 眠前

身長148cm，体重53kg。12歳で1型糖尿病と診断され，頻回インスリン療法にてHbA1c 8%程度で推移している。自己注射や血糖測定手技は問題なく，食事量に合わせたbolusインスリンの調整は感覚でおおむねできている。ここ最近，血糖自己測定値が安定せず，低血糖や高血糖を繰り返している。本人は「食事量に応じて食前にインスリンを打つものの，途中でお腹がいっぱいになって食べきれないことがあり，その分時間が経

つとお腹がすいて間食をしてしまうことが増えた」と話す。腹壁に硬結・腫瘤はなく，上部消化管内視鏡検査や各種検査を施行しているが，特に器質的な問題はみられなかった。

病態をどうとらえるか――parameterを読み解く

長期罹病期間のある1型糖尿病で，基本的な手技やインスリン調整は自立している。長期通院している患者が血糖値の悪化・不安定をきたした場合，二次性増悪（薬剤性・悪性腫瘍など），ライフスタイルの変化，治療の正確性の低下（怠薬・手技不良・皮下腫瘤の形成）などを考えるが，本症例では考えにくい。問診からは食事量を見越して投与したbolusインスリンと実際の食事量とのミスマッチが生じ，食後低血糖とそれに続く反跳性高血糖，間食の増加が血糖値増悪の要因と考えられる。

問題点の整理

糖尿病胃不全麻痺は糖尿病性神経障害の一症状で，器質的な閉塞はなく迷走神経障害による胃機能障害，特に排出遅延を特徴とする[1]。糖尿病患者の2～6割程度と高頻度に認められ，女性や長期罹病期間の患者で合併率が高くなる。主な臨床症状は，短時間での満腹感，食欲不振，悪心・嘔吐，胃部不快感，鼓腸などである。血糖コントロールへの影響として，排泄遅延に伴う食後高血糖の遷延や，食事摂取不安定・間食の増加による低血糖が挙げられ，病態に応じた製剤選択，休薬やbolusインスリンの調整方法を指導する。

処方例──まずはこうする！

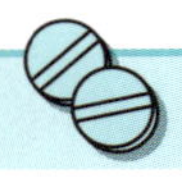

経口薬

適応なし（1型糖尿病のため）

食事療法

1,400kcal（29.0kcal/kg），塩分6g/日

インスリン

ノボラピッド®を中止し，フィアスプ®注フレックスタッチ® 6-3-8単位（ノボラピッド®と同量）食直後打ちへ変更
トレシーバ®注フレックスタッチ®は同量で継続

運動療法

ウォーキング15～30分/回 1日2回

解説 処方例──まずはこうする！

1型糖尿病のため，インスリン加療が原則になる。**事前に食事摂取量の予測がつかないため，bolusインスリンは食前でなく食直後打ちに変更する**。従来の超速効型インスリンは効果発現が生理的インスリン分泌パターンの模倣までには至っておらず，インスリン分泌の枯渇した症例では食後血糖の是正が不十分となる点が指摘されてきた。これまでも経験的に食直後打ちは行われてきたが，効果発現がさらに遅れるため食後血糖値の管理がいっそう困難であった。一方，近年発売された新規の超速効型インスリン，いわゆる“超超速効型インスリン”は従来製剤を改良したもので，血中への吸収速度を速めることで，より速やかな血糖低下効果を発現する[2)]。臨床試験において，食事開始後20分での投与で従来の超速効型インスリンの食直前注射と同等のHbA1cの低下・TIRの維持が報告され，食後注射が保険適用上も認められた[3)]。本症例でも摂取した食事量に応じて食直後にインスリン注射するよう指導した。

食事・運動療法は1型糖尿病であるため積極的な適応にはならないが，脂質異常症や高血圧症を合併しており，適切な食事摂取量や最低限の活動量は確保できるよう指導する。

コントロール不良──次の一手はこれだ！

経口薬

スーグラ®50mg/分1
(胃不全麻痺に対して) メトクロプラミド30mg/日 分2 食前

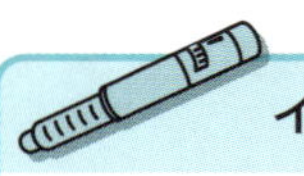

インスリン

変更なし

食事療法

変更なし

運動療法

変更なし

解 説 コントロール不良──次の一手はこれだ！

本症例のような胃機能不全や胃摘出後の症例では1回の食事量が少なくなるため，間食や補食で対応せざるをえない。1型糖尿病の場合は基本的に間食のたびにbolusインスリンを投与することが原則となるが，実質困難である場合も多い。**1型糖尿病でも適応のあるSGLT2阻害薬の導入により，血糖増悪の抑制やインスリン量の節約が期待できる**。ただし，不適切な使用によりケトーシスのリスクも懸念され，最低限の糖質摂取量が確保できていること，基礎インスリンを含め必要なインスリン投与がなされていることが前提となるため，処方時は症例の選択と適切な指導が重要である。

胃機能不全の治療にあたっては消化管運動機能改善薬を用いるが，保険適用になっていない点に注意を要する。糖尿病胃腸症の場合は，胃機能不全のほかに便通異常などが併存していることが多く，適宜，整腸薬や緩下薬などで対応する。

6 章 その他のケース—9

他にも血糖を左右する要因あり

吉田有沙

Keyword
- 急激なHbA1cの改善
- 貧血
- グリコアルブミン

parameter

68歳男性　会社員

肥満	★☆☆☆☆	なし（BMI 22.0）
家族歴	★☆☆☆☆	なし
HbA1c	★★☆☆☆	6.7%
食前血糖	★★★☆☆	148mg/dL
食後血糖	★★★☆☆	210mg/dL
罹病期間	★★★☆☆	5年
腎障害	★☆☆☆☆	なし
合併症	★☆☆☆☆	なし
併用薬	★☆☆☆☆	なし

現処方　メトグルコ®1,000mg/日 分2 朝夕食後，シュアポスト® 1.5mg/日 分3 各食直前

2型糖尿病に対して加療中の68歳の男性。身長165cm，体重60kg，BMI 22.0。HbA1c 7%台後半で推移していた。食事習慣や運動習慣など生活習慣の変化はなく，処方内容も変更していないが，外来での定期血液検査にてHbA1c 6.7%まで急激に改善を認めた。ダイエットしたわけではないが，体重は最近3カ月で3kg程度減っている。本人は体重が減り，HbA1cも改善したため満足している。

病態をどうとらえるか──parameterを読み解く

治療や生活習慣の変化はないが，HbA1cが急激に改善した。

HbA1cが急激に低下した場合には手放しに喜ぶのではなく，他科からの薬剤変更（ステロイドなどの血糖上昇作用のある薬剤の変更等），服薬アドヒアランスの改善，腎機能の悪化，貧血の合併など，HbA1c低下の原因を探る努力が必要である。

本症例では，血糖値とHbA1c値に乖離がみられている。

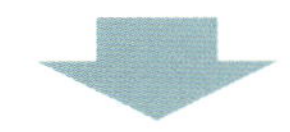

問題点の整理

HbA1cはヘモグロビンA0の安定型糖化産物である。採血時から過去1，2カ月間の平均血糖値を反映し，糖尿病の診断に用いられるとともに，血糖管理の指標になる[1)]。しかし，HbA1cは赤血球寿命と関連があり，出血，鉄欠乏性貧血の回復期，溶血性貧血や肝硬変などで低値となる。また，様々な**異常ヘモグロビン症でも平均血糖値と乖離した値になるので注意**を要する。

本症例では，Hb値が1カ月前の血液検査で13.5mg/dLだったが，今回は9.8mg/dLに低下していた。追加で病歴を聴取したところ，黒色便を認めており上部消化管出血を疑った。

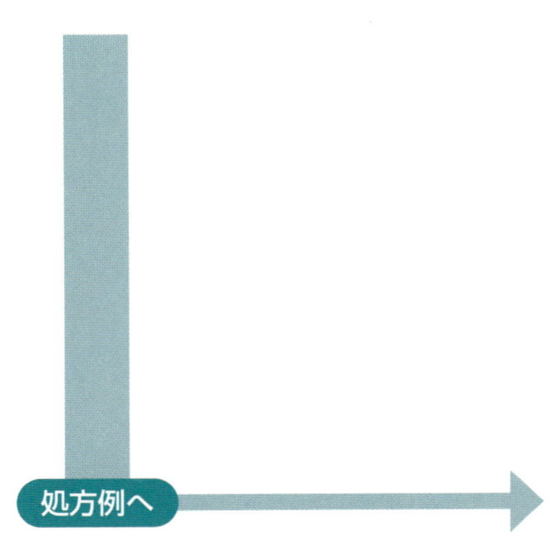

処方例 ── まずはこうする！

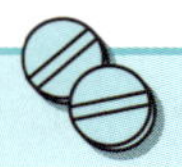

経口薬

処方中止

食事療法

1,680kcal/日(28.0kcal/kg/日)

インスリン

ノボラピッド®6-6-6単位，インスリン グラルギンBS 6単位を導入

運動療法

貧血が改善するまでは中止

解 説 処方例──まずはこうする！

経過から消化管出血を強く疑い，上部消化管内視鏡検査を行ったところ，胃癌が見つかった。胃癌に関しては手術にて胃切除の方針となった。全身麻酔下での手術を控えているため，経口血糖降下薬は中止し，インスリン頻回注射療法と血糖自己測定を開始した。術前血糖管理の目安としては，日本糖尿病学会が提唱する空腹時血糖値100～140mg/dL，食後血糖値160～200mg/dL以下を目標とした。ノボラピッド®6-6-6単位，インスリン グラルギンBS 6単位で開始し，上記血糖を目標にインスリン単位を調整した。ノボラピッド®10-6-8単位，インスリン グラルギンBS 6単位にて目標範囲内の血糖値となり，無事に手術に臨むことができた。

コントロール不良――次の一手はこれだ！

経口薬

変更なし

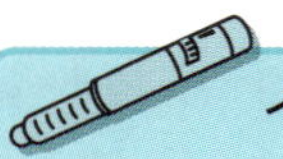

インスリン

ノボラピッド®10-6-8単位，インスリン グラルギンBS 6単位

食事療法

徐々に食上げしながら，1,680kcal/日(28.0kcal/kg/日)

運動療法

簡便で実施しやすい歩行運動などを徐々に開始し，適宜時間を増やしていく

解 説 コントロール不良――次の一手はこれだ！

手術後は食事の摂取状況に合わせ適宜インスリンの調節を行い，最終的にノボラピッド®10-6-8単位，インスリン グラルギンBS 6単位にて退院となった。

今後，貧血が改善するまでの間は，HbA1cの数値が血糖管理状況を適切に反映しないため，他の指標を用いる必要がある。

グリコアルブミンは血糖値が安定している状態ではHbA1cの約3倍の値を示すことが知られている。ヘモグロビンの見かけの半減期が約30日であることと比較して，アルブミンの血中半減期は17日と短く，HbA1c値に比較して，比較的最近の血糖管理を反映する指標であるため，治療開始後の効果判定にも有用である。ただし，アルブミン代謝異常を示す**ネフローゼ症候群，BMI高値，甲状腺機能異常，肝硬変，低栄養の際にはグリコアルブミンに関しても血糖値との乖離が生じる**点は注意が必要である。

血糖自己測定に関しては，空腹時血糖値130mg/dL，食後2時間血糖値180mg/dL未満がHbA1c 7.0%未満に対応する血糖値とされている[1)]。決まった時間のみでなく，空腹時・各食前・各食後2時間後の血糖値をまんべんなく測定するように指導することで血糖推移を把握することが可能であり，本症例においても上記2つの指標を用いて血糖を評価していく。

6章-1

1） 日本糖尿病学会，編著：糖尿病治療ガイド2018-2019．文光堂，2018，p50．

2） Mattoo V, et al:Metabolic effects of pioglitazone in combination with insulin in patients with type 2 diabetes mellitus whose disease is not adequately controlled with insulin therapy:results of a six-month, randomized, double-blind, prospective, multicenter, parallel-group study. Clin Ther. 2005;27(5):554-67.

3） Little JP, et al:Low-volume high-intensity interval training reduces hyperglycemia and increases muscle mitochondrial capacity in patients with type 2 diabetes. J Appl Physiol (1985). 2011;111(6):1554-60.

4） Davies MJ, et al:Management of Hyperglycemia in Type 2 Diabetes, 2018. A Consensus Report by the American Diabetes Association (ADA) and the European Association for the Study of Diabetes (EASD). Diabetes Care. 2018;41(12):2669-701.

5） ElSayed NA, et al:Pharmacologic approaches to glycemic treatment:Standards of care in diabetes-2023. Diabetes Care. 2023;46(Suppl 1):S140-57.

6章-2

1） 日本糖尿病学会，編著：糖尿病専門医研修ガイドブック．改訂第8版．診断と治療社，2020，p112．

2） 日本糖尿病学会，編著：糖尿病診療ガイドライン2019．南江堂，2019，p94．

3） Ishii H, et al:An exploration of barriers to insulin initiation for physicians in Japan:findings from the Diabetes Attitudes, Wishes And Needs (DAWN) JAPAN study. PLOS ONE. 2012;7(6):e36361.

4） 宇佐美 勝，他：1日2回のインスリン治療時における朝と夕のインスリン必要量に及ぼす加齢の影響．糖尿病．2007;50(11):777-84．

6章-3

1）Kirkman MS, et al：Diabetes in older adults：a consensus report. J Am Geriatr Soc. 2012；60(12)：2342-56.

2）Sinclair AJ, et al：Evaluating glucose-lowering treatment in older people with diabetes：Lessons from the IMPERIUM trial. Diabetes Obes Metab. 2020；22(8)：1231-42.

6章-4

1）Nordmann AJ, et al：Effects of low-carbohydrate vs low-fat diets on weight loss and cardiovascular risk factors：a meta-analysis of randomized controlled trials. Arch Intern Med. 2006；166(3)：285-93.

2）Shai I, et al：Weight loss with a low-carbohydrate, mediterranean, or low-fat diet. N Engl J Med. 2008；359(3)：229-41.

3）Wheeler ML, et al：Macronutrients, food groups, and eating patterns in the management of diabetes. A systematic review of the literature 2010. Diabetes Care. 2012；35(2)：434-45.

4）Noto H, et al：Low-carbohydrate diets and all-cause mortality：a systemic review and meta-analysis of observational studies. PLOS ONE. 2013；8(1)：e55030.

5）Ogawa W, et al：Euglycemic diabetic ketoacidosis induced by SGLT2 inhibitors：possible mechanism and contributing factors. J Diabetes Investig. 2016；7(2)：135-8.

6章-5

1）日本糖尿病学会，編著：糖尿病専門医研修ガイドブック．改訂第8版．診断と治療社，2020，p379.

2）Legro RS, et al：Clomiphene, metformin, or both for infertility in the polycystic ovary syndrome. N Engl J Med. 2007；356(6)：551-66.

3）日本糖尿病学会，編著：糖尿病治療ガイド2022-2023．文光堂，2022，p55.

6章-6

1) Kim HN, et al：Antibody-Mediated Extreme Insulin Resistance：A Report of Three Cases. Am J Med. 2018；131(1)：102-6.
2) Malek R, et al：Treatment of type B insulin resistance：a novel approach to reduce insulin receptor autoantibodies. J Clin Endocrinol Metab. 2010；95(8)：3641-7.
3) Yang GQ, et al：Type B insulin resistance syndrome with Scleroderma successfully treated with multiple immune suppressants after eradication of Helicobacter pylori infection：a case report. BMC Endocr Disord. 2016；16(1)：20.
4) OMIM®-Online Mendelian Inheritance in Man®. [http://www.omim.org/]

6章-7

1) Riddle MC, et al：Consensus Report：Definition and Interpretation of Remission in Type 2 Diabetes. Diabetes Care. 2021；44(10)：2438-44.
2) Fujihara K, et al：Incidence and predictors of remission and relapse of type 2 diabetes mellitus in Japan：Analysis of a nationwide patient registry (JDDM73). Diabetes Obes Metab. 2023；25(8)：2227-35.

6章-8

1) 日本糖尿病学会，編著：糖尿病専門医研修ガイドブック．改訂第8版．診断と治療社，2020，p324.
2) Shiramoto M, et al：Ultra-Rapid Lispro results in accelerated insulin lispro absorption and faster early insulin action in comparison with Humalog® in Japanese patients with type 1 diabetes. J Diabetes Investig. 2020；11(3)：672-80.
3) Buse JB, et al：Fast-acting insulin aspart versus insulin aspart in the setting of insulin degludec-treated type 1 diabetes：Efficacy and safety from a randomized double-blind trial. Diabetes Obes Metab. 2018；20(12)：2885-93.

6章-9

1) 日本糖尿病学会，編著：糖尿病治療ガイド2022-2023．文光堂，2022，p15, 33.

7章

総合診療医の視点

Keyword
- 糖尿病初回指摘
- 薬剤選択時の確認ポイント
- 2型糖尿病の薬物療法のアルゴリズム

この治療法には，この「問診」をしてから

宮城匡彦

parameter

66歳男性　退職後無職

肥満	★☆☆☆☆	なし（BMI 24.4）
家族歴	★★★★★	父・姉：糖尿病
HbA1c	★★★☆☆	7.9%
食前血糖	★★★★☆	150mg/dL
食後血糖	★★★☆☆	240mg/dL
罹病期間	★☆☆☆☆	1年未満
腎障害	★★☆☆☆	腎症1期（eGFR 70mL/分/1.73m^2，尿アルブミン5.0mg/gCr）
合併症	★★★☆☆	網膜症なし，神経障害なし，大血管障害：脂質異常症，高血圧症
併用薬	★★★☆☆	パルモディア®0.2mg/日 分2 朝夕食後，エンレスト®200mg/日 分1 朝食後

現処方　なし

15年前の職場健診で高LDLコレステロール血症と高血圧症を指摘され，スタチンとアンジオテンシン受容体ネプリライシン阻害薬（ARNI）にて治療を行っている。昨年度までは耐糖能障害を指摘され，食事運動療法の指導がされていた。今年度はHbA1c 7.6%，空腹時血糖140mg/dLにて糖尿病初回診断となり内科外来を受診した。食事運動療法を約3カ月間続けたが，HbA1c 7%以上が持続している。生活歴では延長雇用

も終わり，テレビで野球観戦をしながらの晩酌と，週末に孫と遊ぶのを楽しみに過ごしている。身長167cm，体重68kg，胸腹部異常なし。

病態をどうとらえるか──parameterを読み解く

初回指摘の糖尿病で家族歴もある。BMI≧22.0であるが，肥満には至っていない。脂質異常症や高血圧症もあり，動脈硬化性疾患発症の危険性がある。生活習慣改善の3カ月が経ち，合併症進展を防ぐためにも薬物治療開始を検討する段階に入っている。

問題点の整理

糖尿病初回指摘および血糖管理が急に悪化した際にはまず腹部超音波検査を行う。膵臓悪性腫瘍が発見されることが意外にある。健診オプションで施行済みなら省略する。

「2型糖尿病の薬物療法のアルゴリズム」が2023年10月に第2版へアップデートされた[1)]。まずインスリンの絶対的・相対的適応を判断する。急激な体重減少がなく尿ケトン陰性なら代謝失調はなく絶対的適応は否定的であり，著明な高血糖（空腹時≧250mg/dL，随時≧350mg/dL）もなく相対的適応も否定的となる。年齢とADLからして目標HbA1c値＜7.0%と設定し，「Step 1.病態に応じた薬剤選択→2.安全性への配慮→3.Additional benefitsを考慮するべき併存疾患→4.考慮すべき患者背景」という流れで薬剤を決定し，**3カ月ごとに治療法の再評価と修正を検討**する。本症例は非肥満の薬剤を選択する。

処方例――まずはこうする！

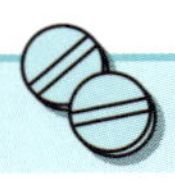

経口薬

メトグルコ®500mg/日 分2 朝夕食後から開始して1,500mg/日までは増量する。または，トラゼンタ®5mg/日 分1 朝食後を開始もしくは併用する

食事療法

1,680kcal/日(27.4kcal/kg/日)，減塩(塩分6g/日)

※総カロリーは25～30kcal/kg目標体重，高血圧症があるため塩分6g未満/日に設定する

インスリン

適応なし

運動療法

歩行運動としては1回15～30分間，1日2回，1日の運動量として歩数は1万歩程度行う

解説 処方例――まずはこうする！

まずはビグアナイド薬もしくはDPP-4阻害薬を選択する。ビグアナイド薬は肥満の有無にかかわらず効果がある薬剤である。稀ではあるが重大な副作用として乳酸アシドーシスがある。特に腎機能障害患者や，脱水，シックデイ，過度のアルコール摂取など注意・指導が必要な患者，心・肺・肝機能障害などの患者，手術前後，高齢者ではリスクが高いので確認する。

DPP-4阻害薬はアジア人において血糖降下作用が強く，体重が増加しにくく副作用も少ないため，使用しやすい。**非肥満者では血糖値70～180mg/dLの至適血糖範囲(time in range：TIR)内に収まる割合がSGLT2阻害薬よりも大きいという報告があり，早い段階で使用したい**[2)]。稀ではあるが水疱性類天疱瘡が生じることがある。投与前に知る術はない。

α-グルコシダーゼ阻害薬は，食後高血糖がある際に効果が期待できる。腹部膨満感，放屁の増加，下痢などの副作用があり，開腹手術歴のある症例や高齢者では確認する。グリニド薬は，著しい食後高血糖の是正に良い適応である。レパグリニドとクロピドグレル(抗血小板薬)併用による重症低血糖の報告があり，併用しないよう常用薬を確認する[3)]。

コントロール不良──次の一手はこれだ！

経口薬

ジャディアンス®10mg/日 分1 朝食後を追加する。もしくは，トラゼンタ®を中止してリベルサス®3mg/日 分1 起床時から漸増する

食事療法

変更なし

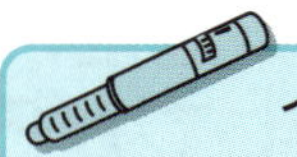

インスリン

変更なし

運動療法

中等度の運動を週3回以上，レジスタンス運動（腹筋，ダンベル，スクワットなど）を取り入れてみる

解説 コントロール不良──次の一手はこれだ！

次の一手として，SGLT2阻害薬もしくはGLP-1受容体作動薬を選択する。いずれも体重減少作用があり，体重が減っても気にならないか確認する。

SGLT2阻害薬の使用にあたっては膀胱炎や腎盂腎炎など尿路感染症の既往があるか，もしくは起こしやすいかの判断が必要になる。**投与初期1週間は脱水症予防に500mL/日の水分を余分に摂るよう説明している**。慢性心不全患者ではそもそも溢水なので飲水励行はしない。

GLP-1受容体作動薬は血糖依存的にインスリン分泌促進作用を発揮する。副作用として胃腸障害が投与初期に認められ，回避するために低用量より開始し漸増する。経口薬リベルサス®なら空腹時に服用できるか確認する。リベルサス®は，服用後30分は飲食・他剤服用を避けるなど留意点がある。また，DPP-4阻害薬との併用の有効性および安全性は確認されておらず，併用は避ける。

スルホニル尿素（SU）薬は血糖非依存性のインスリン分泌促進薬であり，低血糖リスクが高い。夜間や食前，食事が遅れたときに低血糖が出現する可能性がある。また，同じSU受容体に結合するグリニド薬との併用は薬理作用上意味がない。

イメグリミンについては，ビグアナイド薬と併用した場合に消化器症状が多く認められたことから，これらの併用は慎重に行う。

糖尿病の病型判断は，この「問診」をしてから

内野 泰

Keyword

- 尿ケトン：常に陽性
- インスリン抵抗性：高

parameter

48歳男性　会社員

肥満	★★☆☆☆	あり（BMI 28.0）
家族歴	★★★★★	母：2型糖尿病，弟：耐糖能異常
HbA1c	★★★★☆	8.4%
食前血糖	★★★☆☆	145mg/dL
食後血糖	★★★☆☆	248mg/dL（食後2時間値）
罹病期間	★★☆☆☆	2年
腎障害	★☆☆☆☆	なし
合併症	★★★☆☆	脂質異常症，高血圧症，網膜症なし
併用薬	★★☆☆☆	降圧薬

現処方 メトホルミン2,000mg/日

168cm，79kg。大学を卒業し社会人になり，現在までに16kg体重が増加。3年前より会社健診で尿糖を指摘。弟も「糖尿の気がある」と言われている。かかりつけ医はとても真剣に考えてくれ，処方されたメトホルミンを服用するが，当初は「お腹がごろごろする」ことや下痢に悩まされた。現在は問題なく服用している。母は既に糖尿病合併症（網膜症，腎症）が出現しており，自分も心配している。抗GAD抗体陰性，この半年間尿ケトンは常に陽性となっている。空腹時血糖値145mg/dL（正常：70～99mg/dL），空腹時インスリン濃度8.8μU/mL（正常値：2～10μU/mL），食後2時間血糖値248mg/dL，Cペプチド2.6ng/mL。

病態をどうとらえるか──parameterを読み解く

HOMA-IR＝「空腹時血糖値×空腹時インスリン濃度÷405」が2.5以上の場合，インスリン抵抗性があると判断される。HOMA-IRは空腹時血糖値140mg/dL以下で信頼度が高いと言われている。しかし多くの症例では血糖値180mg/dL以上であり，インスリン分泌曲線の変化を考慮しないといけなかった。このことからコンピューターモデルを改良し「HOMA2-IR」となった。ただし，こちらもインスリン療法中の場合には正確な血中インスリン濃度が測定できないため使えない。

問題点の整理

著明な高血糖症と代謝失調症状は，強いインスリン抵抗性を想起させる。または，インスリン分泌能の低下状態に糖質過剰摂取が加わったketosis prone diabetesの状態であると考える。当初は全身倦怠感が強くインスリン治療を開始した。常にインスリン抵抗性の程度（肥満度，血中Cペプチド分泌濃度，肥満歴，家族歴）とインスリン分泌能（ケトン体出現の程度，体重減少の度合い，口渇・多飲などの顕著な高浸透圧症状）に着目する必要がある。インスリン抵抗性とインスリン分泌能により2型糖尿病のクラスター分類と特徴がわかり，疾患・合併症予後の推察に有効である。

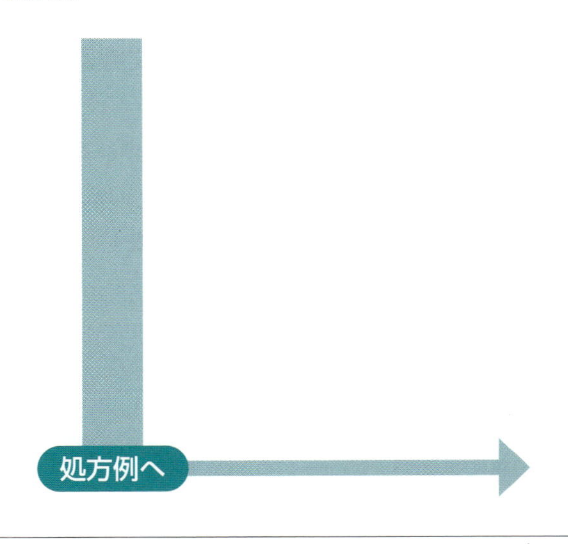

処方例 ── まずはこうする！

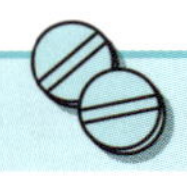

経口薬

SGLT2阻害薬を考慮する

インスリン

GLP-1受容体作動薬（オゼンピック®0.5～1.0mg／週）の追加を検討　※肥満症例であるため

食事療法

標準体重1kg当たり1日25kcal／kg。スポーツ飲料や人工甘味飲料，果物ジュースも禁止

運動療法

週に150分以上，中等度以上の運動を行う

解説　処方例 ── まずはこうする！

2型糖尿病はヘテロな集団と考えられてきたが，病態に応じたクラスター分類が注目され（**表**），臨床予後や薬剤選択に参考となる。

SIRDは末期腎不全までの進行が速く，SGLT2阻害薬の効果はMODで高く，スルホニル尿素（SU）薬やDPP-4阻害薬の効果はMARDで高い可能性がある[1]。インスリン分泌能とインスリン抵抗性についての計算は簡便なサイトがあり，英国オックスフォード大学が無料公開している（https://www.dtu.ox.ac.uk/homacalculator/download.php）。数例で試用すると，感覚的にインスリン分泌能とインスリン抵抗性の評価に慣れてくると思われる。

以下，処方例に関して補足する。

経口薬：インスリン抵抗性のある症例は末期腎不全まで進行が速く，腎保護効果のあるSGLT2阻害薬を考慮する。

食事療法：肥満症ではないが，標準体重1kg当たり1日25kcal/kgが原則。脂質異常症を認めるため，炭水化物60％，脂質20～25％，蛋白質15～20％で行う。食物繊維を1日25g以上摂取するようにする。

表　2型糖尿病のクラスター分類

抗GAD抗体陽性でインスリン分泌が低い	severe autoimmune diabetes（SAID）
抗GAD抗体陰性だが，インスリン分泌が低く，肥満が少ない	severe insulin-deficient diabetes（SIDD）
肥満とインスリン抵抗性が高い	severe insulin-resistant diabetes（SIRD）
肥満はあるがインスリン抵抗性は高くない	mild obesity-related diabetes（MOD）
加齢を背景に糖尿病が増悪する	mild age-related diabetes（MARD）

コントロール不良―次の一手はこれだ！

経口薬

メトホルミン1,000〜1,500mg／日 分2〜3
経口のGLP-1受容体作動薬の追加

食事療法

前記指導に加え，食物繊維(野菜，根菜類)を最初に食べ，午前中の間食は避けてもらう
メトホルミンで消化器症状が出現する患者は，乳製品を多く摂っている場合，控えてもらう

インスリン

GLP-1受容体作動薬の無効例は，
①BOT(basal supported oral therapy)
②Basal-Plus療法。
GLP-1受容体作動薬は残しておく

運動療法

週に150分以上，中等度以上の運動を行う

解説 コントロール不良―次の一手はこれだ！

本症例はSIRDである。SIRDの特徴として，経過とともに心脳血管障害が多く合併し，腎機能障害が進行していく。HOMA-IR 3.15であり，これは強いインスリン抵抗性と肥満症を背景にした糖代謝異常と判断され，減量治療とインスリン抵抗性改善薬の使用が予後を決めていく。多くの症例は高血圧症，複合型脂質異常症を合併し，集学的治療を必要とする。**メトホルミンの効果持続が難しいときには，減量を目的にGLP-1受容体作動薬，SGLT2阻害薬を積極的に使用する**。減量と集学的治療が大切な症例である。

以下，処方例に関して補足する。

経口薬：服用に問題なければ，メトホルミンは続けたい。

インスリン：肥満症例のため，GLP-1受容体作動薬の注射製剤を中心にするが，無効例では以下のインスリン療法が必要である。①BOT：ランタス®，レベミル®，トレシーバ®(朝食時または就寝前)等の追加による経口血糖降下薬＋基礎インスリン療法。②Basal-Plus療法(基礎インスリンに食直前追加インスリンを1回もしくは2回加える療法)。GLP-1受容体作動薬〔トルリシティ®皮下注0.75mgアテオス®(0.75mg/週)，セマグルチドなど〕は残しておく。

食事療法：間食は午前中は避ける。午前中に間食する肥満者は減量困難。

手術前の上手な薬剤選択

渕上彩子

Keyword
- 2型糖尿病
- 単剤もしくは2剤の経口血糖降下薬
- 自身で調整可能な服薬アドヒアランス

parameter

61歳男性　会社員（デスクワーク，電車通勤）

項目	評価	内容
肥満	★★☆☆☆	あり（BMI 25.2）
家族歴	★★★☆☆	父：糖尿病
HbA1c	★★☆☆☆	6.8%
食前血糖	★★☆☆☆	128mg/dL
食後血糖	★★☆☆☆	175mg/dL
罹病期間	★★★☆☆	5年
腎障害	★★☆☆☆	腎症1期（eGFR 76mL/分/1.73m^2，尿アルブミン15mg/gCr）
合併症	★☆☆☆☆	網膜症なし，神経障害（末梢神経障害，自律神経障害）なし，高血圧症
併用薬	★★☆☆☆	アムロジン®2.5mg/日 分1 朝食後

現処方 メトグルコ®500mg/日 分2 朝夕食後

高血圧症があり，治療中。56歳時に糖尿病を指摘された。食事療法を継続していたが，仕事が多忙で食事療法が遵守できず，血糖値が上昇した。1年で体重が6kg増加したこともあり，HbA1c値が8.0%まで上昇した。メトグルコ®500mg/日 分2が開始された。喫煙は10本/日×40年間。健康診断の胸部X線にて，肺野に結節影の指摘あり。胸部CT検査を施行したところ，肺癌疑いとなった。その後，病理検査にて肺扁平上皮癌の診断となり，呼吸器外科にて手術の方針となった。仕

事が多忙であり，術前を含めて入院を短期間にしてほしいと希望あり。
身長168cm，体重71kg。

病態をどうとらえるか──parameterを読み解く

肥満，糖尿病の家族歴がある2型糖尿病。内因性インスリン分泌は保たれており，インスリン抵抗性を認める。細小血管合併症の進行はなく，現在の加療にてHbA1c値のコントロールが良好である。

問題点の整理

経口血糖降下薬を使用している，比較的管理良好な2型糖尿病患者である。糖尿病患者は術後合併症の頻度が20～30％と高く，入院期間も長期化すると言われている。よって，術前からの周到な準備と周術期における細やかな血糖コントロールが必要である。高血糖自体が独立して，手術患者やICU患者の感染性合併症，心血管系合併症，死亡などといった臨床的アウトカムを悪化させるとも報告されている[1)]。薬物療法中には，手術の大小，糖尿病の病型にかかわらずインスリンを中心とした血糖管理への切り替えが原則である。本来であれば早期に入院してもらい，強化インスリン療法への置換が検討される（ビグアナイド薬，SGLT2阻害薬はともに術前2～3日の休薬期間が必要である）。HbA1c値に関しては，主に過去1～2カ月の血糖値の平均であることから術前の管理には反映しないことに留意する。本症例は，外来診療ではしばしば遭遇するケースであるが，仕事が多忙でありどうしても入院期間を減らしたく，できるだけ外来治療にて周術期血糖管理を行いたいという希望が強い。

処方例 ―まずはこうする！

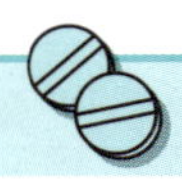

経口薬

メトグルコ®を中止し，下記に切り替え
グラクティブ®50mg/日 分1，シュアポスト®1.5mg/日 分3

食事療法

1,760kcal/日(28.3kcal/kg/日)，減塩(塩分6g/日)

インスリン

適応なし

運動療法

中等度の運動を週3回以上。歩行運動では1回15～30分間，1日2回，毎日歩行を1万歩/日

解 説 処方例―まずはこうする！

治療変更の前に，術前に計画入院をし，強化インスリン療法へ切り替えることがゴールドスタンダードであることを再確認して頂き，それでも困難な場合のみ変更する。周術期血糖管理に関して，「糖尿病専門医研修ガイドブック」によると，経口血糖降下薬の場合，ビグアナイド薬，SGLT2阻害薬，スルホニル尿素(SU)薬は一定の休薬期間が必要であるが，それ以外の**DPP-4阻害薬，チアゾリジン薬，α-グルコシダーゼ阻害薬，速効型インスリン分泌促進薬，GLP-1受容体作動薬，インスリン製剤は，前日まで継続のまま手術当日は**

表 糖尿病治療薬の周術期における対応と主な術後合併症

	術前まで	手術当日	術後合併症・注意点
ビグアナイド薬	2日前までに中止	中止	腎機能低下，低酸素状態における乳酸アシドーシス
スルホニル尿素(SU)薬	継続，高用量は2～3日前までに中止	中止	遷延性低血糖
速効型インスリン分泌促進薬	継続	中止	低血糖
チアゾリジン薬	継続	中止	浮腫，うっ血性心不全
α-グルコシダーゼ阻害薬	継続	中止	イレウス
SGLT2阻害薬	2～3日前までに中止	中止	脱水，正常血糖ケトアシドーシス
DPP-4阻害薬	継続	中止	消化器症状・イレウス
GLP-1受容体作動薬	継続	中止	消化器症状
(超)速効型インスリン	継続	中止	低血糖
中間型・持効型インスリン	継続(夕～減量考慮)	継続・減量考慮	1型糖尿病では必須．絶食期間によって投与量を調整

(日本糖尿病学会，編著：糖尿病専門医研修ガイドブック．改訂第8版．診断と治療社，2020，p413．より引用)

コントロール不良―次の一手はこれだ！

経口薬

グラクティブ®とシュアポスト®を中止

インスリン

インスリン リスプロ 4-4-4単位，
インスリン グラルギン 4単位/日

食事・運動療法

変更なし

中止を検討する（表）[2]。今回はメトグルコ®500mg/日 分2をグラクティブ®50mg/日 分1，シュアポスト®1.5mg/日 分3へ切り替えた。周術期血糖管理として，目標血糖値は空腹時血糖100～140mg/dL，もしくは食後血糖160～200mg/dL，尿糖は1＋以下，尿ケトン体陰性である[2]。食事・運動量を実践してもらいながら，手術前日まで内服を継続し，手術当日から内服を中止する。

解 説 コントロール不良―次の一手はこれだ！

術前休止の必要のない**経口血糖降下薬へ変更後も血糖コントロールが不良であった場合は，入院管理での強化インスリン療法への切り替えが最も安全にできる周術期血糖管理と考える**。しかし，どうしても入院期間を短くしたいとの希望があった場合は，外来で強化インスリン療法を導入する。もちろん，インスリン手技や血糖自己測定が問題なく施行できる患者に限られる。

他の経口血糖降下薬を組み合わせる方法や基礎インスリンにDPP-4阻害薬を併用する方法も報告されている[3]が，今回は悪性腫瘍の症例であり，外来調整に長期間かけることは困難と考えられた。食事・運動療法は継続して行いながら，超速効型インスリンと持効型インスリンを組み合わせ，持効型インスリンは0.1～0.2U/kg程度で開始し，漸増させる。血糖自己測定も導入し，1日2回のランダム測定を行い，目標血糖値を空腹時血糖100～140mg/dL，食後血糖160～200mg/dLに設定する。低血糖時やシックデイの指導を忘れずに行い，手術前日まで継続，当日に中止を検討する。本症例では，強化インスリン療法へ切り替え後手術を行ったが，周術期合併症なく無事に手術が終了した。

7章 総合診療医の視点―4

見逃してはいけない病態

齋藤　学

Keyword
● 膵癌
● 経口血糖降下薬を内服中

parameter

56歳男性　会社員

項目	評価	内容
肥満	★★☆☆☆	なし（BMI 20.8）
家族歴	★★★☆☆	母：糖尿病
HbA1c	★★★★☆	8.6%
食前血糖	★★★☆☆	146mg/dL
食後血糖	★★★★☆	260mg/dL
罹病期間	★★★☆☆	6年
腎障害	★★☆☆☆	腎症2期
合併症	★★☆☆☆	高血圧症
併用薬	★★☆☆☆	アムロジン®2.5mg/日

現処方　トラゼンタ®5mg/日

身長170cm，体重60kg。6年前に2型糖尿病と診断されてトラゼンタ®5mg/日の内服のみで最近のHbA1c 6.5～7.0%でコントロールされていた。しかし，X年4月の定期外来でHbA1c 7.5%，6月で8.6%と急激に増悪した。食生活や運動習慣の変化はなく自覚症状もみられていないが，2カ月間で体重が4kg減少している。悪性腫瘍を疑い腹部エコーを施行したところ膵尾部に腫瘍を認め，精査の結果，膵尾部癌と診断された。今後大学病院で手術を予定されている。

病態をどうとらえるか──parameterを読み解く

２型糖尿病患者が膵癌を契機に血糖悪化を認めた症例である。膵性糖尿病は膵（外分泌）疾患に伴う糖尿病と定義されていて，起因する膵疾患としては慢性膵炎，膵癌，自己免疫性膵炎などが挙げられる。**２型糖尿病は膵癌のリスクのひとつであり，本症例のように生活習慣の変化がないにもかかわらず血糖コントロールが急激に悪化する場合は，積極的に画像検査や腫瘍マーカーなどの検査を進めることが大切である。**

問題点の整理

膵性糖尿病は膵β細胞からのインスリン分泌低下と膵α細胞からのグルカゴン分泌低下がみられる。そのため通常の糖尿病よりもインスリンの必要量は比較的少ないのに血糖値の変動が大きく，インスリン補充により低血糖に陥りやすい特徴がある[1)]。よって，**基本的にインスリン頻回療法の適応と考える。**

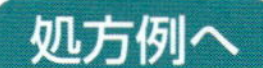

処方例——まずはこうする！

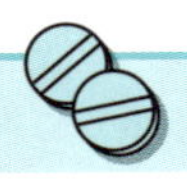

経口薬

トラゼンタ®を中止

食事療法

エネルギー摂取量は30kcal/kg/日，脂肪便を認める場合は脂肪量40〜60g/日
ほかにビタミンや消化酵素薬の補充を必要に応じて行う

インスリン

インスリン リスプロ 4-4-4単位 毎食前+インスリン グラルギンBS 4単位 夕食前によるインスリン頻回療法にて治療を開始する

運動療法

過度な運動は制限する

解説 処方例——まずはこうする！

日本人の2人に1人ががんになる時代である。糖尿病患者の死因の第1位が悪性新生物（肺癌，肝癌，膵癌の順）であり，近年，悪性新生物による死亡割合が増加傾向である。その中で日本人の糖尿病患者における全がんの相対リスクは男性で1.19（95%信頼区間1.12〜1.27），女性で1.19（1.07〜1.31）と有意に上昇していた。また部位別の解析では大腸癌，肝臓癌，膵癌のリスクが上昇していた[2)]。そのため便潜血検査，腹部エコー，上部下部内視鏡検査など悪性腫瘍の評価を年1回行うのが望ましい。自院で困難であれば中核病院と連携して検査を行うのが有用である。

糖尿病の診療経過中にがんの発症が疑われる場合，担当医はがん専門医に精査と治療を相談する必要がある。高血糖は感染や創傷治癒遅延のリスクであり，**周術期には術前から厳格な血糖コントロールが求められる。その際，経口血糖降下薬は使用せず，インスリン頻回療法で血糖管理をするのが望ましい。**

食事療法については「標準体重（kg）×30kcal」が推奨されており，膵性糖尿病では膵外分泌機能が低下していることが多く，消化吸収不良や脂肪便が認められる場合は適切な脂肪量の摂取，ビタミン製剤の補充，消化酵素薬の薬物療法も行うことが大切である。

コントロール不良──次の一手はこれだ！

経口薬

変更なし

食事療法

変更なし

インスリン

持続皮下インスリン注入療法（CSII）への変更を検討する

運動療法

変更なし

解説 コントロール不良──次の一手はこれだ！

膵癌術後の場合，膵体尾部は膵頭部よりもβ細胞が多く分布しており，術後は膵頭部十二指腸切除術に対し，膵尾部側切除術において耐糖能異常がより多いと言われている。また膵全摘後はインスリン依存状態となり，1型糖尿病と同様にインスリン頻回療法が基本治療となる。しかし，1型糖尿病患者よりもインスリン必要量は少ないことが多い[3)]。そのため血糖値の変動が大きく，インスリン頻回療法にて血糖コントロールに難渋する場合は持続皮下インスリン注入療法（continuous subcutaneous insulin infusion：CSII）を用いた治療の有効性が示されるようになった[4)]ので，CSIIの導入を検討する。

糖尿病の日常診療においては，血糖コントロールと合併症管理にとどまらず，がんの併発にも注意しなければならない。定期的にがん検診の受診を推奨し，意図せぬ体重減少や貧血の出現・進行などがんの一般的な徴候を見逃さないことに加え，**本症例のように説明できない血糖コントロールの悪化については膵癌をはじめとする悪性腫瘍の併発を疑うことが大切である。**

Keyword
- HbA1c 6.5%未満
- 境界型
- 発症予防

産業医から紹介される クリニックがやるべきことは?

佐藤源記

parameter

38歳男性　会社員

肥満	★★☆☆☆	あり(BMI 26.0)
家族歴	★★★☆☆	父:糖尿病
HbA1c	★☆☆☆☆	6.3%
食前血糖	★☆☆☆☆	108mg/dL
食後血糖	★★☆☆☆	160mg/dL
罹病期間	★☆☆☆☆	糖尿病の診断は未
腎障害	★★☆☆☆	腎症1期(eGFR 76mL/分/1.73m^2, 尿アルブミン20.5mg/gCr)
合併症	★☆☆☆☆	なし
併用薬	★☆☆☆☆	なし

現処方 なし

身長172cm, 体重77kg。36歳時の職場健診にてHbA1c 6.0%であったが, 特に医療機関受診は指示されず経過観察とされた。38歳時の健診でHbA1c 6.3%まで上昇を認めたため, 産業医指示にてクリニックを紹介受診された。

病態をどうとらえるか──parameterを読み解く

以前から耐糖能異常を指摘されていたが，経時的な血糖上昇を認めている。紹介時までの検査では糖尿病の診断基準を満たしていないが，肥満や糖尿病家族歴などのリスク因子を持つ症例であり，まずは75g経口ブドウ糖負荷試験(75g oral glucose tolerance test：75gOGTT)を施行する。

本症例での75gOGTT結果は表の通りであり，空腹時血糖値は正常高値であるものの，食後2時間血糖値は150mg/dLであり，境界型であった。

表　本症例の75gOGTT結果

	0分値	負荷後30分	負荷後60分	負荷後120分
血糖値(mg/dL)	105	190	220	150
IRI(μU/dL)	10	40	120	80

問題点の整理

空腹時血糖値110～125mg/dL，随時血糖値140～199mg/dL，HbA1c 6.0～6.4%のいずれかに該当する症例は，現在糖尿病の疑いが否定できない者として75gOGTTの施行が強く推奨される。糖尿病の診断に至らなかったケースでも発症予防のための指導を行う。

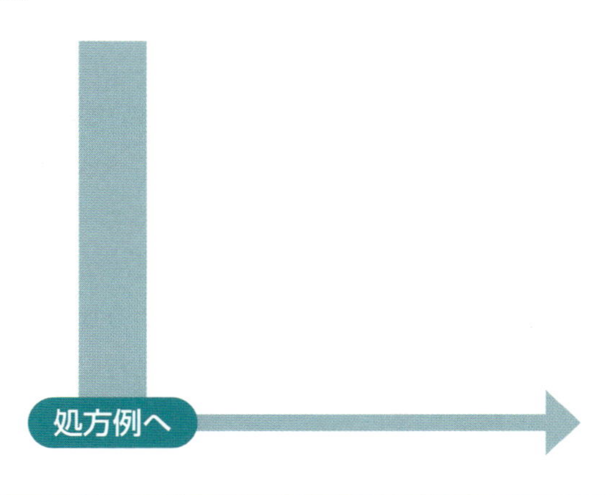

処方例 ―まずはこうする！

経口薬

適応なし

インスリン

適応なし

食事療法

総エネルギー量1,800kcal/日
(28kcal/kg/日)

運動療法

食後を中心に20〜30分程度のウォーキングを行う。週3回以上，1週間で合計150分以上を目安とする。週2回程度のレジスタンス運動も推奨する

解 説 処方例―まずはこうする！

75gOGTTでは空腹時血糖値および2時間血糖値を用いて正常型・境界型・糖尿病型を判定する。

境界型は空腹時血糖異常（impaired fasting tolerance：IFG）と耐糖能異常（impaired glucose tolerance：IGT）に区別される。

IFGは空腹時血糖値が110〜125mg/dLのものを指し，糖尿病発症リスクが高い群とされる一方で，IGTはOGTT 2時間値140〜199mg/dLのものを指し，糖尿病発症リスクが高いことに加え，心血管疾患の高リスク群ともされている。境界型の治療としてまずは食事療法，運動療法が重要であり，基本的には糖尿病患者と同様に指導する。また，喫煙は糖尿病発症の危険因子であるとともに，単独で心血管イベント発症のリスクとなるため，全例禁煙を勧める。IGT集団に対する生活習慣の介入で，およそ半数の被検者に糖尿病発症予防効果を認めたことが海外の研究で報告されており[1)]，日本人を対象とした試験でも，肥満IFG集団に対する生活習慣改善が2型糖尿病発症予防につながると報告されている[2)]。クリニックへこのような患者が紹介された際には，**境界型であることを見逃さずに積極的に指導を行うことが肝要である。**

コントロール不良──次の一手はこれだ！

経口薬

ベイスン®0.2mg/日 分1 食直前(いずれかの食事)で開始。効果と消化器症状を見ながらベイスン®0.6mg/日 分3 毎食直前まで増量

インスリン

変更なし

運動療法

変更なし

食事療法

変更なし

解 説 コントロール不良──次の一手はこれだ！

IGT患者に対する薬物療法の効果としては複数の研究結果が示されており，メトホルミン，アカルボース，ピオグリタゾンに関して糖尿病への進展予防効果が報告されている。しかし，これらの薬剤はIGT患者への保険適用がない。

現在IGT患者に対し糖尿病発症予防効果が認められ[3)]，保険適用があるのはボグリボース0.2mgのみである。IGTと診断され，食事療法・運動療法を3～6カ月行っても耐糖能異常が改善されず，かつ高血圧症，脂質異常症，BMI 25以上の肥満，2親等以内の糖尿病家族歴のいずれかを有する患者に対して，2型糖尿病の発症抑制を目的とする場合に保険適用となる。投与時の注意としては腹部膨満感や放屁等の消化器症状が出現しやすいことが挙げられる。これらの症状は投与を少量から開始し，経過を見ながら漸増とすることで発生頻度を減らすことが期待できる。

章 総合診療医の視点— 6

病診連携で病院から紹介を受けるクリニックがやるべきことは?

吉川芙久美

Keyword

- 血糖コントロール入院の直後
- 通院アクセスを考慮した病院選択
- 基幹病院や他科との連携

parameter

48歳男性	会社員(デスクワーク,電車通勤)	
肥満	★★☆☆☆	あり(BMI 28.1)
家族歴	★★★☆☆	父:糖尿病
HbA1c	★★★★☆	8.5%
食前血糖	★★★☆☆	149mg/dL
食後血糖	★★☆☆☆	197mg/dL
罹病期間	★★☆☆☆	1年
腎障害	★☆☆☆☆	腎症1期(eGFR 104mL/分/1.73m², 尿アルブミン10mg/gCr)
合併症	★★★☆☆	脂肪肝,高血圧・脂質異常症
併用薬	★★★☆☆	バルサルタン40mg, アトルバスタチン2.5mg

現処方 ゾルトファイ®配合注フレックスタッチ®26ドーズ 眠前,メトグルコ®500mg/日 分2 朝夕食後

身長178cm,体重89kg。これまで血糖異常の指摘なく,春の健診でHbA1c 9.7%・空腹時血糖値175mg/dLで糖尿病と診断された。仕事は多忙で接待も多く,半年で体重が5kg増加していた。大学病院へ紹介の上,血糖コントロール目的で入院し強化インスリン療法を導入したが, 退院時はfixed-ratio combination(FRC) 製剤へステップダウンした。 仕事が忙しく, 職場より通院しやすい近医に通院希望あり,紹介された。 抗GAD抗体陰性, 血中Cペプチド2.75(空腹時血糖値

149mg/dL)。悪性腫瘍を示唆する所見なし，腹部超音波検査にて脂肪肝を認めた。

病態をどうとらえるか──parameterを読み解く

過食・体重増加により血糖値が増悪した症例で，インスリン抵抗性が主体の病態である。入院にて疾病教育・血糖コントロール・合併症検索を受けた後に紹介となった。病歴から，退院後の生活習慣により再度血糖が悪化する可能性があるため，こまめな指導の継続を要する。多忙な患者の場合，通院負担が大きいと頻回来院が困難で通院中断にもつながりやすく，通院アクセスを考慮した病院選択をしたほうが治療継続率やQOLの向上につながる。

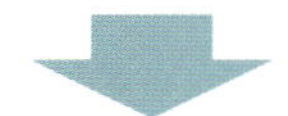

問題点の整理

退院後の生活習慣により再度増悪をきたすリスクが高い。本人の治療意欲を維持するためにも，採血・体重測定・診察を継続し，状況に応じた指導を継続する。退院直後は血糖変動が大きく，経時的に変化するため，インスリンの調整や必要に応じて内服薬の増量・追加も検討する。ただし，薬剤選択に苦慮する，血糖管理に難渋するようであれば早めに基幹病院への再紹介も検討する。合併症も進行するため，最低でも年1回は悪性腫瘍・合併症検索を行う。実施困難な検査に関しては基幹病院と連携し，適宜，人間ドックの活用や眼科・歯科とも連携を図りながら実施する。

処方例——まずはこうする！

経口薬

メトグルコ®の増量（忍容性を確認しながら，最高投与量2,250mg/日まで増量）

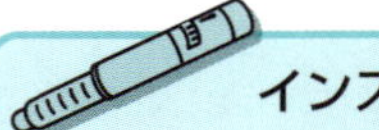

インスリン

朝食前血糖値に応じて，ゾルトファイ®配合注フレックスタッチ®を調整する

食事療法

2,000kcal/日（28.7kcal/kg/日），減塩（塩分6g/日）

運動療法

20〜30分程度/回のウォーキングを週3回以上。毎日歩行を1万歩/日

解説 処方例——まずはこうする！

入院中に血糖コントロールを施行しても，実生活と食事や活動量は異なるため，退院後に血糖値は変化する。特に退院直後は変化が大きいため，毎回血糖測定ノートをこまめに確認し，朝食前血糖値100〜130mg/dL程度を目標にFRC製剤を2〜4ドーズずつ調整する。**FRC製剤は持効型インスリンとGLP-1受容体作動薬（GLP-1RA）の配合注のため，増量時は低血糖・消化器症状の出現の双方に注意する**。大きな合併症の進行のない，肥満を有する若年の症例であり，基本的にはメトホルミンが第一選択となる[1)]。入院中は治療期間の関係でメトホルミンを十分量まで増量できていない場合が多いので，忍容性を確認しながら適宜増量する。

食事療法は入院中に栄養指導が導入されているので，基本的には入院中の指導を前提に進める。もともと過食により血糖値が増悪した症例であり，診察ごとに体重測定し，振り返りを行う。食事療法に難渋する場合は，基幹病院と連携し栄養指導のみ受講することも検討する。多忙な症例であり，まとまった運動時間を確保することが難しい場合は，「運動」にこだわらず日常生活における活動量を増やすことを目標にする。近年ではスマートフォンやウェアラブル端末で歩数や身体活動量を評価することが可能で，診察時にも簡単に確認できるため，うまく取り入れることで活動量を増加させられることが報告されている[2)]。

コントロール不良——次の一手はこれだ！

経口薬

メトグルコ®は継続
ジャディアンス®10mg/日 分1
朝食後の追加

インスリン・注射薬

ゾルトファイ®配合注フレックスタッチ®を中止し，ゾルトファイ®と同単位のトレシーバ®注とオゼンピック®皮下注0.25mg 週1回に変更

食事療法

変更なし

運動療法

変更なし

解 説 コントロール不良——次の一手はこれだ！

肥満を有する症例であり，既にメトホルミン・GLP-1RAが導入されている。ガイドラインに沿って次の一手としてSGLT2阻害薬の導入を検討する[1]。SGLT2阻害薬の投与による肝内脂肪や肝機能改善が報告されており[3]，脂肪肝合併例では良い適応と考えられる。

インスリン分泌能が保たれている症例では，糖毒性が解除されると朝食前血糖値が改善し，持効型インスリンの量が少量となる場合が多い。配合製剤ではドーズの低下とともにGLP-1RAの投与量も減少する。肥満合併例で体重減少効果を狙う場合は，GLP-1RAを高用量または体重減少効果の強い製剤へと変更することを検討する。投与中のFRC製剤と同じ製剤に変更する場合は，投与中のドーズから計算して同等もしくは少し多めの量で切り替える。**他の製剤に変更する場合は，投与量にかかわらず最小用量から開始し，添付文書通りに増量する点に注意が必要**である。GLP-1RAをしっかり投与することで，持効型インスリンの減量・中止も期待されるため，FRC製剤が低用量となった場合には持効型インスリンとGLP-1RAに分けることも積極的に検討していく。

糖尿病診療に使える社会資源（行政・栄養指導）

山本絢菜

Keyword
- 食事指導が守れない
- 定期通院困難
- 経済的に厳しい

parameter

59歳男性　無職

肥満	★★☆☆☆	あり（BMI 26.9）
家族歴	★☆☆☆☆	なし
HbA1c	★★★★☆	8.0%
食前血糖	★★★☆☆	140mg/dL
食後血糖	★★☆☆☆	195mg/dL
罹病期間	★★★★★	15年
腎障害	★★★☆☆	腎症3期（eGFR 40mL/分/1.73m², 尿アルブミン255mg/gCr）
合併症	★★★★☆	両眼増殖糖尿病網膜症，糖尿病性腎症，糖尿病神経障害
併用薬	★☆☆☆☆	なし

現処方　なし

身長168cm，体重76kg。15年前に会社健診で糖尿病と診断されたが放置し，以降は無治療である。糖尿病網膜症の進行に伴う牽引性網膜剝離により右眼は失明し，近医を受診した際にHbA1c 8.0%，随時血糖210mg/dLを指摘された。視力低下のため信号が見えず，交通事故に遭い左脚骨折および軽度の脳出血により入院した。後遺症により歩行も困難となり，現在は車椅子での生活である。入院中はインスリン注射で血糖管理されていたが，視力低下のためインスリン注射を継続

できず自宅から近いクリニックへ紹介となった。また，失明状態および歩行困難のため失業せざるをえなくなり，経済的に厳しいようである。

病態をどうとらえるか――parameterを読み解く

病識に乏しく自己中断歴がある。食生活も不規則であり，肥満を認めることより内因性インスリン分泌能は保たれていると考えられる。

網膜症，腎症ともに進行しており，全身の動脈硬化が進行していることが予想される。

問題点の整理

進行した腎症や網膜症があるが，視力低下や歩行障害があり，1人での定期通院は困難である。また，視力低下および歩行障害により就業困難であり，今後の生活には行政の介入が必須である。また顕性蛋白尿も呈しており，腎臓専門医によるコントロールも必要な段階である。

糖尿病や合併症に関連した障害を持っている患者に関係する社会保障について以下，説明する。

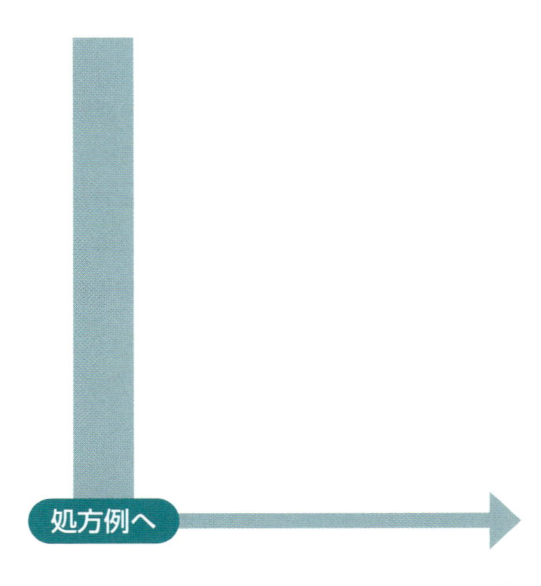

処方例——まずはこうする！

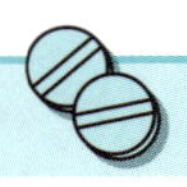

経口薬

トラゼンタ®5mg/日 分1 朝食後

インスリン

適応なし

食事療法

1,680kcal/日(27.0kcal/kg/日),
減塩(塩分6g/日)

運動療法

適応なし(腎症進行および視力低下があるため)

解 説 処方例——まずはこうする！

病識に乏しく継続的な療養指導が必要な症例である。また，視力低下および歩行障害に伴い就業が困難な状況にあるため，まずは社会資源の調整を行う。本症例において使用できる社会資源には障害年金[1]がある。病気や怪我などによって障害がある患者が一定の要件を満たしている場合に申請できる。糖尿病網膜症による失明状態にあるため，厚生年金保険の被保険者であれば受給は可能と考えられる。詳しくは日本年金機構のホームページに記載されている。また，眼・肢体に障害を認めるため，身体障害者手帳の交付および心身障害者医療費助成/手当の受給も可能である[2]。

65歳以下ではあるが，40～64歳で糖尿病網膜症，糖尿病性腎症の特定疾病の診断を受けているため，介護保険制度[3,4]の利用も可能である。**注意すべき点は，糖尿病そのものに対する助成は存在しない点である。**細小血管合併症の進行を認める症例に対する社会資源は多く存在するため，臨床においても活用されたい。糖尿病治療に関しては，腎機能が低下しても使用できるリナグリプチンやテネリグリプチンを選択する。

コントロール不良──次の一手はこれだ！

経口薬

トラゼンタ®5mg/日は継続。シュアポスト®0.75mg/日 分3を追加する

食事療法

より具体的に繰り返し指導を行う

インスリン・注射薬

空腹時血糖が上昇傾向であればトレシーバ®皮下注4～6単位/日（代行注射）

インスリン注射を追加し，シュアポスト®追加後も食後血糖高値が続くようであればトラゼンタ®5mg/日を中止した上でオゼンピック®皮下注0.5mgの追加（代行注射）を検討する

運動療法

変更なし

解 説 コントロール不良──次の一手はこれだ！

本症例においては視力低下によりインスリン自己注射が困難なため，代行注射を依頼する。身の周りに代行注射を頼める家族がいなければ，介護保険を利用し訪問看護サービスを利用して訪問看護師にインスリン注射をしてもらう。要介護度によって訪問回数は異なるが，週3回の訪問看護サービスを利用するケースが多い。作用時間の長いトレシーバ®であれば，週3回投与でも血糖改善できる。また，食後血糖高値を認めるようであれば，シュアポスト®0.75mg/日 分3を追加し，トラゼンタ®5mg/日を中止した上でオゼンピック®の代行注射を依頼する。オゼンピック®は体重減少効果もあるため，良い適応と考えられる。**医療費に関しては高額療養費制度，限度額適用認定証交付申請，高額療養費貸付制度などが活用できる**（医療保険によって異なるため，詳細は各保険の申請窓口に問い合わせのこと）。また，生活費に関しては生活保護の申請も検討する。

査定されやすい糖尿病保険診療と，回避方法

岩田葉子

Keyword
- 内因性インスリン分泌能評価（IRIと血清CPR）
- 在宅自己注射指導管理料
- DPP-4阻害薬とGLP-1受容体作動薬

parameter

76歳男性　無職，目標体重（IBW）65kg

肥満	★★☆☆☆	あり（BMI 28.1）
家族歴	★★★☆☆	父：糖尿病
HbA1c	★★★★☆	9.2%
食前血糖	★★★★☆	183mg/dL
食後血糖	★★★★☆	312mg/dL
罹病期間	★★★★★	16年
腎障害	★★★☆☆	腎症3期（eGFR 39mL/分/1.73m^2，尿蛋白0.8g/gCr）
合併症	★★☆☆☆	網膜症および神経障害の程度は不明，高血圧症
併用薬	★★☆☆☆	アムロジン®5mg/日，ミカルディス®40mg/日

現処方　エクメット®配合錠HD（ビルダグリプチン 50mg，メトホルミン 500mg）2錠/日 分2，アマリール®0.5mg/日 分1

身長172cm，体重83kg，罹病期間16年の2型糖尿病であり，エクメット®配合錠HD 2錠/日を処方され，HbA1c 7%後半で推移していた。1カ月前の前回定期受診時にHbA1c 8.6%と上昇あり，アマリール®0.5mgを追加した。しかし，今回受診時にはHbA1c 9.2%とさらに悪化を認め，体重も2kg増加していた。半年前に妻と死別し独居となり，それまで3食妻の手作りであったのがほぼすべてコンビニですませる食生活が続いており，間食も増えている。入院はしたくないと拒否あ

り。合併症は腎症が徐々に悪化傾向である。網膜症はここ2年間，眼科受診なく不明。

病態をどうとらえるか――parameterを読み解く

糖尿病の罹病期間は比較的長期であり，細小血管合併症も進行している。妻と死別し，食事がコンビニ食メインとなり食生活が悪化したことで，体重増加や血糖管理不良だけでなく，塩分や蛋白摂取過剰となり腎臓への負担も増え，eGFR低下に拍車をかけたと考えられる。

問題点の整理

妻との死別による食生活の変化が大きな問題であり，本人だけで実践・継続できる食生活を考えていく必要がある。

治療については，現在の腎機能では使用できる経口血糖降下薬は限定され，注射薬の併用が望ましい。

合併症の進行がないか再評価を行うとともに，急激な血糖上昇の原因が食生活の悪化によるものだけなのか，他の要因も探るために内因性インスリン分泌能や悪性腫瘍の可能性についても評価する。

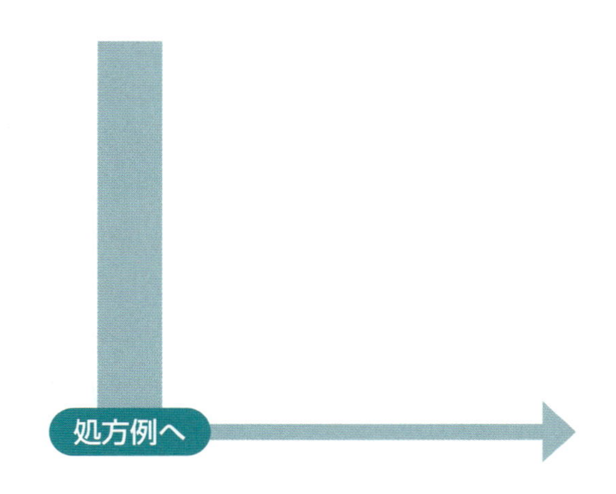

処方例―まずはこうする！

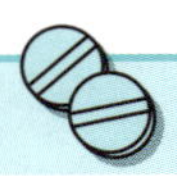

経口薬

エクメット®配合錠HDに含まれるメトホルミン中止，ビルダグリプチンは減量　または
トラゼンタ®5mg/日や，テネリア®20mg/日へ変更，アマリール®中止

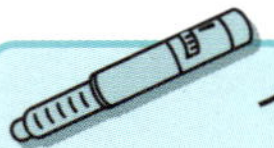

インスリン

インスリン　グラルギンBS注ミリオペン®「リリー」開始

食事療法

1,800kcal/日(28kcal/kg/日)，減塩(塩分6g/日)
※蛋白制限は現実的に難しいことが多く，まずは減塩を意識する

運動療法

1回15～30分間の散歩を1日2回程度

解説　処方例―まずはこうする！

腎機能低下が進行している高齢者であり副作用リスクが上昇するので，メトホルミンやアマリール®は中止する。DPP-4阻害薬も腎機能に応じ減量するか用量調整が不要な製剤へ変更する。本人の強い希望に基づき入院でなく外来でのインスリン注射の導入を提案し了承が得られ，持効型インスリンを導入した。内因性インスリン分泌能の評価にはIRIや血清CPRを測定するが，**同時測定は基本的に認められないこと，「糖尿病」の確定病名が必要であり「糖尿病疑い」では算定されないことに注意**する。尿アルブミンでの腎症評価は3カ月以上空け，尿定性で1＋以上の明らかな尿蛋白を認める場合は，尿アルブミンでなく尿蛋白定量を検討する。「在宅自己注射指導管理料」は在宅自己注射導入前に，入院または週2回以上の外来，往診もしくは訪問診療により医師による十分な教育期間をとり，十分な指導を行った場合に限り算定される[1)]。**初診日に自己注射を開始すると保険審査で減点や返戻となるので，他院からの紹介や転医による処方継続などで該当する場合はあらかじめ詳記作成も念頭に置いておく**。また，初回の導入月から3カ月間は導入初期加算がつけられる。

コントロール不良──次の一手はこれだ！

経口薬

DPP-4阻害薬（ビルダグリプチン，トラゼンタ®，テネリア®）中止，GLP-1受容体作動薬（リベルサス®）開始

インスリン

変更なし

運動療法

変更なし

食事療法

変更なし

1日1食宅配食の利用を検討

解 説 コントロール不良──次の一手はこれだ！

肥満や過食が血糖悪化の背景にあり，食後高血糖へのさらなる介入をしたい場合は，GLP-1受容体作動薬が良い適応となる。GLP-1受容体作動薬は，DPP-4阻害薬同様，血糖依存性に効果を発揮するだけでなく，食欲抑制・体重減少効果が期待できる。

保険診療では，同じインクレチン製剤ということから，DPP-4阻害薬とGLP-1受容体作動薬の併用は査定を受ける。**次回外来までの途中でDPP-4阻害薬からGLP-1受容体作動薬へ切り替える場合には，処方箋にGLP-1受容体作動薬の開始日を記載し，DPP-4阻害薬と併用していないことが明らかにわかるようにする**とよい。同様に**スルホニル尿素（SU）薬とグリニド薬の併用は薬理作用上意味がない**[2]**とされており，査定を受けるので注意**する必要がある。また，HbA1cとGAと1,5-AGは同一月中に行うとどれか1項目しか算定されないが，**①妊娠中，②1型糖尿病，③経口血糖降下薬開始から6カ月以内，④インスリン治療（自己注射）開始から6カ月以内，のいずれかに該当すれば，同一月に3項目中2項目（同じ項目2回は×）まで算定できる。**GAはHbA1cより比較的最近の血糖管理や食後の血糖上昇を鋭敏に反映するため，治療の効果判定としての利用も検討できる。

7章-1

1) 坊内良太郎，他：2型糖尿病の薬物療法のアルゴリズム（第2版）．糖尿病．2023；66(10)：715-33．
2) Takuma K, et al：Comparison of the effects of sitagliptin and dapagliflozin on time in range in Japanese patients with type 2 diabetes stratified by body mass index：A sub-analysis of the DIVERSITY-CVR study. Diabetes Obes Metab. 2023；25(8)：2131-41.
3) 石井俊史，他：レパグリニドとクロピドグレル併用による遷延性重症低血糖の1例．糖尿病．2017；60(6)：461-5．

7章-2

1) Zaharia OP, et al：Risk of diabetes-associated diseases in subgroups of patients with recent-onset diabetes：a 5-year follow-up study. Lancet Diabetes Endocrinol. 2019；7(9)：684-94.

7章-3

1) Umpierrez GE, et al：Randomized study of basal-bolus insulin therapy in the inpatient management of patients with type 2 diabetes undergoing general surgery (RABBIT 2 surgery). Diabetes Care. 2011；34(2)：256-61.
2) 日本糖尿病学会，編著：糖尿病専門医研修ガイドブック．改訂第8版．診断と治療社，2020，p411-413．
3) Pasquel FJ, et al：Efficacy of sitagliptin for the hospital management of general medicine and surgery patients with type 2 diabetes (Sita-Hospital)：a multicentre, prospective, open-label, non-inferiority randomised trial. Lancet Diabetes Endocrinol. 2017；5(2)：125-33.

   ※Erratum in：Lancet Diabetes Endocrinol. 2017；5(2)：e1.
   Erratum in：Lancet Diabetes Endocrinol. 2017；5(5)：e3.

7章-4

1) Cui Y, et al:Pancreatogenic diabetes: special considerations for management. Pancreatology. 2011;11(3):279-94.
2) 春日雅人, 他:糖尿病と癌に関する委員会報告. 糖尿病. 2013;56(6):374-90.
3) 日本糖尿病学会, 編著:糖尿病専門医研修ガイドブック. 改訂第8版. 診断と治療社, 2020, p429-30.
4) Scott ES, et al:Sensor-augmented CSII therapy with predictive low-glucose suspend following total pancreatectomy. Endocrinol Diabetes Metab Case Rep. 2017;2017:17-0093.

7章-5

1) Tuomilehto J, et al:Prevention of type 2 diabetes mellitus by changes in lifestyle among subjects with impaired glucose tolerance. N Engl J Med. 2001;344(18):1343-50.
2) Saito T, et al:Lifestyle modification and prevention of type 2 diabetes in overweight Japanese with impaired fasting glucose levels:a randomized controlled trial. Arch Intern Med. 2011;171(15):1352-60.
3) Kawamori R, et al:Voglibose for prevention of type 2 diabetes mellitus:a randomised, double-blind trial in Japanese individuals with impaired glucose tolerance. Lancet. 2009;373(9675):1607-14.

7章-6

1) American Diabetes Association Professional Practice Committee:9. Pharmacologic Approaches to Glycemic Treatment: Standards of Medical Care in Diabetes-2022. Diabetes Care. 2022;45(Suppl 1):S125-43.
2) Howe KB, et al:Gotta catch'em all! Pokémon GO and physical activity among young adults: difference in differences study. BMJ. 2016;355:i6270.
3) Kuchay MS, et al:Effect of Empagliflozin on Liver Fat in Patients With Type 2 Diabetes and Nonalcoholic Fatty Liver Disease: A Randomized Controlled Trial (E-LIFT Trial). Diabetes Care. 2018;41(8):1801-8.

7章-7

1）日本年金機構．
[https://www.nenkin.go.jp/]

2）厚生労働省：身体障害者手帳．
[https://www.mhlw.go.jp/stf/seisakunitsuite/bunya/hukushi_kaigo/shougaishahukushi/shougaishatechou/index.html]

3）厚生労働省：介護・高齢福祉．
[https://www.mhlw.go.jp/stf/seisakunitsuite/bunya/hukushi_kaigo/kaigo_koureisha/index.html]

4）厚生労働省：介護事業所・生活関連情報検索．
[https://www.kaigokensaku.mhlw.go.jp/]

7章-8

1）厚生労働省：診療報酬の算定方法の一部改正に伴う実施上の留意事項について．
[https://kouseikyoku.mhlw.go.jp/kyushu/000215073.pdf]

2）日本糖尿病学会，編著：糖尿病治療ガイド2022-2023．文光堂，2022，p68．

8章

高齢者の糖尿病治療を考える

超高齢者。どこにHbA1cの目標を置くべきか

吉川芙久美

Keyword
- 認知機能の低下
- 食事摂取が不安定
- 自己管理困難

parameter

86歳男性　無職

肥満	★☆☆☆☆	なし(BMI 22.0)
家族歴	★★☆☆☆	兄:糖尿病，糖尿病性腎症(透析導入中)
HbA1c	★★☆☆☆	6.9%
食前血糖	★☆☆☆☆	108mg/dL
食後血糖	★★★☆☆	220mg/dL
罹病期間	★★★★★	26年
腎障害	★★☆☆☆	腎症2期
合併症	★★★☆☆	高血圧症，脂質異常症
併用薬	★★★☆☆	オルメテック®20mg/日，クレストール®5mg/日

現処方 シュアポスト®1.5mg/日 分3 毎食直前，インスリン グラルギンBS注ミリオペン®「リリー」10単位 就寝前

身長165cm，体重60.0kg。診断時よりインスリンで加療され血糖管理はおおむね良好であった。2年前に妻と死別し独居となり，この頃から徐々に認知機能が低下してきた。身の回りのことはおおむね自身で行うことができているが，食事の準備が困難で，栄養剤や惣菜，菓子パンなどを適当に摂取している。近所に住んでいる長女が週に数回来訪し身の回りの世話を行っている。長女の話では，インスリン注射は自身で投与できているが，自宅に内服薬が多量に残っているとのこと。数日前にぼーっとしていることがあったために測定してみたところ52mg/dLと低血糖になっていたことがあった。

病態をどうとらえるか――parameterを読み解く

高齢者では**薬剤クリアランスの低下に加えて，自律神経機能の低下のために低血糖症状が出現しにくく，遷延性低血糖や無自覚低血糖になりやすい。このため，重症低血糖のリスクが高く，心血管イベントの増加，生命予後への影響も報告されている**[1)]。一方で，高齢者糖尿病患者の認知症リスクは非糖尿病患者の2～4倍高いことが知られており[2)],妻との死別や入院といったライフイベントを契機に認知症が進行するケースもめずらしくない。認知症の合併により食事摂取量が不安定となり，注射や服薬アドヒアランスが不良となるために低血糖のリスクが高くなる。本症例はもともと血糖管理良好であったが，妻との死別を契機に認知機能の低下が進行し，食事や服薬アドヒアランスの低下から血糖コントロールの悪化のみならず低血糖を起こしている。

問題点の整理

86歳と超高齢で認知症を合併した症例。服薬アドヒアランスが不良で無自覚低血糖も疑われる。糖尿病の治療の目標は，急性および慢性合併症や動脈硬化症の発症と進展を予防することであるが，**高齢者の場合には余命や治療によるQOLの低下を考慮に入れて管理目標を決定すべき**である。「高齢者糖尿病の血糖コントロール目標」では，年齢，認知機能，ADL，併存疾患，機能障害のほかに，重症低血糖が危惧される薬剤の使用の有無によって目標値が設定されている[2)]。本症例はカテゴリーⅡに分類され，インスリンおよびグリニド薬使用中のため，HbA1cは8.0%未満（下限7.0%）が目標となる。同時に，社会的サポート，患者・家族の希望を考慮しながら個々の患者ごとに目標を再考することも重要である[3)]。本症例では低血糖を起こさないことを最優先に，高血糖症状が出現しない程度の高血糖は許容する。治療内容は，家族や医療者が管理しやすい方法を選択しながら可能な範囲で治療強化をしていく。

処方例──まずはこうする！

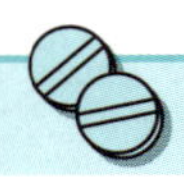

経口薬

シュアポスト®1.5mg/日 分3を中止してトラゼンタ®5mg/日 分1に変更

インスリン

空腹時血糖値130mg/dL程度を目標にインスリン グラルギンBS注ミリオペン®「リリー」の減量

食事療法

目標体重をBMI 23(62.6kg) とし，25〜30kcal/kgに設定，高血圧を合併しており塩分は6g/日に制限する

運動療法

家族付き添いのもとで食後30分程度の散歩

解 説 処方例──まずはこうする！

高齢者では腎・肝の予備能低下による薬剤の副作用が発現しやすく，重症低血糖のリスクが高いこと，また併存疾患や併用薬剤に留意して薬剤を選択する。

スルホニル尿素(SU) 薬は遷延性低血糖が危惧されるため，低血糖が疑われる場合には減量または中止を考慮する。ビグアナイド薬による乳酸アシドーシスやチアゾリジン薬による浮腫・心不全，α-グルコシダーゼ阻害薬(α-GI)による腸閉塞などの副作用が懸念され，適応や必要性を十分に考慮した上で少量から開始する。SGLT2阻害薬は脱水やフレイルを助長する懸念から，栄養状態不良やADL・認知機能が低下した患者にはあまり良い適応ではない。DPP-4阻害薬は併用薬の制限や副作用が少ないために高齢者でも比較的投与しやすいが，便秘や腸閉塞のリスクがあるため開腹歴のある症例では注意する。

本症例のように認知機能の低下した症例では，簡便な内服方法へ変更し，他の薬剤と内服タイミングをまとめるなど，内服率を向上させることが治療効果を高める上で重要となる。本症例ではグリニド薬を中止しDPP-4阻害薬を追加したところ，HbA1c 7.5%と上昇したものの，低血糖の出現がなくおおむね安定して経過した。

コントロール不良──次の一手はこれだ！

経口薬

ツイミーグ®2,000mg/日を追加

食事療法

家族に宅配食の手配を依頼，家に食料のストックを置かないなどの具体的な指導を行う

インスリン・注射薬

トラゼンタ®を中止し，トルリシティ®皮下注0.75mgアテオス® 週1回へ変更　または
インスリン グラルギンBS注ミリオペン®「リリー」をゾルトファイ®配合注に変更（インスリン グラルギンBS注ミリオペン®「リリー」の8割のドーズ）

運動療法

本人のADLや好みに合わせ，無理のない範囲で繰り返し指導する

解説　コントロール不良──次の一手はこれだ！

イメグリミンは，インスリン分泌促進・抵抗性改善により血糖低下作用を示す。乳酸アシドーシスや低血糖のリスクも少ないため高齢者にも比較的使いやすく，特にDPP-4阻害薬との相性が良い[4)]。DPP-4阻害薬のみでは食後血糖値の是正が不十分の場合は，GLP-1受容体作動薬も有効である。トルリシティ®やゾルトファイ®は体重減少効果が他のGLP-1受容体作動薬に比して小さく，本症例のように高齢で肥満のない症例にも比較的導入しやすい。ただし，食欲低下や消化器症状による体重減少やサルコペニアのリスクはあるため，来院時は必ず体重や栄養状態を確認する。食事療法は，本人の嗜好や経済状況を考慮しながら**宅配食の導入を検討，清涼飲料水や間食を摂取しにくい環境をつくる**ことも重要である。運動療法の継続も重要であるが，実施する際には事前のメディカルチェックを十分に行い，血圧管理，冠動脈疾患の評価，骨粗鬆症の程度などを確認する。実際には簡便で実践しやすい歩行運動などを徐々に開始し適宜時間を増量していくが，空腹時など低血糖が起こりやすい時間を避けるよう指導することが重要である。

認知症はここを見てこうする

岩田葉子

Keyword
- 認知症（服薬アドヒアランス不良）
- DASC-8，MMSE，HDS-R
- 高齢者糖尿病の血糖コントロール目標

parameter

75歳男性　無職

肥満	★☆☆☆☆	なし（BMI 24.6）
家族歴	★☆☆☆☆	なし
HbA1c	★★★★☆	8.8%
食前血糖	★★★★☆	156mg/dL
食後血糖	★★★★☆	278mg/dL
罹病期間	★★☆☆☆	4年
腎障害	★★★☆☆	腎症2期（eGFR 44mL/分/1.73m^2，尿アルブミン102mg/gCr）
合併症	★★★★☆	網膜症なし，神経障害なし，高血圧症，陳旧性脳梗塞後，脂質異常症
併用薬	★★★★☆	アムロジン®5mg/日，クレストール®2.5mg/日，プラビックス®75mg/日，パリエット®10mg/日

現処方　エクメット®配合錠HD 2錠/日 分2 食後（朝，夕），グルベス®配合錠 3錠/日 分3 食直前

身長170cm，体重71kg。メトグルコ®1,000mg/日とグルベス®配合錠にてHbA1c 7%台前半で推移していたが，半年前から7%台後半となり前回の定期受診では8.4%まで悪化を認め，メトグルコ®1,000mg/日からエクメット®配合錠HDに変更し，1カ月後フォローとした。今回，付き添いの妻が残薬を持参し，エクメット®配合錠HD 14錠，大量の

メトグルコ®とグルベス®配合錠が余っていた。妻によると，同じことを何度も言う，財布や鍵を頻繁に置き忘れわからなくなる，とのことであった。移動，入浴などの基本的ADLは保たれている。

病態をどうとらえるか──parameterを読み解く

大量の残薬と妻の話からは，認知機能低下により内服忘れが増え，朝食後以外の内服ができておらず血糖管理不良となったと考えられた。

問題点の整理

高齢者の糖尿病では認知機能低下や認知症が起こりやすい。発見の手がかりとしては，本人や家族への問診で手段的ADL（買い物，服薬管理，金銭管理など），セルフケア障害，意欲低下，抑うつ，知的活動低下に関するエピソードを聴取し，認知機能のスクリーニング検査（DASC-21，DASC-8，MMSE，HDS-Rなど）を行う。

DASC-21の短縮版であるDASC-8（表）[1]は短時間で施行でき，高齢者の血糖コントロール目標設定のためのカテゴリー分類に利用できる。認知症の診断にはせん妄や抑うつの除外が必要であり，認知機能低下の原因としてビタミンB_1や葉酸欠乏，甲状腺機能低下症，慢性硬膜下血腫など治療可能なものがないか，血液検査や画像検査などの総合的な評価も必要である[2]。

今回は，MMSE 18点，頭部MRIで海馬の萎縮を認めアルツハイマー型認知症と診断され，DASC-8は17点と高齢者の血糖コントロール目標（図）[3]のカテゴリーⅢ相当であった。

表 認知・生活機能質問票（DASC-8）

記入日　　　年　　　月　　　日

ご本人の氏名:	生年月日　　　年　　月　　日（　　歳）	男　・　女	独居・同居
本人以外の情報提供者氏名:　　　（本人との続柄:　　　）	記入者氏名:　　　（職種:　　　）		

		1点	2点	3点	4点	評価項目		備考欄
A	もの忘れが多いと感じますか	1. 感じない	2. 少し感じる	3. 感じる	4. とても感じる	導入の質問（評価せず）		
B	1年前と比べて，もの忘れが増えたと感じますか	1. 感じない	2. 少し感じる	3. 感じる	4. とても感じる			
1	財布や鍵など，物を置いた場所がわからなくなることがありますか	1. まったくない	2. ときどきある	3. 頻繁にある	4. いつもそうだ	記憶	近時記憶	
2	今日が何月何日かわからないときがありますか	1. まったくない	2. ときどきある	3. 頻繁にある	4. いつもそうだ	見当識	時間	
3	一人で買い物はできますか	1. 問題なくできる	2. だいたいできる	3. あまりできない	4. まったくできない	手段的ADL	買い物	
4	バスや電車，自家用車などを使って一人で外出できますか	1. 問題なくできる	2. だいたいできる	3. あまりできない	4. まったくできない		交通機関	
5	貯金の出し入れや，家賃や公共料金の支払いは一人でできますか	1. 問題なくできる	2. だいたいできる	3. あまりできない	4. まったくできない		金銭管理	
6	トイレは一人でできますか	1. 問題なくできる	2. 見守りや声がけを要する	3. 一部介助を要する	4. 全介助を要する	基本的ADL	排泄	
7	食事は一人でできますか	1. 問題なくできる	2. 見守りや声がけを要する	3. 一部介助を要する	4. 全介助を要する		食事	
8	家のなかでの移動は一人でできますか	1. 問題なくできる	2. 見守りや声がけを要する	3. 一部介助を要する	4. 全介助を要する		移動	

DASC 8：（1～8項目まで）の合計点　　　　点／32点

参考：高齢者糖尿病の血糖コントロール目標（HbAlc）におけるカテゴリー分類とDASC-8の合計点の関係
　カテゴリーⅠ　（認知機能正常かつADL自立）：　10点以下
　カテゴリーⅡ　（軽度認知障害～軽度認知症または手段的ADL低下，基本的ADL自立）：　11-16点
　カテゴリーⅢ　（中等度以上の認知症または基本的ADL低下または多くの併存疾患や機能障害）：17点以上
　本ツールはスクリーニングツールのため，実際のカテゴリー分類には個別に評価が必要

〔日本老年医学会HP：DASC-8の質問票（https://www.jpn-geriat-soc.or.jp/tool/pdf/dasc8_01.pdf）より転載〕
※必ずマニュアルを読んでからご使用ください。
日本老年医学会：DASC-8使用マニュアル
[https://www.jpn-geriat-soc.or.jp/tool/pdf/dasc8_02.pdf]

<table>
<tr><td colspan="2">患者の特徴・健康状態注1)</td><td colspan="2">カテゴリーⅠ
①認知機能正常
かつ
②ADL自立</td><td>カテゴリーⅡ
①軽度認知障害～軽度認知症
または
②手段的ADL低下，基本的ADL自立</td><td>カテゴリーⅢ
①中等度以上の認知症
または
②基本的ADL低下
または
③多くの併存疾患や機能障害</td></tr>
<tr><td rowspan="2">重症低血糖が危惧される薬剤(インスリン製剤，SU薬，グリニド薬など)の使用</td><td>なし注2)</td><td colspan="2">7.0%未満</td><td>7.0%未満</td><td>8.0%未満</td></tr>
<tr><td>あり注3)</td><td>65歳以上75歳未満
7.5%未満
(下限6.5%)</td><td>75歳以上
8.0%未満
(下限7.0%)</td><td>8.0%未満
(下限7.0%)</td><td>8.5%未満
(下限7.5%)</td></tr>
</table>

図　高齢者糖尿病の血糖コントロール目標(HbA1c値)

治療目標は，年齢，罹病期間，低血糖の危険性，サポート体制などに加え，高齢者では認知機能や基本的ADL，手段的ADL，併存疾患なども考慮して個別に設定する。ただし，加齢に伴って重症低血糖の危険性が高くなることに十分注意する。

注1：認知機能や基本的ADL(着衣，移動，入浴，トイレの使用など)，手段的ADL(IADL：買い物，食事の準備，服薬管理，金銭管理など)の評価に関しては，日本老年医学会のホームページ(www.jpn-geriat-soc.or.jp/)を参照する。エンドオブライフの状態では，著しい高血糖を防止し，それに伴う脱水や急性合併症を予防する治療を優先する。

注2：高齢者糖尿病においても，合併症予防のための目標は7.0%未満である。ただし，適切な食事療法や運動療法だけで達成可能な場合，または薬物療法の副作用なく達成可能な場合の目標を6.0%未満，治療の強化が難しい場合の目標を8.0%未満とする。下限を設けない。カテゴリーⅢに該当する状態で，多剤併用による有害作用が懸念される場合や，重篤な併存疾患を有し，社会的サポートが乏しい場合などには，8.5%未満を目標とすることも許容される。

注3：糖尿病罹病期間も考慮し，合併症発症・進展阻止が優先される場合には，重症低血糖を予防する対策を講じつつ，個々の高齢者ごとに個別の目標や下限を設定してもよい。 65歳未満からこれらの薬剤を用いて治療中であり，かつ血糖コントロール状態が図の目標や下限を下回る場合には，基本的に現状を維持するが，重症低血糖に十分注意する。グリニド薬は，種類・使用量・血糖値等を勘案し，重症低血糖が危惧されない薬剤に分類される場合もある。

【重要な注意事項】
糖尿病治療薬の使用にあたっては，日本老年医学会編「高齢者の安全な薬物療法ガイドライン」を参照すること。薬剤使用時には多剤併用を避け，副作用の出現に十分に注意する。

(日本老年医学会・日本糖尿病学会　編・著：高齢者糖尿病診療ガイドライン2023，p94，南江堂，2023より転載)

処方例—まずはこうする！

経口薬

エクメット®配合錠HDとグルベス®配合錠は中止し，下記に変更
グリミクロン®HA 20mg/日　分1 朝食後，トラゼンタ®5mg/日　分1 朝食後

食事療法

1,840kcal/日(29.0kcal/kg/日)，減塩(塩分6g/日)

インスリン

適応なし

運動療法

家族付き添いのもとでの散歩(できれば食後)

解 説　処方例—まずはこうする！

75歳と後期高齢者で，基本的ADLは自立しているが中等度以上の認知症があり，高齢者糖尿病の血糖コントロール目標としてカテゴリーⅢ相当の患者である。**認知症がある場合はできることとできないことを明確にし，できる範囲で重症低血糖などのリスクの低い，なるべくシンプルな治療を検討する。**本症例では，朝食後以外の複雑な内服はできなくなっており，腎機能低下もあり，食直前内服のグルベス®配合錠と朝夕2回の内服が必要なエクメット®配合錠HDは中止した。代わりにDPP-4阻害薬でも腎機能による減量不要なトラゼンタ®5mg/日とスルホニル尿素(SU)薬の中では作用時間の短いグリミクロン®HA錠を処方し，内服を1日1回 朝食後にまとめた。カテゴリーⅢ相当でSU薬の使用ありなので，HbA1c 8.5%未満(下限7.5%)が目標となる。ほかにも，一包化や服薬カレンダーの利用など工夫次第で服薬実施率を上げることが可能となりうる。きちんと内服できているか残薬の確認は必須であり，外来受診時だけでなく薬局と連携し服薬情報提供書のやりとりを行うことも有効である。時に内服したことを忘れ再度内服したり，処方量の記憶があいまいで過剰内服し，次回外来までに不足するケースもありうるので注意が必要である。

コントロール不良──次の一手はこれだ！

経口薬

グリミクロン®HAとトラゼンタ®は中止

食事療法

変更なし

注射薬・インスリン

トルリシティ®皮下注0.75mgアテオス® 週1回 代行注射，トレシーバ®注フレックスタッチ®4単位 昼 週3回 代行注射

運動療法

変更なし

解説 コントロール不良──次の一手はこれだ！

1日1回の内服の自己管理もできなくなってきたり，さらに治療強化が必要となる場合は，注射製剤の導入も検討する。遂行機能が低下してくるとインスリン自己注射は困難とされており，MMSE 30点中23点以下や，時計描画検査が不能であると注射手技を獲得できない可能性が高い。自己注射が困難と判断した場合は，他者による注射ができる環境を整備する。サポートできる家族がいればよいが，そうでなくとも要介護認定を申請することで，デイケア，デイサービス，グループホーム，訪問看護などでの代行注射が可能となる[4]。GLP-1受容体作動薬のトルリシティ®皮下注アテオス®は週1回で，投与方法もインスリンと異なり簡便であり，体重減少効果も強くないため，サルコペニアやフレイルのリスクも低減できる。使用する場合は，作用機序が重なるDPP-4阻害薬を中止する。また，空腹時血糖値から高値ならグリミクロン®を中止し，基礎インスリンの開始を検討する。トレシーバ®の週3回（月水金/火木土）投与はインスリン グラルギン連日投与と遜色ない血糖管理が得られ[5]，自己注射が困難な場合でも週3回代行注射の環境を整えることで実現可能な有用な方法である。

独居・認知症

望月皓平

Keyword
- 訪問看護
- 週3回のトレシーバ®
- FreeStyleリブレ・リブレView

parameter

82歳男性　無職

肥満	★★☆☆☆	なし(BMI 20.9)
家族歴	★★★☆☆	母：糖尿病
HbA1c	★★★★★	10.4%
食前血糖	★★★★★	220mg/dL
食後血糖	★★★★★	360mg/dL
罹病期間	★★★★★	30年
腎障害	★★★☆☆	腎症2期(eGFR 54mL/分/1.73m^2，尿アルブミン170mg/gCr)
合併症	★★★★★	網膜症あり，神経障害(末梢神経障害，自律神経障害)あり，大血管障害なし，高血圧症，認知症
併用薬	★★★☆☆	アムロジピン2.5mg/日 分1 朝食後，アリセプト®5mg/日 分1 朝食後

現処方　アマリール®3mg/日 分1 朝食後，トラゼンタ®5mg/日 分1 朝食後

身長163cm，体重55.4kg。52歳で糖尿病と診断された。独居で身寄りがなく，近くに頼れる友人もいない。数年前に認知症の診断となり内服を開始したが，残薬多量で内服薬の自己管理困難が疑われ，通院も途切れがちになっていた。自炊も困難なため，コンビニやスーパーなどで惣菜や菓子パンなどを購入している。スクリーニング目的に施

行された腹部エコー検査では，悪性所見は認められなかった。空腹時血糖220mg/dL，血清Cペプチド0.8ng/mLでCペプチドインデックス0.36とインスリン分泌能は低下していた。DASC-8 20点，MMSE 10点と認知機能低下を認める。

病態をどうとらえるか──parameterを読み解く

悪性腫瘍は積極的には疑われず，認知症による服薬アドヒアランス低下と加齢に伴うインスリン分泌低下が血糖コントロール増悪の原因と考えられる。インスリン導入も含めた治療強化が必要だが，独居であり，薬剤管理が困難な状態である。

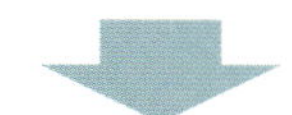

問題点の整理

高齢者の血糖コントロール目標は，認知機能とADL等の評価に基づき，3つのカテゴリーに分類されている。カテゴリーを決定する際に有用なDASC-8は8つの設問の合計点が10点以下でカテゴリーⅠ，11～16点でカテゴリーⅡ，17点以上でカテゴリーⅢと判定できる。DASC-8は日本老年医学会のホームページの「高齢者診療におけるお役立ちツール」からダウンロードできる。評価対象の患者家族や介護者から情報収集することが原則だが，追加の質問や様子の観察を行って調査担当者が評価することも許容される[1)]。本症例はDASC-8で20点と治療目標はカテゴリーⅢに該当し，HbA1c 8.5%未満が管理目標となる。内服管理困難であり，インスリン導入が必要な状態であることから，社会資源の導入や安全かつ実行可能な治療への調整が必要である。

処方例 ―まずはこうする！

経口薬

アマリール®は低血糖リスクあり中止
トラゼンタ®は，週1回内服薬のマリゼブ®（25mg）に変更

インスリン

訪問看護導入後にトレシーバ®4単位/回 週3回（隔日で）で開始。空腹時血糖160mg/dLを下限に漸増

食事療法

1,760kcal/日（30.1kcal/kg/日），減塩（塩分6g/日）。宅配食やヘルパーによる食事の用意

運動療法

デイサービスなどで，踵上げやつま先上げ，可能ならスクワットなどのレジスタンス運動を週2，3回行う

解説 処方例―まずはこうする！

早急なサービス利用開始が必要であり，地域包括支援センターのケアマネジャーに相談し介護保険を申請する[2)]。本症例は要介護2の認定となり，訪問看護の週3回（月水金）利用とヘルパーによる食事の用意や通院の付き添いが可能となった。高齢者は膵機能の低下によりインスリン分泌能が低下し，インスリン治療を必要とする症例が多い。自己管理困難な症例では，訪問看護や家族でのインスリン管理とするが，介護者の負担に配慮して投与回数は可能な限り少なくすることが重要である。トレシーバ®は効果時間が42時間と現在使用できる持効型インスリンの中で最長で，時間的な融通性が高い。代行者による隔日投与も一般的となっており，トレシーバ®を訪問看護師の来訪日に合わせて週3回（隔日で）4単位/回で開始した。ただし，トレシーバ®週3回投与は，**インスリン グラルギンの連日投与と比較して低血糖リスクが高かったことが報告されており[3)]，本症例のように連日注射が不可能な患者以外では推奨されない**ことに留意する。インスリン開始に合わせて，アマリール®は低血糖回避の面から中止する。1日1回の内服が困難ならトラゼンタ®は週1回製剤のマリゼブ®に変更し，訪問看護師管理に切り替える。カテゴリーⅡ以上ではフレイルや身体活動量低下をきたしやすく，食事療法とレジスタンス運動を含む運動療法も考慮する[4)]。

コントロール不良──次の一手はこれだ！

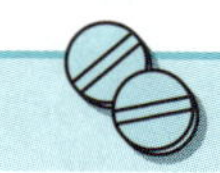

経口薬

変更なし

食事療法

変更なし

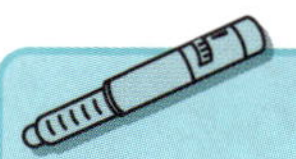

注射薬

マリゼブ®を中止し，トルリシティ®皮下注0.75mgアテオス®週1回を開始

※デバイス：FreeStyleリブレ・リブレViewの導入

運動療法

変更なし

解 説 コントロール不良──次の一手はこれだ！

週3回のトレシーバ®の導入後もコントロール不良が持続する場合は，血糖推移の確認のために持続グルコースモニター（continuous glucose monitoring：CGM）のFreeStyleリブレの導入を検討する。その際，センサーの貼り替えは2週間ごとに訪問看護師に依頼する。FreeStyleリブレは測定手技が簡便であり，従来の血糖自己測定が困難な症例でも自己測定が可能となる場合がある。**仮に自己測定ができなくても，測定時間から8時間さかのぼって血糖推移が確認できるため，デイケアや看護師の訪問時などにスキャンし，深夜や空腹時血糖を確認することで，低血糖を回避できる可能性が高くなる**。FreeStyleリブレはクラウドベースのデータ管理システムであるリブレViewを利用することで医療従事者や遠方の家族が患者の血糖トレンドを確認することができ，著明な高血糖や低血糖の有無を把握できる点も有用である。食後血糖高値が持続している場合には，週1回製剤のGLP-1受容体作動薬で体重への影響も比較的少ないトルリシティ®皮下注0.75mgアテオス®（週1回）を追加する。ただし，週3回のトレシーバ®やトルリシティ®皮下注0.75mgアテオス®導入後も治療目標を達成できない場合も十分に想定される。低血糖を回避し，高血糖緊急症を呈さない状態であれば，ある程度の高血糖は許容とする寛容さも必要である。

発売予定の週1回の持効型インスリンであるイコデク®もこのような症例では良い適応と考えられる。

今の治療が限界!? でもHbA1c 9%

齋藤　学

Keyword
- 独居
- 年齢相応の認知機能

parameter

80歳男性　無職

肥満	★☆☆☆☆	なし（BMI 23.4）
家族歴	★★★☆☆	父：糖尿病
HbA1c	★★★★☆	9%
食前血糖	★☆☆☆☆	93mg/dL
食後血糖	★★★☆☆	210mg/dL
罹病期間	★★★★★	20年
腎障害	★★★☆☆	腎症3期
合併症	★★★★★	高血圧症，脂質異常症，急性心筋梗塞，不眠症，便秘症
併用薬	★★★★★	オルメテック®20mg/日，クレストール®5mg/日，バイアスピリン®100mg/日，タケキャブ®10mg/日，マイスリー®5mg/日，マグミット®660mg/日

現処方　トレシーバ®14単位 朝食前，グルファスト®10mg/日 分1 昼食直前，ノボラピッド®4単位/回 朝夕食直前

身長160cm，体重60kg。20年前に糖尿病と診断され，長らくインスリン治療を行っていた。しかし，1年前から徐々に認知機能低下が出現し，インスリン注射をときどき打ち忘れたり，食事を食べ始めてから食直前薬であるグルファスト®を飲むことを思い出すことが増えてきた。食事は年金生活をしており食生活にあまり気を配ることができず，コンビニ

で食べたいものを買って好きな時間に食べている生活である。長男は自宅から離れた所に住んでいるが，半年に１回会う程度の関係性である。

病態をどうとらえるか──parameterを読み解く

高齢者糖尿病は低血糖症状が出にくく重症低血糖を起こしやすい。また，口渇などの高血糖の自覚症状が乏しく，加えて家族や社会のサポート不足や経済的問題などで治療が困難になる場合があり，本症例はそういった問題も抱えている。

認知機能低下による内服と注射のコンプライアンス不良にて血糖値が悪化している。また，好きな時間に好きなものを食べる食生活も血糖コントロール不良の原因と考える。

問題点の整理

高齢者糖尿病の血糖コントロール目標（HbA1c値）は認知機能，ADL，併存疾患から3つのカテゴリーにわけて，さらにスルホニル尿素（SU）薬や速効型インスリン分泌促進薬（グリニド薬），インスリン製剤など重症低血糖のリスクが危惧される薬剤の使用の有無によって目標値を設定する[1]。本症例はカテゴリーⅡに分類され，ノボラピッド®とトレシーバ®に加えてグルファスト®（グリニド薬）を使用中のためHbA1c 8.0%未満（下限7.0%）が目標となる。さらに患者や家族の希望などを考慮し，個別に目標を設定することが求められる。食後薬と食直前薬があるため飲み忘れが起きているので，食直前薬と食後薬をまとめて一包化として服薬コンプライアンス向上を図る。また，1日2回の超速効型インスリンから食直前薬に変更し注射回数を減らすことで患者負担を減らす。

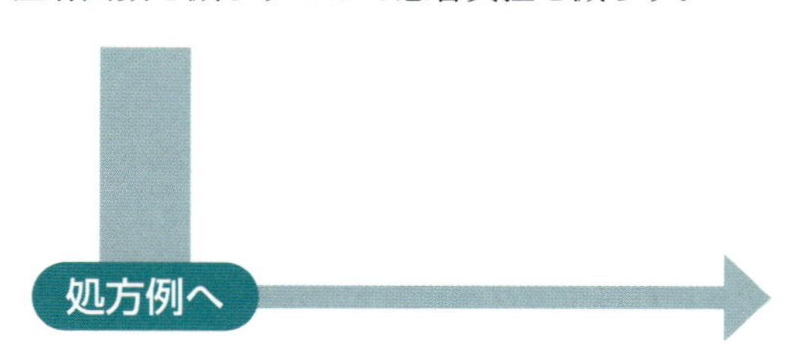

処方例──まずはこうする！

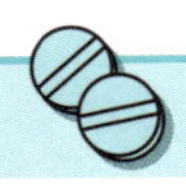

経口薬

トラゼンタ®5mg/日 分1を追加し，ノボラピッド®の代わりにグルファスト®を30mg/日　分3に増量する。また，内服薬をすべて食直前のタイミングに統一する

インスリン

朝夕食直前のノボラピッド®を中止する

食事療法

25～30kcal/kg，塩分6g/日

運動療法

有酸素運動，レジスタンス運動，バランス運動，ストレッチ

解説　処方例──まずはこうする！

高齢者糖尿病の薬物療法においては低血糖や他の有害事象を防ぐため，**個々の病態や薬剤の特徴を理解した上で投与することが重要である**。高齢者は腎，肝の予備能低下により薬剤の排泄遅延が生じるため，特に低血糖リスクが高くなる。そのためSU薬やグリニド薬は状態に応じて減量や中止が求められる。DPP-4阻害薬は単独での低血糖リスクがきわめて低いが，SU薬に併用する場合には低血糖を防ぐためにSU薬を減量する。ビグアナイド薬による乳酸アシドーシス，チアゾリジン薬による浮腫・心不全・骨折，SGLT2阻害薬による脱水など重篤な副作用が起こりやすいことに注意する[2)]。本症例のように注射・服薬コンプライアンスが低下している場合は，注射回数を減らしたり服薬タイミングを統一して治療の単純化を図ることも有用である。高齢者糖尿病は糖尿病以外の併存疾患も多く，ポリファーマシーのリスクが高い。ポリファーマシーは服薬アドヒアランスが低下すること，5剤以上の薬剤を内服していると転倒が多いことが報告されている[3)]。

食事療法に関して，高齢者は体重減少がフレイルやADL低下につながることからエネルギー係数は身体活動レベルより大きい係数を設定し，腎機能障害がなければ十分な蛋白質を摂取する。運動療法に関しては，有酸素運動，レジ

コントロール不良──次の一手はこれだ！

経口薬

グルファスト®は継続，トラゼンタ®を中止

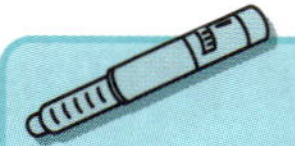

注射薬

トラゼンタ®を中止してトルリシティ®皮下注0.75mgアテオス®週1回に変更する

食事療法

自分で食事をつくれない場合はヘルパーによる調理や宅配食を利用する

運動療法

変更なし

スタンス運動，バランス運動，ストレッチのいずれも勧められる。特にフレイルの発症や進行を予防するにはレジスタンス運動が有効である。

解説 コントロール不良──次の一手はこれだ！

GLP-1受容体作動薬は良好な血糖低下作用と単独では低血糖を起こしにくいことから有効性があると考えられ，週1回製剤を使用すると1日1回製剤（ビクトーザ®など）よりも注射回数減少によるQOL改善も期待できる。しかしGLP-1受容体作動薬は食欲低下や体重減少を伴うことがあるので，高齢者では脱水・サルコペニアに注意が必要である。

また高齢者は高血糖や低血糖時の自他覚症状に乏しく，口渇感の訴えも少ないためシックデイでの脱水症や高血糖高浸透圧症候群（hyperglycemic hyperosmolar syndrome：HHS）への進展リスクが高い。そのため**患者・家族にシックデイへの対応法を繰り返し指導することが大切である**。患者が普段よりも何となく調子が悪そうに見えたら血糖測定を行い，脱水症状・嘔吐・意識レベル低下を伴うときは速やかに医療機関へ連絡を取るように指導することが重要である。

Keyword
- 低血糖
- 高齢者
- 膵臓全摘後

頻回に繰り返す低血糖昏睡

佐藤源記

parameter

75歳男性　退職後年金生活

肥満	★★★☆☆	なし(BMI 19)
家族歴	★☆☆☆☆	なし
HbA1c	★★☆☆☆	6.8%
食前血糖	★☆☆☆☆	80mg/dL
食後血糖	★★★☆☆	230mg/dL
罹病期間	★★☆☆☆	4年
腎障害	★★☆☆☆	腎症1期(eGFR 72mL/分/1.73m^2, 尿アルブミン23mg/gCr)
合併症	★☆☆☆☆	膵全摘後
併用薬	★★☆☆☆	リパクレオン®顆粒1,800mg/日 分3 各食直後

現処方 ノボラピッド®4-2-4単位 各食直前, トレシーバ®10単位/日 夕食直前

身長170cm, 体重55kg。もともと糖尿病の指摘はなかったが, 71歳時に膵癌に対し膵全摘術を施行された。それ以降は膵性糖尿病としてインスリン頻回注射療法を継続しているが, 最近は低血糖発作を繰り返しており, 今回, 重症低血糖で救急搬送された。搬送時血糖値30mg/dLであったが, ブドウ糖投与にて改善した。血糖自己測定記録を確認したところ, 早朝空腹時血糖値は80～90mg/dL程度が多く, 夕食後～

眠前血糖値は200～300mg/dL程度であった。搬送前日は夕食を食べずノボラピッド®は打たなかったが，トレシーバ®は必ず打つよう主治医から指示されていたため，10単位/日を投与していた。認知機能は正常でADLは自立している。

病態をどうとらえるか――parameterを読み解く

膵全摘後の患者はインスリンと同時にグルカゴン分泌不全をきたすため血糖変動が激しく，低血糖からの回復も遅い[1)]。普段から早朝空腹時血糖値は正常値に近い範囲で管理されている一方，食後高血糖は残存しており，欠食により重症低血糖をきたしたことから，基礎インスリン量過剰・追加インスリン量不足の状態と考える。

問題点の整理

インスリン単位の設定が不適切であり，見直しが必要である。**後期高齢者で膵臓全摘後であることを加味すると，血糖管理目標値をより高値に設定し，低血糖回避をまず優先すべき**である。

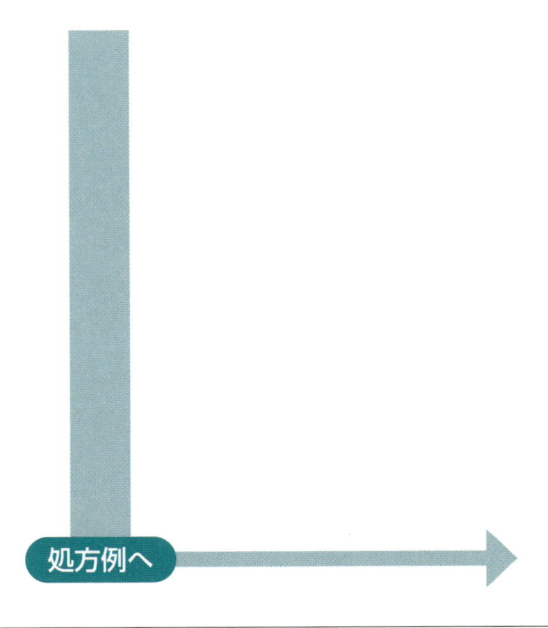

処方例 ──まずはこうする！

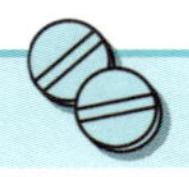

経口薬

適応なし

食事療法

1,920kcal/日(30kcal/kg/日)

インスリン

まず，トレシーバ®6単位/日に減量。
減量後も空腹時低血糖を認めれば，
さらに1～2単位/日減量
ノボラピッド®は継続

運動療法

低血糖がなくなるまでは，積極的な運動は避ける

解説 処方例──まずはこうする！

早朝空腹時血糖値は良好に推移しており，一見基礎インスリン量は適切に思えるが，眠前の高血糖が残存している点が落とし穴である。**基礎インスリンの役割は空腹時の肝糖産生制御であり，食事量とは無関係に低血糖・高血糖をきたさない量に設定する必要がある**。本症例では，食後高血糖が本来の責任インスリンとは異なる過剰な基礎インスリンによって処理された結果，眠前の高血糖が翌朝には正常血糖域まで急降下している。このような場合，食事量の低下などで食後高血糖が解除されると，たちまち過剰な基礎インスリンによって低血糖をきたす。特に膵全摘後はグルカゴン欠如により低血糖は重症化・遷延しやすいため，いっそう注意が必要である。HbA1c低値で重症低血糖，脳卒中，転倒・骨折，フレイルが増えるというエビデンスに基づき，重症低血糖が危惧される薬剤を使用している高齢者は，カテゴリー別に下限値を含めた血糖管理目標が設定されている(☞8章2表参照)[2)]。本症例を当てはめると管理目標値はHbA1c 7.0～7.9%であり，現在はやや過剰な管理と言える。

コントロール不良――次の一手はこれだ！

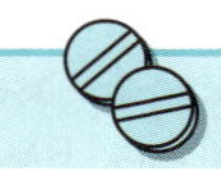

経口薬

変更なし

食事療法

変更なし

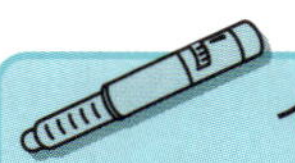

インスリン

ノボラピッド®夕6～8単位程度に増量
トレシーバ®は継続

運動療法

変更なし

解説 コントロール不良――次の一手はこれだ！

トレシーバ®の過剰投与が是正された後に，食後高血糖への対応としてノボラピッド®の増量を行う。その際，本症例のように血糖変動の激しい症例に関しては，1日複数回の血糖測定のみでは全体のトレンドを十分把握するのが難しい。2022年度の診療報酬改定により，インスリン療法を行っているすべての糖尿病患者で持続血糖測定器（CGM）「FreeStyleリブレ」が保険適用となった。詳細は別項（☞10章2）に譲るが，本症例に対してもCGMを導入し，ambulatory glucose profile（AGP）に代表されるCGMのグラフ表示からインスリンの過不足を判断し調節するのがよい。

8章-1

1) Gota A, et al:Severe hypoglycaemia and cardiovascular disease: systemic review and meta-analysis with bias analysis. BMJ. 2013;347:f4533.
2) 日本糖尿病学会, 編著:糖尿病治療ガイド 2018-2019. 文光堂, 2018.
3) 日本老年医学会, 他編著:高齢者糖尿病診療ガイドライン 2017. 南江堂, 2017, p45.
4) Dubourg J, et al:Long-term safety and efficacy of imeglimin as monotherapy or in combination with existing antidiabetic agents in Japanese patients with type 2 diabetes (TIMES 2):A 52-week, open-label, multicentre phase 3 trial. Diabetes Obes Metab. 2022;24(4):609-19.

8章-2

1) 日本老年医学会:認知・生活機能質問票(DASC-8). [https://www.jpn-geriat-soc.or.jp/tool/pdf/dasc8_01.pdf]
2) 日本老年医学会, 他編著:高齢者糖尿病診療ガイドライン 2023. 南江堂, 2023, p29-31.
3) 日本糖尿病学会, 編著:糖尿病治療ガイド 2022-2023. 文光堂, 2022, p107.
4) 日本老年医学会, 他編著:高齢者糖尿病診療ガイドライン 2023. 南江堂, 2023, p220.
5) Zinman B, et al:Efficacy and safety of insulin degludec three times a week versus insulin glargine once a day in insulin-naive patients with type 2 diabetes: results of two phase 3, 26 week, randomised, open-label, treat-to-target, non-inferiority trials. Lancet Diabetes Endocrinol. 2013;1(2):123-31.

8章-3

1) 日本老年医学会, 他編著:Ⅵ.高齢者糖尿病の血糖コントロール目標・治療方針. 高齢者糖尿病診療ガイドライン 2023. 南江堂, 2023, p92-4.
2) 日本老年医学会, 他編著:XⅣ.高齢者糖尿病をサポートする制度. 2.高齢者糖尿病の利用できる社会サービス. 高齢者糖尿病診療ガイドライン 2023. 南江堂, 2023, p218.

3） Zinman B, et al：Efficacy and safety of insulin degludec three times a week versus insulin glargine once a day in insulin-naive patients with type 2 diabetes: results of two phase 3, 26 week, randomised, open-label, treat-to-target, non-inferiority trials. Lancet Diabetes Endocrinol. 2013；1(2)：123-31.

4） 日本糖尿病学会，編著：糖尿病専門医研修ガイドブック．改訂第8版．診断と治療社，2020，p407.

8章-4

1） 日本老年医学会，他編著：高齢者糖尿病診療ガイドライン2023．南江堂，2023，p93-5.

2） 日本糖尿病学会，編著：糖尿病専門医研修ガイドブック．改訂第8版．診断と治療社，2020，p404-8.

3） Kojima T, et al：Polypharmacy as a risk for fall occurrence in geriatric outpatients. Geriatr Gerontol Int. 2012；12(3)：425-30.

8章-5

1） Kahn CR，他編．金澤康徳，他翻訳：二次性糖尿病．ジョスリン糖尿病学．医学書院MYW，1995.

2） 日本糖尿病学会，編著：糖尿病治療ガイド2022-2023．文光堂，2022.

9章

BMIから考える糖尿病治療

Keyword

- 肥満症
- GLP-1受容体作動薬
- 減量手術

病的肥満・極度肥満

佐藤源記

parameter

45歳女性　会社員（デスクワーク）

肥満	★★★★★	あり（BMI 40）
家族歴	★★★☆☆	父：糖尿病
HbA1c	★★★☆☆	7.5%
食前血糖	★★★☆☆	145mg/dL
食後血糖	★★★☆☆	220mg/dL
罹病期間	★★☆☆☆	4年
腎障害	★★☆☆☆	腎症1期（eGFR 71mL/分/1.73m^2，尿アルブミン26mg/gCr）
合併症	★★★☆☆	高血圧症，閉塞性睡眠時無呼吸症候群（OSAS）
併用薬	★★☆☆☆	ザクラス®配合錠HD 1錠/日 分1 朝食後

現処方　メトグルコ®1,500mg/日 分3 毎食後
ジャディアンス®10mg/日 分1 朝食後

身長162cm，体重105kg。4年前の健診で糖尿病（HbA1c 6.8%，早朝空腹時血糖値133mg/dL）を初めて診断された。膵島関連自己抗体は陰性で，インスリン抵抗性を主体とした病態と家族歴から2型糖尿病と診断し，食事・運動療法を開始した。その後，適宜，経口血糖降下薬を追加し，HbA1c 6%台に改善を認めていたが，空腹感に耐えられず過食による体重増加に伴い現在HbA1c 7.5%まで再上昇している。空腹時血中インスリン18.2μU/mLと高インスリン血症を認める。

病態をどうとらえるか——parameterを読み解く

BMI 40と肥満(4度)を呈し，2型糖尿病・高血圧症・閉塞性睡眠時無呼吸症候群(obstructive sleep apnea syndrome：OSAS)を合併していることから高度肥満症の診断となる[1)]。肥満には原発性肥満と二次性肥満(内分泌性，遺伝性，薬物による肥満など)があり，二次性肥満に関しては原疾患への対応が必要となるため必ず鑑別を行う。本症例に関しても，問診・身体診察・各種ホルモン値測定による精査を実施したが，明らかな二次性肥満を疑う所見は乏しく，原発性肥満と考えられた。体重増加に伴うインスリン抵抗性の増大が血糖上昇の主因である。

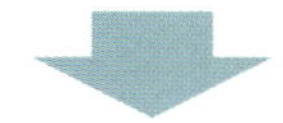

問題点の整理

糖尿病を含む肥満に関連した健康障害に対しては減量が根本的治療であり，食事・運動・行動療法が治療の主軸となるが，高度肥満症であり，それだけで十分な減量目標達成は困難である可能性が高い。減量効果のあるSGLT2阻害薬を選択している点は合理的だが，空腹感から過食行動につながっている。

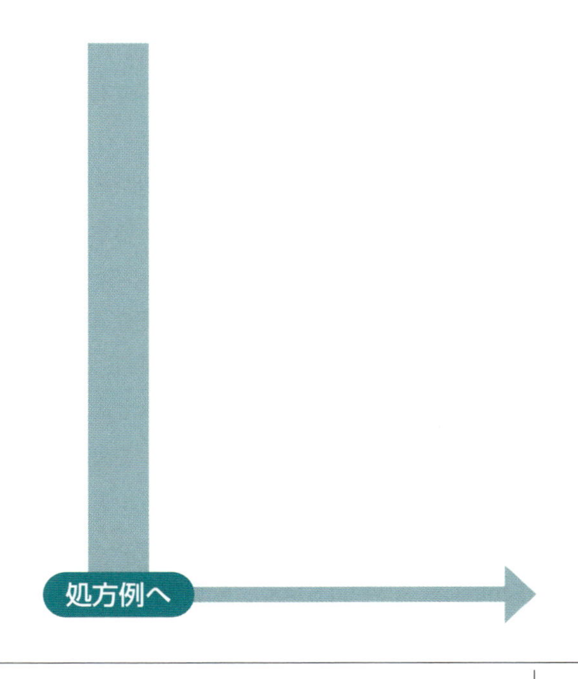

処方例──まずはこうする！

経口薬

リベルサス®3mg/日 分1 起床時。経過を見て14mg/日 分1まで増量

食事療法

1,440kcal/日(25kcal/kg/日)，減塩(塩分6g/日)

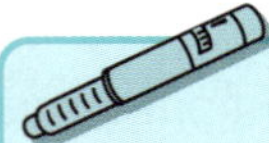

注射薬

マンジャロ®皮下注アテオス®2.5mg週1回で開始。経過を見て最大15mg週1回まで増量
オゼンピック®皮下注0.25mg週1回で開始。経過を見て1mg週1回まで増量

運動療法

中等度の運動を週3回以上。水泳，エルゴメーター，クロストレーナーなどを推奨

解 説 処方例──まずはこうする！

薬剤に関しては上記のいずれかを開始する。

高度肥満症の特徴としては，耐糖能障害，動脈硬化性疾患，腎障害など肥満関連疾患のみならず，心不全，呼吸不全，静脈血栓，OSAS，運動器疾患も合併しやすいことや，食事・運動・行動療法に対して抵抗性を示すことなどが挙げられる[1)]。**高度肥満症の初期減量目標は現体重の5～10%で，肥満症より高度な減量が求められる。** 血糖管理の観点からはメトホルミンを最大用量の2,250mg/日まで増量することも一手であるが，病態を考慮すれば優れた減量効果が報告されている上記薬剤を早期に開始したい(☞3章10も参照)。中でもGIP/GLP-1受容体作動薬であるマンジャロ®皮下注アテオス®は，3用量(5mg，10mg，15mg)すべてにおいてセマグルチド(オゼンピック®)1mgに比してHbA1c低下・体重減少で優越性が示されている[2)]。具体的には，HbA1c低下効果に関して，セマグルチド1mgは40週時点でベースラインから－1.86%だったのに対して，マンジャロ®皮下注アテオス®は－2.01%(5mg)，－2.24%(10mg)，－2.30%(15mg)であった。減量効果に関しても，

コントロール不良──次の一手はこれだ！

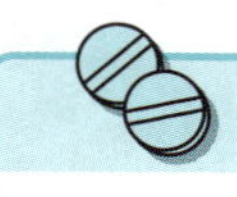

経口薬

変更なし

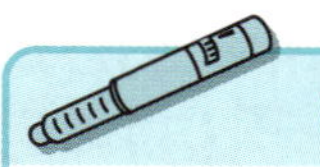

注射薬

変更なし

食事療法

変更なし

運動療法

変更なし

40週時点でセマグルチド1mgの－5.7kgに対して，－7.6kg (5mg)，－9.3kg (10mg)，－11.2kg (15mg) と優れた減量効果を示している。ただし，消化器症状は比較的多く認められる合併症であり，注意しながら使用する。また，セマグルチド (ウゴービ®) 最大量2.4mg／週が肥満症に対し薬価収載となり (2023年11月)，今後選択肢となりうる。

解説　コントロール不良──次の一手はこれだ！

肥満手術を検討する。

6カ月以上の内科的治療で体重減少や血糖値の改善が得られない高度肥満症では，減量・代謝改善手術を考慮する[3)]。わが国では2014年に腹腔鏡下スリーブ状胃切除術が保険収載され，2018年にスリーブバイパス術が先進医療として認められた。保険適用基準は，6カ月以上の内科治療が行われているにもかかわらず①BMI≧35で，糖尿病，高血圧，脂質異常症またはOSASのうち1つ以上を有するもの，あるいは②BMI 32～34.9で，HbA1c≧8.0％の糖尿病，収縮期血圧≧160mmHgの高血圧症，LDL-C≧140mg/dLまたはnon-HDL-C≧170mg/dLの脂質異常症，AHI≧30のOSASのうち2つ以上を合併しているものとなっている。J-SMART研究では**スリーブ状胃切除術後の糖尿病寛解率は75.6％**と高い成績が報告されている[4)]。手術は体重減少効果と独立して糖尿病改善効果を有しているとされ，インクレチン，腸内細菌，胆汁酸などとの関わりがその機序として想定されている[5)]。

BMI 24 糖尿病合併症なし… 減量アプローチは必要か?

内野 泰

Keyword

- 服薬・通院コンプライアンス不良
- 肝臓のインスリン抵抗性
- 運動療法奏効例

parameter

46歳男性 会社員

肥満	★☆☆☆☆	なし(BMI 24.0)
家族歴	★★★☆☆	父:2型糖尿病
HbA1c	★★★☆☆	8%
食前血糖	★★★★☆	158mg/dL
食後血糖	★★☆☆☆	222mg/dL(食後2時間値)
罹病期間	★★★☆☆	5年
腎障害	★★☆☆☆	腎症2期
合併症	★★★☆☆	脂質異常症,高血圧症,網膜症なし
併用薬	★★★☆☆	スタチン製剤,降圧薬

現処方 メトホルミン1,000mg/日,ジャヌビア®50mg/日

身長162cm,体重63kg。近頃は体重の増減はないがBMI 24.0の会社員。5年前,現在の体重より2kg多かった。同時期より健診で高血糖を指摘され近医受診。糖尿病と診断され,食事・運動療法を指示されたが遵守できず,仕事での宴席も多い。複数の医療機関で受診歴がある。服薬アドヒアランスも不良で,しばしば予約外来に来ない。今までHbA1cは8～9%台で推移している。外来では「俺は父親に似ている。父は脳梗塞,心筋梗塞を起こし,今では麻痺もある」と話している。朝食は摂らず,昼は会社近くの定食屋,夜は宴席もある。車で通勤することも週に半分ある。

病態をどうとらえるか――parameterを読み解く

BMI 24.0をどうとらえるかである。世界のBMI基準は25以上を過体重としている。しかし，WHOはアジア人のBMI正常の上限を23にしている。また，現状，体重は増加傾向なのか，減少傾向なのか。第一親等の体形歴も大切である。同居家族の体形は相似していることが多い。また当然，食行動・身体活動度も似ている。

問題点の整理

インクレチン治療（GLP-1受容体作動薬，GIP受容体作動薬）は経口・注射を問わず注目されている。その第一の要因は，その体重減少と臓器保護効果である。投与期間・投与量にもよるが，初期体重の5～10%以上は体重減少の可能性がある。インクレチン治療全般において，消化管運動不全の副作用には注意が必要である。また，稀ではあるが，胆石症例に対し，急性膵炎の併発も報告されており注意する。さらに，甲状腺髄様癌，multiple endocrine neoplasia type 2（MEN 2）には使用できない。

処方例――まずはこうする！

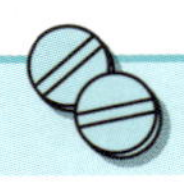

経口薬

メトホルミンにSGLT2阻害薬（フォシーガ®5mg/日 分1を3カ月間）を併用

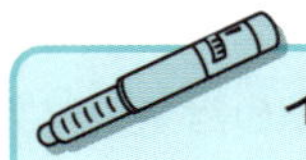

インスリン

適応なし

食事療法

標準体重1kg当たり1日25kcal/kg。スポーツ飲料や人工甘味飲料，果物ジュースも禁止

運動療法

週に150分以上，中等度以上の運動を行う

解説　処方例――まずはこうする！

インスリン非依存状態ではあるが，高血糖を認め，経口血糖降下薬では良好な血糖コントロールが得られない。なぜであろうか？ **多くの場合，肝臓のインスリン抵抗性が関与している**[1)]。薬物療法には限界があり，本症例は運動療法が奏効すると考える。具体的には1日20～30分の歩行運動時間を確保すること。通勤時，1つ前の駅から歩く，近距離のバス・自転車をやめ歩行にするなど，短時間の運動（10分を3回）の積み重ねも有効であることを知ってもらう。現状のBMIは24.0であるが，減少傾向であり，インスリン分泌低下傾向であれば速やかに基礎インスリンの補充を行いたい。

以下，処方例に関する補足である。

食事療法：標準体重1kg当たり1日25kcal/kgが原則。脂質異常症を認めるため，炭水化物60%，脂質20～25%，蛋白質15～20%で行う。食物繊維を1日25g以上摂取するようにする。またスポーツ飲料や人工甘味飲料，果物ジュースも禁止とする。

解説　コントロール不良――次の一手はこれだ！

オキシトシン，hCG，グレリン，alpha-MSHおよびACTHなどがそれぞれの受容体を介し抗炎症作用を持つことはわかっていた。インクレチン関連薬，特にGLP-1受容体作動薬などにも同様な作用が証明され，臓器保護効果

コントロール不良──次の一手はこれだ！

経口薬

変更なし

食事療法

前記指導に加え，食物繊維（野菜，根菜類）を一番初めに食べる。午前中の間食は避ける。
コップ1杯の水を飲んでから食事を開始する。空腹時の飲酒は避ける

インスリン・注射薬

インスリン グラルギンまたはインスリン デグルデク（トレシーバ®）などの基礎インスリン　または
GLP-1受容体作動薬（オゼンピック®皮下注0.5～1.0mg／週）の追加

運動療法

変更なし（運動ほどの強度のない身体活動であってもよいので継続）

が臨床試験でも証明されている。肥満は2型糖尿病の強力な増悪因子であるが，単なる数字・BMIだけではなく，非アルコール性脂肪性肝疾患（nonalcoholic fatty liver disease：NAFLD）〔MASLD〕や，睡眠時無呼吸症候群，肥満関連疾患の存在を総合的に考慮し，治療選択を考えていきたい。

糖尿病薬の水平方向への展開は，加速度的に進んでおり，Alzheimer病，Parkinson病，NAFLD／非アルコール性脂肪肝炎（nonalcoholic steatohepatitis：NASH〔MASH〕），慢性閉塞性肺疾患（chronic obstructive pulmonary disease：COPD）／気管支喘息，敗血症／急性肺障害などへの応用も検討されている[1)]。

以下，処方例に関する補足である。経口薬：メトホルミン，SGLT2阻害薬，DPP-4阻害薬が使用されていれば，これ以上の経口薬はない。経口GLP-1受容体作動薬も考えられるが，現行の治療薬に加えるのは費用対効果が低い。食事療法：間食するときでも午前中の間食は避ける。午前中間食する肥満者は減量が難しい。空腹時に飲酒は避けるのは，その後の摂食量が増大するためである。運動療法：運動ほどの強度のない身体活動も実はインスリン抵抗性を格段に改善させる。エレベーターを使わず，3階までなら1日10往復すると考えても10分で約60kcalの運動量が得られる。

BMI 23の高齢者にGLP-1受容体作動薬は適応か?

小柴博路

Keyword
- 高齢者
- 筋力低下

parameter

81歳女性　主婦

肥満	★☆☆☆☆	なし(BMI 23.0)
家族歴	★★★★☆	父:2型糖尿病，娘:2型糖尿病
HbA1c	★★★★☆	9.2%
食前血糖	★★★★☆	156mg/dL
食後血糖	★★★☆☆	234mg/dL
罹病期間	★★★★★	約21年
腎障害	★★☆☆☆	腎症2期
合併症	★★☆☆☆	高血圧症
併用薬	★★☆☆☆	アジルサルタン20mg/日

現処方
テネリア®20mg/日 分1 朝食後，シュアポスト®1.5mg/日 分3 毎食直前
食事療法:1,400kcal/日，運動療法:なし

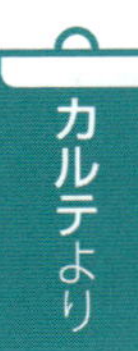

身長153cm，体重53.8kg。60歳で数年ぶりに健康診断を受診したところ，HbA1c 7.4%，空腹時血糖150mg/dLと血糖高値を初回指摘され，2型糖尿病の診断となった。診断当初は食事・運動療法に積極的に取り組めており，DPP-4阻害薬単剤でHbA1c 7.0%未満を維持できていた。しかし，2年前に夫が逝去したことを契機に，外出が減り運動習慣はなくなり食生活も乱れ，その頃から血糖値も増悪傾向とな

りHbA1c 8.5%まで上昇した。グリニド薬を追加したところ，一時はHbA1c 7.0%程度まで改善したが，その後徐々に物忘れが目立つようになるにしたがい血糖値も増悪傾向となり，服薬アドヒアランスの悪化が疑われた。同居の家族はいないが，近所に娘が住んでおり1日1回朝に様子を見にきている。

病態をどうとらえるか──parameterを読み解く

加齢に伴い糖尿病，糖尿病予備軍の頻度は増加するとされる[1)]。これは，加齢による内臓脂肪の増加や筋肉量の低下，肝臓でのインスリン抵抗性の増大，身体活動量の低下によるインスリン抵抗性の増大，ミトコンドリアからの活性酸素放出や酸化ストレスの亢進，インスリン初期分泌の低下が原因と考えられている[2)]。高齢者糖尿病では健常者と比較して，認知症，ADL低下，サルコペニア，フレイル，低栄養といった老年症候群のリスクは2倍とされ，注意が必要である[3)]。治療においては，低血糖症状が出にくいことや，社会・経済的問題やQOLの低下が治療を困難にする場合があることなどに注意し，総合的に考えて調整を行う必要がある。

問題点の整理

外出習慣がなくなり運動量が低下したことを契機に，筋肉量の低下や認知機能の低下をきたしている。現在の状況は，加齢に伴って予備能力が低下し身体的ストレスによって要介護や死亡に陥りやすい状態に加えて，認知機能障害を認めており，広義のフレイルにあたると考えられる。今後ADLが低下してしまうと，さらなる血糖コントロールの悪化につながることが危惧され，今後は血糖値を改善するだけでなく，身体活動の増加も必要である。また，糖尿病治療の見直しに関しては，現在の内服タイミングは，各食前および朝食後の1日4回と多く，今後服薬アドヒアランスの改善が望めるような対応を要する。

処方例──まずはこうする！

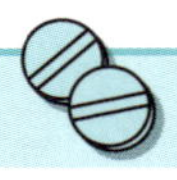

経口薬

経口血糖降下薬：テネリア®およびシュアポスト®は中止する

食事療法

過度な食事制限はフレイルを増悪させる。その他の併存疾患や腎症に問題がなければ，蛋白質も十分量摂取する必要がある

注射薬・インスリン

注射薬(GLP-1受容体作動薬)：デュラグルチド0.75mg 週1回

インスリン：空腹時血糖値が高くなる場合は，必要に応じて基礎インスリンの導入も検討

運動療法

高齢者では身体的な制限のために十分な運動量を行えないことも多い。実施可能な範囲での有酸素運動，上肢を中心としたレジスタンス運動などを取り入れることも有効である

解説 処方例──まずはこうする！

高齢者糖尿病の血糖コントロール目標は，認知機能やADLにより決まり，本症例ではADLの低下はないが軽度認知症を認め，重症低血糖が危惧される薬剤を使用する場合のHbA1cの目標値は8.0％未満（下限7.0％），使用しない場合は7.0％未満が推奨される[4]。本症例の治療法の検討においては，運動量の低下や食事摂取量の増加により食後血糖だけでなく空腹時血糖も悪化を認めていることや，服薬アドヒアランスが悪化していることに特に焦点を当てて考える。デュラグルチドは，長時間作用型GLP-1受容体作動薬であるため，食後血糖上昇を抑制するだけでなく，空腹時の高血糖改善にもつながり，また週1回製剤であるため，家族の協力や医療資源の導入によりアドヒアランスを向上させることができる。高齢者にGLP-1受容体作動薬を導入する際には，投与タイミングのほか，食欲抑制効果の有無や体重減少効果の程度に関しても注意する必要がある。本症例で選択した**デュラグルチドは，セマグルチドやリラグルチドといった薬剤と比較して体重減少効果は軽度であり**[4,5]，**こういった体重減少を目的としない患者にGLP-1受容体作動薬を導入したい場合には特に適している**と考えられる（図）[6]。

コントロール不良──次の一手はこれだ！

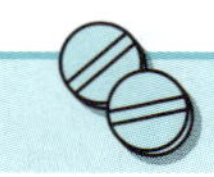

経口薬

変更なし

インスリン

インスリン イコデク®70単位 週1回
(2024年発売予定)

食事・運動療法

変更なし

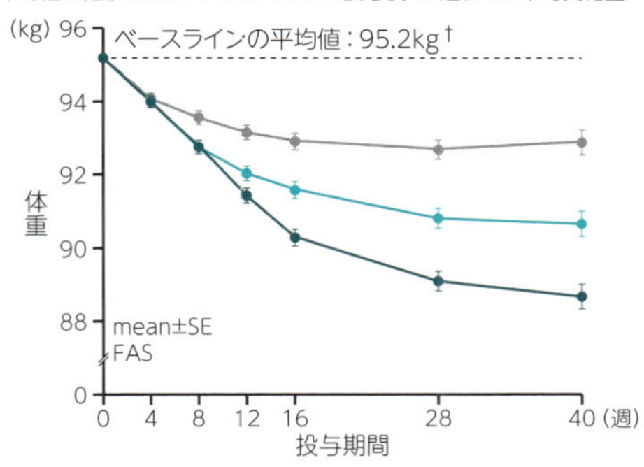

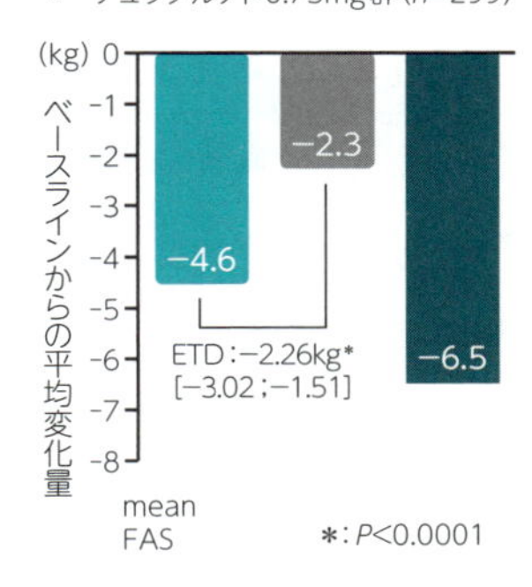

図　メトホルミン併用下でのセマグルチドとデュラグルチドの比較試験（SUSTAIN 7）

†：最大の解析対象集団のベースラインの平均値に基づく
最大の解析対象集団の被験者から得られた「レスキュー治療薬の投与がない治療中」データを用いた。解析はMMRMにより平均を推定した。セマグルチド群とデュラグルチド群の群間差の両側95%信頼区間の上限が0%未満の場合に優越性が検証されることとした
SE：標準誤差，FAS：最大の解析対象集団，MMRM：mixed model for repeated measurements（繰り返し測定に対する混合モデル），ETD：群間差の推定値
日本国内におけるデュラグルチドの承認用量は0.75mgのみであるため，デュラグルチド1.5mg群のデータは提示していない
（文献6より抜粋）

解 説　コントロール不良──次の一手はこれだ！

認知機能低下により治療のアドヒアランスが低下し，血糖値の悪化につながっている場合，家族との治療に関する情報共有や協力を仰ぐことが重要となる。本症例では，家族の介入を得られる朝食時に治療を集約するとよい。将来は週1回投与のイコデク®なども選択肢となるであろう。

BMI 16の若年患者。メトホルミンとDPP-4阻害薬で今一歩

五日市篤

Keyword
- メトホルミン・DPP-4阻害薬
- 早期インスリン導入
- 若年患者

parameter

28歳男性　介護職

肥満	★★★★☆	なし (BMI 16.0)
家族歴	★★★☆☆	父：糖尿病
HbA1c	★★★☆☆	7.2%
食前血糖	★★★☆☆	145mg/dL
食後血糖	★★★☆☆	220mg/dL
罹病期間	★★☆☆☆	1年
腎障害	★☆☆☆☆	腎症1期 (eGFR 92mL/分/1.73m², 尿アルブミン15mg/gCr)
合併症	★☆☆☆☆	網膜症なし，神経障害なし，大血管障害なし
併用薬	★☆☆☆☆	なし

現処方　メトグルコ®1,000mg/日 分2 朝夕食後，グラクティブ® 50mg/日 分1 朝食後

1年前に健康診断で血糖高値を初めて指摘され，糖尿病初回診断に至った。膵島関連自己抗体は陰性であり，2型糖尿病の診断となっている。その後，メトグルコ®による薬物治療開始も改善乏しく経過した。DPP-4阻害薬のグラクティブ®が追加となったが，血糖管理はHbA1c 7%未満を達成できずに推移していた。身長175cm，体重49kg，血圧120/70mmHg，胸腹部異常なし，下肢浮腫なし。CPRインデックス0.9 (>0.8)。腹部エコーは異常なし。心エコー：EF 72%で壁運動異常なし。

病態をどうとらえるか──parameterを読み解く

肥満を認めない若年の糖尿病患者で，家族歴を認めている。また，メトホルミンとDPP-4阻害薬の治療によっても血糖管理目標を達成できていない。病態としては高血糖を認めるものの肥満は認めておらず，内因性インスリン分泌能が低下していることが予想される。

問題点の整理

内因性インスリン分泌能が低下していることが病態として予想され，メトホルミンとDPP-4阻害薬を用いても十分な血糖管理となっていない。本症例では合併症を防ぐことに加え，若年であることから今後の健康寿命の観点からも速やかな血糖管理の改善が望まれる。治療の変更に際しては，膵保護の観点から早期のインスリン導入が望ましく，まずは持効型インスリンの1日1回投与を開始とする。

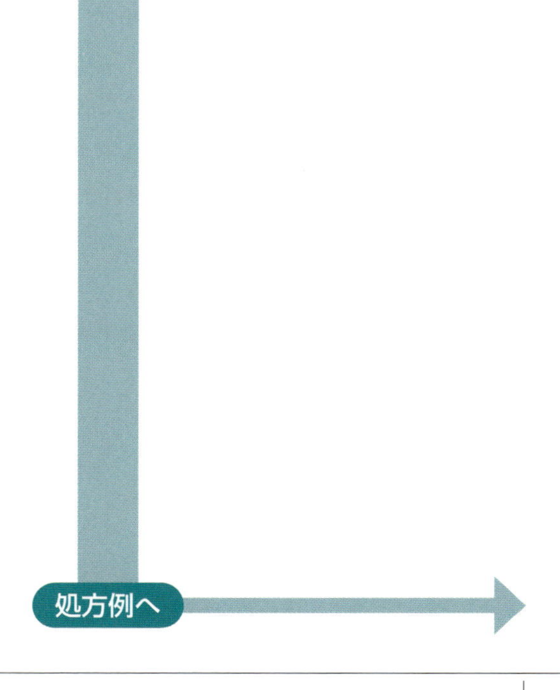

処方例——まずはこうする！

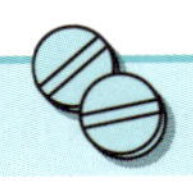

経口薬

メトグルコ®およびグラクティブ®は継続

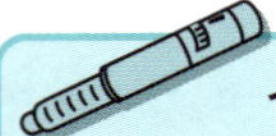

インスリン

トレシーバ®4単位/日 眠前

食事療法

2,000kcal/日(29.7kcal/kg/日)

運動療法

中等度の運動を週3回以上。毎日歩行を1万歩/日

解 説 処方例——まずはこうする！

2型糖尿病は，インスリンの分泌障害とインスリン抵抗性，さらには脂肪毒性が絡み合っていることが特徴の複雑な病態を示す疾患である。また，2型糖尿病を対象とした大規模臨床試験の結果から，経年的に膵β細胞機能が低下することが知られている。従来インスリン治療は，経口血糖降下薬の無効例に対して経口血糖降下薬を中止した上で最終的に導入される治療であったが，そのような患者ではインスリン導入後の血糖コントロールは困難で不安定になりやすい。これは膵β細胞の機能不全が進行すると，追加分泌のみならず基礎分泌までが障害され，さらに膵α細胞の二次的な機能障害も引き起こされてグルカゴン分泌までが異常になるためである[1)2)]。

そのため，本症例のように**若年の糖尿病治療においては，経口血糖降下薬の治療効果が不良の場合は早期のインスリン導入による膵保護も考慮するべき**である。

コントロール不良──次の一手はこれだ！

経口薬

変更なし

食事療法

変更なし

インスリン

トレシーバ®は継続し，血糖測定を見て最も食後血糖が高そうな食前に超速効型インスリンを4単位/日追加

運動療法

変更なし

解 説 コントロール不良──次の一手はこれだ！

基礎インスリンの導入によっても管理不良の場合は，超速効型インスリンの追加を考慮する。この場合，まずは1日の中で最も食後血糖値が高そうな食前に超速効型インスリンを4単位/日前後で追加する。また，食後2時間血糖180mg/dL以下をめざして調整する。

基礎インスリンに毎食前3回の超速効型インスリンを追加することは患者の心理的なハードルが高く，特に若年の患者の場合は職場や外出先での注射に難色を示される場合が多い。その場合，**まずは1日の中で最も大きな食事の食前に1回でも超速効型インスリンを投与開始することで血糖管理改善を図り，患者の理解や慣れが出てきたところで血糖推移に応じて投与回数を増やしていく**形でステップアップしていくとスムーズな治療移行につながると考えられる。

9章-1

1) 日本肥満学会，編：肥満症診療ガイドライン2022．ライフサイエンス出版，2022．
2) Frías JP, et al：Tirzepatide versus Semaglutide Once Weekly in Patients with Type 2 Diabetes. N Engl J Med. 2021；385(6)：503-15.
3) 日本人の肥満2型糖尿病患者に対する減量・代謝改善手術の適応基準に関する3学会合同委員会，編：日本人の肥満2型糖尿病患者に対する減量・代謝改善手術に関するコンセンサスステートメント．日本肥満症治療学会，他監修．コンパス出版，2021．
4) Saiki A, et al：Background characteristics and postoperative outcomes of insufficient weight loss after laparoscopic sleeve gastrectomy in Japanese patients. Ann Gastroenterol Surg. 2019；3(6)：638-47.
5) Buchwald H：Metabolic surgery：a brief history and perspective. Surg Obes Relat Dis. 2010；6(2)：221-2.

9章-2

1) Mehdi SF, et al：Glucagon-like peptide-1：a multi-faceted anti-inflammatory agent. Front Immunol. 2023；14：1148209.

9章-3

1) 厚生労働省：平成27年国民健康・栄養調査報告．[https://www.mhlw.go.jp/bunya/kenkou/eiyou/h27-houkoku.html]
2) 日本糖尿病学会，編著：糖尿病専門医研修ガイドブック．改訂第8版．診断と治療社，2020，p401．
3) Araki A, et al：Diabetes mellitus and geriatric syndromes. Geriatr Gerontol Int. 2009；9(2)：105-14.
4) 日本糖尿病学会，編著：糖尿病専門医研修ガイドブック．改訂第8版．診断と治療社，2020，p282．
5) 上野浩晶，他：3.GLP-1受容体作動薬の体重減少効果．糖尿病．2017；60(9)：570-2．

6) Pratley RE, et al:Semaglutide versus dulaglutide once weekly in patients with type 2 diabetes (SUSTAIN 7): a randomised, open-label, phase 3b trial. Lancet Diabetes Endocrinol. 2018;6(4):275-86.

9章-4

1) 日本糖尿病学会，編著：糖尿病専門医研修ガイドブック．改訂第7版．診断と治療社，2017，p254.
2) Blüher M, et al:Beta-cell function in treatment-naïve patients with type 2 diabetes mellitus: Analyses of baseline data from 15 clinical trials. Diabetes Obes Metab. 2023;25(5):1403-7.

10 章

新規デバイスを活用した糖尿病治療

Keyword
- 1型糖尿病
- 頻回に低血糖が出現
- 挙児希望あり

インスリンポンプ療法に変更するべき?

渕上彩子

parameter

32歳女性	看護師(夜勤勤務あり)	
肥満	★★☆☆☆	なし(BMI 20.4)
家族歴	★☆☆☆☆	なし
HbA1c	★★★☆☆	7.2%
食前血糖	★★☆☆☆	128mg/dL
食後血糖	★★☆☆☆	195mg/dL
罹病期間	★★☆☆☆	1年
腎障害	★★☆☆☆	腎症1期(eGFR 80mL/分/1.73m², 尿アルブミン12mg/gCr)
合併症	★☆☆☆☆	網膜症なし, 神経障害(末梢神経障害, 自律神経障害)なし, 大血管障害なし
併用薬	★☆☆☆☆	なし

現処方

カーボカウントにて, ノボラピッド®注フレックスタッチ®を投与中。糖質比は朝10, 昼・夕8である
トレシーバ®注フレックスタッチ® 6単位/日

18歳時に糖尿病ケトアシドーシスにて入院加療となり, 抗GAD抗体陽性, インスリン分泌の低下から急性発症1型糖尿病の診断となった。強化インスリン療法が開始され, 現在はHbA1c 7.0%前後で推移している。普段の血糖自己測定(self-monitoring of blood glucose: SMBG)を確認すると, 空腹時血糖値は130～150mg/dL, 食後血糖

値180mg/dLでおおむねコントロールは良好である。職業が看護師であり，勤務中に低血糖となることがしばしばある。身長158cm，体重51kg。結婚を考えており，挙児希望がある。

病態をどうとらえるか――parameterを読み解く

合併症の進行のない比較的良好な血糖コントロールを維持している1型糖尿病患者である。職業上，自身の予想以上に運動することもあり，強化インスリン療法では回避が難しい低血糖がある。

問題点の整理

挙児希望があり，妊娠までの厳格な血糖管理が求められる。日本糖尿病学会によると糖尿病患者の妊娠許可条件は，HbA1c値6.5%未満であり，合併症に関しては単純網膜症で安定，腎症は2期までが条件となる[1)]。肥満は条件には入っていないが，周産期合併症のリスクとなるため，食事療法を見直し，肥満の是正をしておくことも大事である。**妊娠初期にHbA1c値が高いと児の形態異常につながることもあり，低血糖を回避した良好な血糖管理が求められる**。血糖コントロールを良くしたい気持ちが強いと過度なインスリン投与につながり，低血糖時間が増えることとなる。

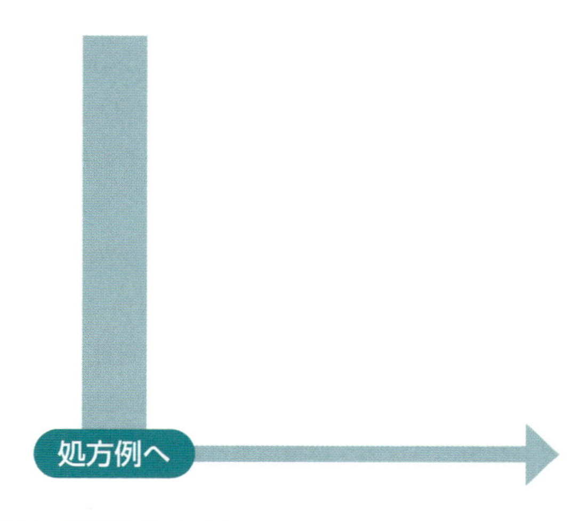

処方例──まずはこうする！

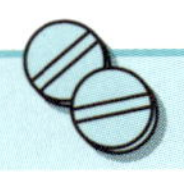

経口薬

適応なし

食事療法

糖尿病食1,520kcal/日
※栄養指導にてカーボカウントが適正か再確認し，糖質比の再設定を行う

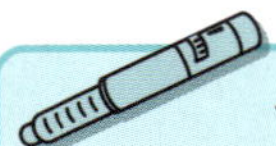

インスリン

変更なし　※長期のインスリン使用者の場合手技が煩雑となっていることがあり，注射手技および腹部にインスリンボールができていないかを確認

運動療法

普段の運動量に加えて，週に数回のウォーキング30分程度

解説　処方例──まずはこうする！

1型糖尿病において，カーボカウントは食事療法を遂行するのに重要なツールである。治療を変更する前にカーボカウントが適正か，その上で糖質比が正しいかを評価する。強化インスリン療法に加えて，FreeStyleリブレを導入する。まずは，**HbA1c 7％未満の達成のため，TAR(time above range)である＞250mg/dLを5％未満，＞180mg/dLを25％未満，TIR(time in range)＞70％，TBR(time below range)である＜70mg/dLを4％未満，＜54mg/dLを1％未満に管理する**。TIRは70～180mg/dLを目標とした範囲である[2)]。AGP(ambulatory glucose profile)レポートを使用しながら，それぞれの血糖範囲の割合を考慮し，24時間の血糖推移を確認してインスリン調整を行う。インスリンについては，1型糖尿病でありインスリン分泌も枯渇しているため，1単位ごともしくは0.5単位のHDを使用して，増減を行う。

解説　コントロール不良──次の一手はこれだ！

isCGM(intermittently scanned continuous glucose monitoring)の使用により，24時間の血糖推移の把握が可能となり，暁現象やソモジー効果をはじめ，見えていなかった低血糖や高血糖が出現していることがわかる。インスリン注射では急激な血糖変動に対して厳格な是正は困難となることがあり，打

コントロール不良 ── 次の一手はこれだ！

経口薬・インスリン

変更なし（SAP療法へ切り替え）

食事・運動療法

変更なし

ちすぎは重症低血糖のリスクとなる。より厳格な管理のため，インスリンポンプ療法が選択される。インスリンポンプとは，インスリンを持続的に注入する小型ポンプであり，rtCGM（real-time CGM）と併用することでSAP（sensor-augmented pump）療法となる。SAP療法は，1型糖尿病，インスリン分泌の枯渇した2型糖尿病等に使用することができる[3]が，費用も高額となるため（患者により値段は異なる），適応をよく考慮して使用する必要がある。**SAPは視覚的に血糖変動を確認できるだけでなく，低血糖および高血糖をアラートし，低血糖傾向を検知すると自動でインスリン注入を中断する機能も持っている。**2022年よりメドトロニック社から，基礎インスリンを自動で調整する機能が付いた，HCL（hybrid closed loop）療法が行えるミニメド™770G（図）が発売されている。本症例はリブレ導入後も日中の高血糖是正が困難で，挙児希望があり，厳格な血糖管理を希望しているため，SAP療法へ切り替えを行った。その後，良好な血糖推移が得られ，いわゆる妊活を開始することができた。

小さな子どもがいるなど，チューブが短いタイプを使用したインスリンポンプを希望する場合は，テルモ社からパッチ式インスリンポンプであるMEDISAFE WITH™が発売されている（図）。こちらはインスリンポンプとなるがHCL療法には使用できないため，患者の背景や用途に応じて選択する必要があるだろう。

ミニメド™770G
（メドトロニック社ホームページより転載）

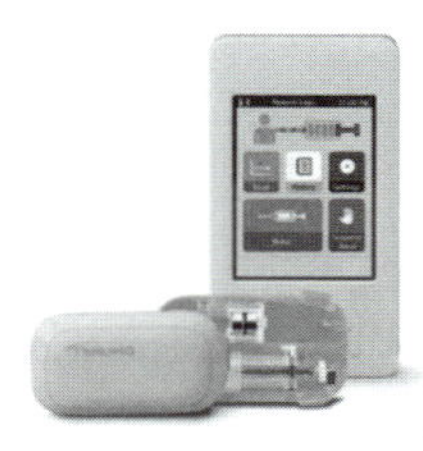

パッチ式インスリンポンプ
MEDISAFE WITH™
（テルモ社ホームページより転載）

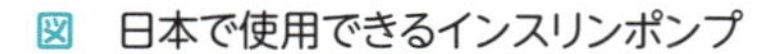

図　日本で使用できるインスリンポンプ

血糖測定デバイスの選択に迷う

渕上彩子

Keyword

- 1型糖尿病
- 血糖値が安定しないことが苦痛で血糖自己測定(SMBG)をしたくない

parameter

49歳女性　会社員(デスクワーク，電車通勤)，子ども2人

肥満	★☆☆☆☆	なし(BMI 23.1)
家族歴	★☆☆☆☆	なし
HbA1c	★★★☆☆	7.8%
食前血糖	★★★☆☆	140mg/dL
食後血糖	★★☆☆☆	185mg/dL
罹病期間	★★★★★	20年
腎障害	★★☆☆☆	腎症1期(eGFR 65mL/分/1.73m^2，尿アルブミン15mg/gCr)
合併症	★★☆☆☆	網膜症なし，神経障害(末梢神経障害，自律神経障害)あり，大血管障害なし
併用薬	★☆☆☆☆	なし

現処方　カーボカウントにより，インスリン リスプロBS注ソロスター®「サノフィ」の単位数を調整中。糖質比は朝10，昼15，夕12。トレシーバ®注フレックスタッチ®8単位/日 夕

29歳時に糖尿病ケトアシドーシスを発症し，入院加療。抗GAD抗体陽性，インスリン分泌枯渇であり，1型糖尿病の診断となった。糖尿病の合併症に関しては神経障害が軽度進行しているが，それ以外の進行はなし。HbA1c値は7.5～8.5%程度で推移していた。血糖自己測定(self-monitoring of blood glucose：SMBG)を長期間施行してい

るが，安定しない血糖値を見ることへの苦痛から最小限の血糖測定回数のみしか行っておらず，血糖コントロールについても諦めや関心が薄くなっている。膀胱炎の既往歴あり。身長150cm，体重52kg。

病態をどうとらえるか――parameterを読み解く

罹病期間が長期の1型糖尿病。内因性インスリン分泌は枯渇しており，強化インスリン療法が必須の状態である。合併症の進行は軽度であるが，HbA1c値は7.5～8.5%程度で推移しており，年齢やADLを考慮してもHbA1c 7.0%未満をめざしてあと一歩治療介入したい。SGLT2阻害薬の投与も検討されるが，膀胱炎の既往歴があり使用しにくい。

問題点の整理

長期間，1型糖尿病の治療を行っている。カーボカウントを行っているが煩雑となっている可能性が高く，SMBGも限られることから血糖コントロールが安定しない。栄養指導を行い，糖質比の見直しが必須であるが，治療方針についても再検討したい。SMBGのみでは血糖値が安定しないため，ほかのデバイスへ変更する提案も必要である。デバイスを変更することで隠れた低血糖，高血糖を見つけ是正を図りたい。また**近年，1型糖尿病患者の高齢化も問題とされ，できるだけ簡便な方法へ切り替えを行っていく必要もある。**

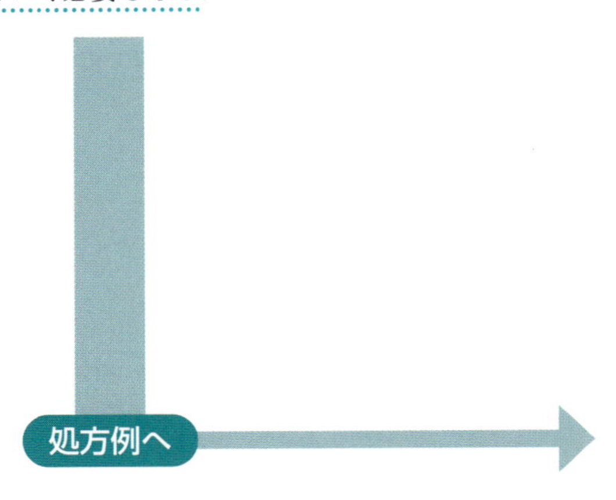

処方例――まずはこうする！

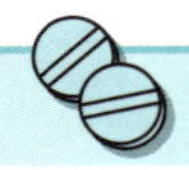

経口薬

適応なし

食事療法

1,400kcal／日（28kcal／kg／日）

インスリン

応用カーボカウントにより，インスリン リスプロBS注ソロスター®「サノフィ」の単位数を調整中。糖質比は朝10，昼15，夕12である
トレシーバ®注フレックスタッチ®8単位／日夕 継続

運動療法

週3回以上，可能であれば毎日30分〜1時間程度のウォーキングをする

解説 処方例――まずはこうする！

まずは，栄養指導にて糖質比の見直しを行う。本症例ではSMBGが患者の苦痛となり治療を妨げているが，それだけでなく**SMBGのみでは最大80％の低血糖や高血糖が見逃される可能性がある**[1)]。SMBGを別の血糖測定デバイスへ変更する。

血糖推移を確認できるデバイスとして，intermittently scanned CGM（isCGM）と呼ばれるアボットジャパン社のFreeStyleリブレ，real-time CGM（rtCGM）であるテルモ社のDexcom G6 CGMシステム，メドトロニック社のガーディアン™コネクトがある[2)]（**表**）[3)]。それぞれ特徴が異なり，FreeStyle

表 CGM（continuous glucose monitoring）の特徴

リアルタイム／パーソナル	FreeStyleリブレ	ガーディアン™コネクト	Dexcom G6
CGM／isCGM	isCGM	rtCGM	rtCGM
較正	不要	必要	必要時のみ
最長使用期間	14日	6日	10日
グルコース値表示	スキャン時のみ	常時	常時
アラート機能／予測機能	なし	あり	あり
特徴	安価・装着が簡便である	医療者・保護者がスマートフォンなどで見ることができる	精度が良いとされている

（文献3をもとに作成）

コントロール不良――次の一手はこれだ！

経口薬・インスリン

変更なし(Dexcom G6 CGMシステムへ切り替え)

食事・運動療法

変更なし

リブレは6時間ごとのスキャンが必須であるが24時間血糖変動を確認でき，携帯電話と連動すれば気軽に推移を確認できる。14日間測定が可能で，機器は上腕に装着する。Dexcom G6 CGMシステムは，6時間ごとのスキャンは必要なく，携帯電話（機種が限られる）で血糖推移を確認できるほか，家族もその推移を共有できる。さらに低血糖アラート機能があり，設定した低血糖となる前にアラートしてくれる。装着は腹部に行う。ガーディアンTMコネクトは，可能な限り1日2回以上のSMBGによる較正が必要であるが，Dexcom G6 CGMシステムと同様に高グルコースや低グルコースアラートが可能である。

本症例は，一番操作が簡便であるFreeStyleリブレをまず試してみることにした。

解説　コントロール不良――次の一手はこれだ！

FreeStyleリブレを使用し，HbA1c値は久しぶりに7%台前半で経過するようになり，治療に対しても積極的となった。見えなかった高血糖が見つかり糖質比を自己調整し，さらに補正ボーラスをするようになった。しかし，ボーラス投与が増えることで食後の低血糖の頻度も増加した。糖質比を増やしてボーラス量を減らすように調整するとともに，低血糖回避のため，FreeStyleリブレからDexcom G6 CGMシステムへ変更した。低血糖アラートを設定することで低血糖回避を狙った。また，血糖値が低い場合は必ずSMBGで再度測定し評価するように指導した。変更後，低血糖時間は減少し，TIR（time in range）は70%を超えるようになった（TIRについては☞10章1を参照）。インスリン投与量の増加により体重も増加する可能性があるため，今後も注意深く観察する。

rtCGMは日々進歩しており，機能も多岐にわたるようになった。診療報酬も改訂されており，デバイスにより値段は異なる。長期に使用するデバイスであるため，よく患者と相談して選択してほしい。

スマートリンクの活用法

宮城匡彦

Keyword
- PHR (personal health record)
- スマートフォン用アプリ
- スマートセンサー・キャップ

parameter

66歳男性　定年退職後

肥満	★☆☆☆☆	なし(BMI 24.4)
家族歴	★★★☆☆	父:糖尿病・心筋梗塞
HbA1c	★★★☆☆	7.5%
食前血糖	★★★☆☆	140mg/dL
食後血糖	★★★☆☆	200mg/dL
罹病期間	★★★★★	20年
腎障害	★★★☆☆	腎症2期(eGFR 50mL/分/1.73m², 尿アルブミン120mg/gCr)
合併症	★★★★☆	網膜症A1, 神経障害なし, 大血管障害:脂質異常症, 高血圧症
併用薬	★★★☆☆	パルモディア®0.2mg/日 分2 朝夕食後, ミカルディス®20mg/日 分1 朝食後

現処方 ゾルトファイ®配合注フレックスタッチ®16ドーズ/回 夕

20年前の職場健診で糖尿病を指摘され, 15年前にインスリン療法を開始された。2020年からはゾルトファイ®配合注とスタチンおよびアンジオテンシンⅡ受容体拮抗薬(ARB)にて治療を行っている。昨年度まではHbA1c<7.0%を達成していたがこのところ上昇してきており, 血糖自己測定(self-monitoring of blood glucose:SMBG)の記載も雑

になってきている。話を聞くと，この春に勤めていた会社を退職し，規則正しい生活ではなくなったとの自己分析がある。身長167cm，体重68kg，胸腹部異常なし。

病態をどうとらえるか――parameterを読み解く

家族歴がある2型糖尿病。糖尿病歴は長く，BMI≧22.0あるが肥満には至っていない。糖尿病合併症はわずかで，過去の血糖管理は安定していたと思われる。今回のHbA1c上昇は生活習慣の乱れが原因との自己分析がある。

問題点の整理

食事運動療法による生活習慣の改善が大前提であるが，今回は違ったアプローチをする。医療DX（デジタルトランスフォーメーション）は急速に進んでいる。血糖測定器はアップデートされ，Bluetooth技術でスマートフォン用アプリへデータ転送されるようになった。70～180mg/dLの至適血糖範囲（time in range：TIR）が改善したとの報告も出ている[1)]。慢性疾患に対して健康情報を管理するしくみであるPHR（personal health record）を活用して，患者の意欲を高めることが生活習慣の改善に効果的である可能性が示唆されている[2)]。糖尿病治療においても，行動変容や自己管理をより行いやすくなったという報告が増えている。

糖尿病患者や医療スタッフに役立つツールを紹介する。

処方例──まずはこうする！

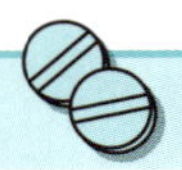

経口薬

適応なし

インスリン・注射薬

自己注射でSMBGをしており，スマートフォン用アプリを導入してみる

食事療法

1,680kcal/日(27.4kcal/kg/日)，減塩(塩分6g/日)
※総カロリーは25〜30kcal/kg目標体重。 高血圧症があるため塩分6g未満/日に設定する

運動療法

歩行運動としては1回15〜30分間，1日2回，1日の運動量として歩数は1万歩程度行う

解 説　処方例──まずはこうする！

総務省のデータによると高齢者のスマートフォンやタブレット利用状況は，60〜69歳では73.4%，70歳以上は40.8%とされている[3]。このまま歳を重ねても利用率は今後上昇していく。**糖尿病用PHRアプリの代表的なものとして「Welbyマイカルテ」「スマートe-SMBG」「シンクヘルス」が挙げられ，いずれもAndroidおよびiPhoneで利用可能である**。患者も血糖自己測定記録をノートに書き写す必要がなくなり，データの保存も非常に簡便である。スマートフォンは持ち歩くので，ノートを持ってくるのを忘れて診察時に確認できないこともない。必要であれば紙に出力してきてもらう。以前は患者の持参データを見て，診療時間中に問題点を洗い出さなければならなかったが，クラウド化されており患者が来院する前にデータを見て対応可能である。

2型糖尿病に対して既にPHRを利用した研究もされている。朝長らは「Welbyマイカルテ」を利用し，PHRの活用により生活習慣改善に対するコンプライアンスが向上し，HbA1cが改善することが示唆されたと報告している[4]。患者のエンパワメントや治療モチベーションアップにもつながる。

コントロール不良―次の一手はこれだ！

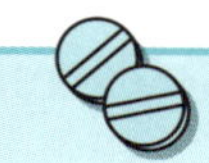

経口薬

変更なし

食事療法

変更なし

インスリン・注射薬

※デバイス：フレックスタッチ®用のMallya®（マリヤ®）を使用してみる（ソロスター®用ならSoloSmart®）

運動療法

中等度の運動を週3回以上，レジスタンス運動（腹筋，ダンベル，スクワットなど）を取り入れてみる

解説　コントロール不良―次の一手はこれだ！

インスリン治療では打ち忘れが大きな問題となるが，その懸念は高齢者だけではなく誰にでもありうることである。夕食後に眠くなって翌朝まで寝てしまったとか，打ち忘れに気づいて夜中に起きたときに打ったが寝ぼけていて単位数を覚えていない，などという話を聞いたことはないだろうか。

このような**打ち忘れが懸念される患者にはインスリンデバイスに装着するツールを紹介**して頂きたい。2023年に登場したMallya®やSoloSmart®は，インスリン投与に関する情報を「シンクヘルス」アプリへワイヤレスで送信してくれる。これらを装着して注射すると投与時刻と投与量が自動的に記録され，保存されたデータで薬剤の投与履歴を確認することができる。このツールが賢いのは，ペンのダイヤル部分に装着するだけで，複数ある種類の中からどのインスリンか自動で判別してくれる点である。ペンごとに細かい設定変更は不要である。また「シンクヘルス」にはパートナー機能があり，遠方の家族とつながり，家族が数値を把握できたりアラートを受け取ることもできる。

医療DXの国内の動向は国の医療DX推進本部を中心に計画が動いている。構想としてはPHRとマイナポータルおよび医療情報などの連携が予定されている[5)]。

10章-1

1) 日本糖尿病学会，編著：妊婦の糖代謝異常．糖尿病診療ガイドライン2019．南江堂，2019，p283-303．

2) ElSayed NA, et al：6. Glycemic Targets: Standards of Care in Diabetes-2023. Diabetes Care. 2023；46(Suppl 1)：S97-110.

3) 小林哲郎，他：日本先進糖尿病治療研究会によるCSIIおよびCGMに関するステートメント．糖尿病．2014；57(6)：403-15．

10章-2

1) Kaufman FR, et al：A pilot study of the continuous glucose monitoring system: clinical decisions and glycemic control after its use in pediatric type 1 diabetic subjects. Diabetes Care. 2001；24(12)：2030-4.

2) 日本糖尿病学会：リアルタイムCGM適正使用指針．改訂2022年12月1日．[http://www.fa.kyorin.co.jp/jds/uploads/CGM_usage_guideline.pdf]

3) 小野正人，他：臨床検査アップデート 53 持続血糖モニタリング．Mod Media. 2021；67(4)：164-9.

10章-3

1) Grady M, et al：Real-World Evidence of Improved Glycemic Control in People with Diabetes Using a Bluetooth-Connected Blood Glucose Meter with a Mobile Diabetes Management App. Diabetes Technol Ther. 2022；24(10)：770-8.

2) 泉岡利於：当院高血圧患者のPHRアプリ利用者に対するアンケート調査の検討．日臨内科医会誌．2019；34(4)：307-13．

3) 総務省：デジタル活用支援．令和3年版 情報通信白書．[https://www.soumu.go.jp/johotsusintokei/whitepaper/ja/r03/html/nd111430.html]

4) 朝長 修，他：Personal Health Record(PHR)による糖尿病患者の生活習慣の改善．糖尿病．2021；64(6)：341-9．

5) 厚生労働省：医療DXの推進に関する工程表について（報告）．2023．[https://www.mhlw.go.jp/content/12601000/001118552.pdf]

索引

数字

欧文

和文

監修

東邦大学医学部内科学講座 糖尿病・代謝・内分泌学分野 教授 **弘世貴久**

【略歴】

昭和60年3月　大阪医科大学卒業
昭和60年7月　大阪大学附属病院医員
平成 4年3月　大阪大学大学院医学研究科修了
平成 4年4月　米国国立衛生研究所研究員
平成 9年6月　大阪大学第三内科助手
平成 9年8月　西宮市立中央病院内科医長
平成16年4月　順天堂大学内科講師
平成18年4月　順天堂大学大学院助教授
平成19年4月　順天堂大学大学院先任准教授
平成24年4月　現 職

編集

東邦大学医学部内科学講座 糖尿病・代謝・内分泌学分野 准教授 **内野　泰**

東邦大学医学部内科学講座 糖尿病・代謝・内分泌学分野 講師 **吉川芙久美**

まずはこうする! 次の一手はこれだ!

糖尿病治療薬 最新 メソッド 4版

定価(本体5,000円+税)

2013年6月4日	第1版
2013年9月14日	第1版2刷
2016年2月18日	第2版
2019年4月13日	第3版
2023年12月8日	第4版

監　修　弘世貴久
発行者　梅澤俊彦
発行所　日本医事新報社　www.jmedj.co.jp
〒101-8718　東京都千代田区神田駿河台2-9
電話(販売) 03-3292-1555　(編集) 03-3292-1557
振替口座　00100-3-25171
印　刷　ラン印刷社

ISBN978-4-7849-5293-9 C3047 ¥5000E

電子版のご利用方法

巻末袋とじに記載されたシリアルナンバーを下記手順にしたがい登録することで，本書の電子版を利用することができます。

1 日本医事新報社Webサイトより会員登録（無料）をお願いいたします。

会員登録の手順は弊社WebサイトのWeb医事新報かんたん登録ガイドをご覧ください。

https://www.jmedj.co.jp/files/news/20191001_guide.pdf

（既に会員登録をしている方は**2**にお進みください）

2 ログインして「マイページ」に移動してください。

3「未登録タイトル（SN登録）」をクリック。

4 該当する書籍名を検索窓に入力し検索。

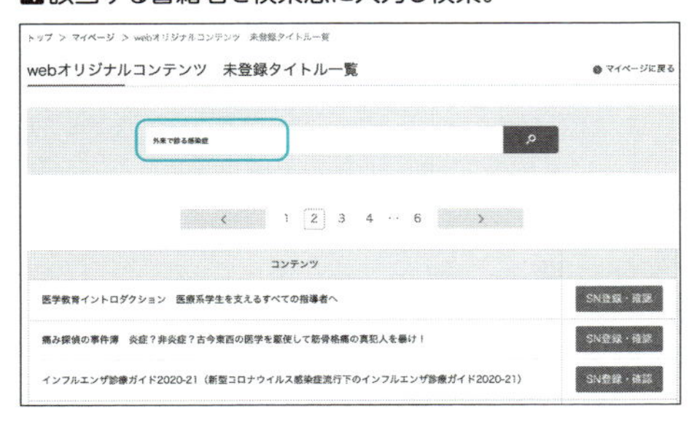

5 該当書籍名の右横にある「SN登録・確認」ボタンをクリック。

6 袋とじに記載されたシリアルナンバーを入力の上，送信。

7「閉じる」ボタンをクリック。

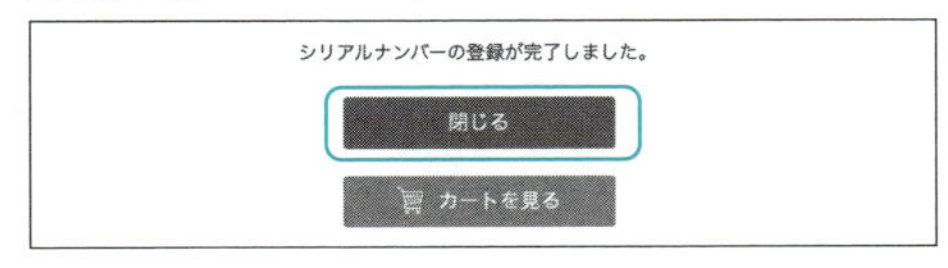

8 登録作業が完了し，**4**の検索画面に戻ります。

【該当書籍の閲覧画面への遷移方法】

①上記画面右上の「マイページに戻る」をクリック
➡**3**の画面で「登録済みタイトル（閲覧）」を選択
➡検索画面で書名検索➡該当書籍右横「閲覧する」ボタンをクリック

または

②「書籍連動電子版一覧・検索」*ページに移動して，書名検索で該当書籍を検索➡書影下の「電子版を読む」ボタンをクリック

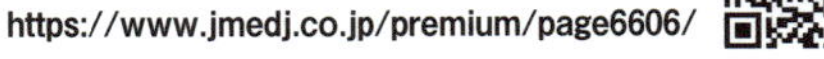

https://www.jmedj.co.jp/premium/page6606/

＊「電子コンテンツ」Topページの「電子版付きの書籍を購入・利用される方はコチラ」からも遷移できます。

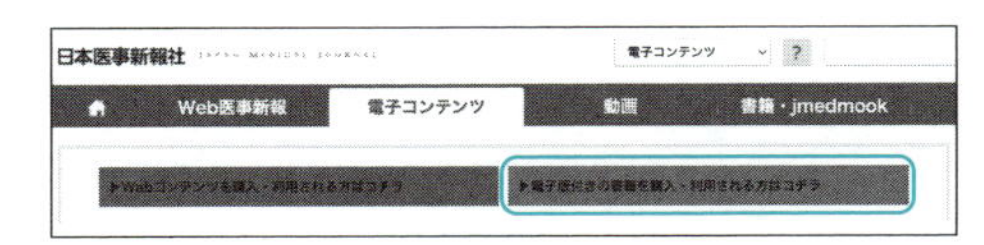